조주
기능사

필기시험문제

| 박두현 · 박수민 지음 |

조주기능사 필기시험문제

첫째판 1쇄 발행 | 2012년 2월 20일
첫째판 3쇄 발행 | 2013년 6월 15일
둘째판 1쇄 발행 | 2014년 2월 10일
둘째판 2쇄 발행 | 2014년 7월 20일
셋째판 1쇄 발행 | 2015년 9월 10일
셋째판 2쇄 발행 | 2017년 4월 18일

지 은 이 박두현, 박수민
발 행 인 장주연
출판기획 노미라
발 행 처 군자출판사(주)
등 록 제 4-139호(1991. 6. 24)

본 사 (10881) **파주출판단지** 경기도 파주시 회동길 338(서패동 474-1)
전화 (031)943-1888 팩스 (031)955-9545

ISBN 979-11-5955-197-0(세트)
979-11-5955-198-7

정가 25,000원

저자소개

I am a Bartender

대표강사_ **박두현, 박수민**

국내 다수의 Bar Bartender 및 Manager를 역임하고 TV와 Magazine 등에 왕성하게 출현하는 일명 스타강사다. 다양한 기업체를 대상으로 음료 교육을 실시하고 있으며, 바 창업에 관한 컨설팅도 함께하고 있다.
조주기능사 전문교육기관 「I am a Bartender School」을 설립하여 전문 바텐더들을 양성하고 있으며, Naver 커뮤니티 「I am a Bartender」를 통해 음료 문화 확산에 기여하고 있다.

Prologue

대한민국에서 바텐더라는 직업을 택한다는 것은 쉽지 않은 결정입니다.

불안한 미래, 곱지 않은 시선... 이 모든 것이 바텐더를 희망하는 이에게 분명 고통의 연속일 것입니다. 그 고통 속에서 수천 번이고 이직을 결심하게 되지만 내가 선택한 길이 결코 잘못된 길이 아니라는 것을 스스로에게 증명하듯 하루하루를 인내하는 것은 비단 저뿐만이 아닐 것입니다.

저는 늘 배우고 늘 감사하며 바텐더라는 직업을 천직으로 삼고 앞만 보고 달려왔습니다.

분명 내안에는 최고의 바텐더가 되고 싶은 욕망이 늘 마른 땅에 단비처럼 간절하지만 아직도 바텐더라는 직업에 대한 사회적 편견과 선입견은 존재합니다.

그 잘못된 인식이 부족한 저로 인해 바뀔 수만 있다면 아니 조금이라도 나아질 수만 있다면 최고의 바텐더가 되고 싶은 욕망과 갈망은 그것으로 족합니다. 이곳 대한민국에서 바텐더라는 직업을 희망하는 분들을 위해 오늘도 저는 다시금 강단에 섭니다.

보다 쉽게… 보다 빠르게…

이 책은 지난 수년간 조주기능사 전문 교육기관을 운영하며 최고의 합격률을 배출해 낸「I am a Bartender School」교육기관의 핵심내용을 담았습니다.

조주기능사 자격증을 준비하시는 많은 분들에게 보다 쉽고 보다 빠르게 합격할 수 있는 비법을 알려드릴 것입니다. 또한 지속적인 수정과 보완으로 부족한 부분을 채워 나가겠습니다. 이 책이 출간되기까지 도움을 주신「I am a Bartender」강사 분들과 군자출판사 관계자 분들께 진심으로 감사의 마음을 전하며, 여러분들의 조주기능사 자격증 취득에 작으나마 도움이 되었으면 합니다.

끝으로 작은아들이 흔들림 없이 한길로 걷게 해주신 사랑하는 부모님에게 이 책을 바칩니다.

저자 박두현

20대 초반에 단지 칵테일에 매력에 빠져 바텐더의 길을 걷기 시작한 것이 이제는 어느덧 직업이 되어 버렸습니다.

여자의 몸으로 더군다나 주로 밤에 근무를 하는 바텐더를 하겠다고 하였을 때 부모님의 강한 반대는 아직까지도 생생하지만 대다수의 남성 바텐더 사이에서 흔치 않은 여성 바텐더로 최고의 바텐더가 되겠다는 저의 강한 의지는 기나긴 갈등의 시간 속에 마침내 부모님을 설득하였고, 그 힘들었던 인내가 오늘날 지금의 위치까지 도달할 수 있게 만들어 준 것 같습니다. 이 책을 준비하는 과정자체가 저에게는 꿈만 같은 일이었고, 배움의 길이였습니다.

다만 우리나라 자료만으로는 그 양과 질이 부족하여 한계의 벽과 오랜 씨름을 하였지만 수십 개월을 밤을 세워가며 해외 원서와 사이트를 번역하며, 기존에 책보다 다양한 자료를 실으려고 노력하였습니다.

그 과정 안에서 처음 바텐더를 시작하려할 때 느낀 초심의 그 감정을 다시금 느낄 수가 있어서 저에게는 어떻게 보면 고마운 책이 된 것 같습니다.

바텐더를 준비하시는, 또는 조주기능사 자격증을 취득하기 위해 이 책을 보시는 모든 분들에게 많은 도움이 되는 책이었으면 좋겠습니다.

제가 이곳까지 올수 있게 길은 안내해주신 사수이자 스승이신 박두현님께 감사의 마음을 전하며 또한 부족한 저의 결과물에 날개를 달아주신 군자출판사 관계자분들께 진심으로 감사드립니다.

끝으로 기나긴 눈물과 갈등의 시간 속에서도 항상 응원해주신 사랑하는 가족에게 이 책을 바칩니다.

저자 박수민

Contents

Part 01. 주류학 개론

Part 02. 주장관리 개론

Part 03. 고객서비스 영어

part_ 01

주류학개론

1. 음료론 2. 양조주 3. 증류주 4. 혼성주 5. 민속주 6. 칵테일 7. 비알코올성 음료

chapter_01 음료론

1. 음료의 정의

음료란 사람이 마실 수 있는 액체의 총칭이다. 음료는 알코올성 음료와 비알코올성 음료로 분류되는데, 주세법에서의 술의 정의는 전분[곡류], 당분[과실] 등을 발효시켜 만든 1% 이상의 알코올 성분이 함유된 음료를 총칭한다.

· 알코올분 : 주세법상 알코올분이라 함은 원용량에 포함되어 있는 에틸알코올(섭씨 15℃에서 0.7947의 비중을 가진 것)을 말한다.

2. 음료의 역사

음료의 역사는 약 1만년전으로 추측되는 벌꿀채취의 동굴벽화로부터 BC 6,000년경 바빌로니아에서는 레몬 과즙을 마셨다는 기록과 우연히 밀빵이 물에 빠져 얻게 되는 맥주, 그리고 과실이 익어서 땅으로 떨어져 자연 발효된 술을 얻은 것까지 다양한 추측과 역사적 근거가 토대를 이룬다.

인류가 발견한 최초의 술은 포도주로 추측이 되는데, 기원전 4천년 청동기 시대의 분묘에서 포도씨가 발견되었고, 이집트에서는 피라미드의 부장품에서 술항아리가 출토되며, 벽화에는 포도주를 만드는 모습이 확인된다. 포도주 다음의 인류가 만들어낸 술은 곡주(穀酒)일 것이다. 포도주에 비해 곡주가 늦게 시작된 것은 원료인 곡류를 재배, 저장하는 단계를 거쳐야 했기 때문이다. 맥주는 기원전 3천년경에 옛 바빌로니아 지방에서 출토된 토제분판(土製粉板) 고대 이집트 지방의 벽화를 통해서 알 수가 있다. 또한 16세기 멕시코를 정복했던 스페인 사람들이 그곳 원주민, 인디언들이 옥수수를 원료로 만든 치차(chicha)라는 일종의 맥주를 마셨고, 영국 항해사 제임스 쿡도 남양제도 사람들이 후추와 식물을 발효시킨 카바(kava)라는 술을 즐기고 있음을 발견했다.

19세기말 스위스에서 사과와 포도를 원료로 제품으로 시판된 것이 최초이며, 커피는 A.D 600년경 예멘에서 양치기에 의해 발견된다. 천연광천수를 마신 데서 비롯해 탄산가스의 존재를 발견한 것은 18세기경 영국의 화학자 조셉 프리스틀리(Joseph Pristry)에 의해 탄산음료가 발견되었다.

3. 음료의 분류

음료를 크게 분류를 하면 알코올성음료와 비알코올성음료로 구분된다.

알코올 음료(Alcoholic)는 일반적으로 제조방법에 따라 양조주, 증류주, 혼성주(재제주)로 분류되며 비알코올 음료(Non-Alcoholic)는 청량음료(탄산음료, 무탄산음료), 영양음료(주스류, 우유류), 기호음료(커피, 차)로 나누어진다.

(1) 알코올성 음료(Alcoholic Beverage) Hard Drink

① 양조주(Fermented Liquor)

양조주는 곡류나 과일을 원료로 당화(糖化) 시키거나 그대로 발효시켜, 발효주(醱酵酒)라고도 한다. 보편적으로 알코올 함유량이 20도를 넘기지 않아 도수가 낮기 때문에 변질되기 쉬운 단점이 있다. ① 과실주(포도주, 사과주), ② 곡물주(맥주, 막걸리, 약주, 탁주, 청주 등)가 양조주에 해당된다.

② 증류주(Distilled Liquor)

발효된 술(양조주)을 다시 증류한 술을 말하며, 스피리츠(spirits)라고 한다. 알코올 도수는 매우 높은 편이며 세계 각국의 여러 지역의 증류주가 있다. 인류가 만든 후대의 술로 생명의 물인 아쿠아비트, 브랜디, 위스키, 럼, 진, 보드카, 테킬라 등이 증류주에 해당된다.

음료의 분류

음료	구분	종류	세부 종류	
음료(Beverage)	비알코올성 음료(Non-Alcoholic Beverage)	청량음료(Soft Drink)	탄산음료(Carbonated soft drink)	
			비탄산음료(Non-Carbonated soft drink)	
		영양음료(Nutritous Drink)	주스류(Juice)	
			우유류(Milk)	
		기호음료(Fancy Taste)	커피(Coffee)	
			차(Tea)	
			코코아(Cocoa)	
	알코올성 음료(Alcoholic Beverage)	양조주(Fermented Liguor)	맥주(Beer)	
			포도주(Wine)	
			과실주(Fruit Wine)	
			곡주(Grain Wine)	
		증류주(Distilled Liguor)	위스키(Whisky)	스카치위스키(Scotch whisky)
				아이리쉬 위스키(Irish Whisky)
				아메리칸 위스키(American Whisky)
				캐나디안 위스키(Canadian whisky)
			브랜디(brandy)	
			진(Gin)	
			보드카(vodka)	
			럼(Rum)	
			데낄라(Tequila)	
			아쿠아비트(Aquavit)	
		혼성주(Compounded Liguor)	과실류(Fruits)	
			종자류(Beans and Kernels)	
			약초, 향초류(Herbs and Spices)	
			크림류(Creme)	

③ 혼성주(Compounded Liquor)

양조주나 증류주를 기초로 주류, 기타의 물료를 섞거나 초근목피, 약초, 향미, 과실, 당분 등을 배합한 술로 재제주(再製酒)라고 불리기도 한다. 서양의 혼성주는 증류주를 베이스로 한 것이 많고, 리큐어로 총칭된다. 오늘날의 칵테일이 다양한 색과 향, 효능을 가지게 된 데에는 혼성주의 역할이 크다.

(2) 비알콜성 음료(Non-Alcoholic Beverage) Soft Drink

① 청량음료(Soft Drink)

청량음료는 탄산이 포함된 탄산음료와 무탄산음료로 나뉘며, 탄산음료에는 콜라, 사이다, 환타, 소다수, 칼린스믹스, 진저엘 등이 있다. 무탄산 음료는 일반적으로 미네랄워터(Mineral Water : 생수)를 가리킨다.

② 과실 · 채소음료(Fruit and Vegetable Drink)

과실 또는 채소를 주원료로 하여 가공한 것으로써 직접 또는 희석하여 음용하는 농축과실즙, 농축채소즙, 농축과 · 채즙, 과실주스, 채소주스, 과 · 채주스, 과실음료, 채소음료, 과 · 채음료를 뜻한다.

③ 영양음료(Milk Products)

우유 또는 그 일부를 원료로 해서 얻어진 가공제품의 총칭. 분유류(전분유, 탈지분유, 조제분유 등), 농축연유, 아이스크림유, 크림, 버터, 치즈, 발효유, 락트산균음료 등이 있다.

④ 기호음료(Beverages)

기호성을 주로 한 음료로 알코올 음료(주류)와 알코올을 함유하지 않은 음료로 커피, 차 등으로 분류된다.

chapter_02 양조주

I. 맥주 Beer

1. 맥주의 정의

맥주는 보리를 발아시켜 당화하고 홉(hop)을 첨가하여 효모에 의해서 발효시킨 술이다.

맥주의 성분은 수분이 88~92%를 점하고 있으며, 그 외에 주성분, 엑스분, 탄산가스, 총산 등이 함유되어 있다.

2. 주세법상의 맥주

(1) 엿기름(밀 엿기름을 포함한다. 이하 같다) · 홉(홉성분을 추출한 것을 포함한다. 이하 같다) 및 물을 원료로 하여 발효시켜 제성하거나 여과 · 제성한 것

(2) 엿기름과 홉, 쌀 · 보리 · 옥수수 · 수수 · 감자 · 전분 · 당분 또는 캐러멜 중 하나 이상의 것과 물을 원료로 하여 발효시켜 제성하거나 여과 · 제성한 것

(3) (1) 또는 (2)의 규정에 의한 주류의 발효 · 제성과정에 대통령령이 정하는 주류 또는 물료를 혼합하거나 첨가하여 인공적으로 탄산가스가 포함되도록 하여 제성한 것으로서 대통령령이 정하는 알코올분의 도수 범위 안의 것

3. 맥주의 어원

맥주의 어원은 라틴어의 '마시다'라고 하는 '비베레(Bibere)'와 게르만족의 언어 중 '곡물'을 뜻하는 '베오레(Bior)'에서 유래되었다.

세계 각국의 맥주의 명칭

나라	맥주 명칭
독일	비어 - bier
포르투칼	세르베자 - cerveja
프랑스	비에르 - biere
체코	피보 - pivo
이탈리아	비르라 - birra
러시아	피보 - pivo
덴마크	오레트 - ollet
중국	페이주 - 碑酒 (píjiǔ)
스페인	세르비자 - cerveza
일본	비루 - (ビール)
한국	맥주

4. 맥주의 역사

맥주의 역사 그 시작점은 인류의 정착생활과 함께 시작한다. 기원전 6,000년경 메소포타미아문명(Mesopotamia Civilization) 고대 수메르인에 의해 최초로 대맥을 사용해 만들어졌다고 전해지는 것이 정설이다. 그들은 관개농업으로 인해 밀과 보리를 재배하였고 소, 양, 돼지 등 가축을 사육하였는데, 곡물을 재배하고 저장해둔 곡물이 누수 또는 홍수로 침수가 되어 예기치 않게 곡물이 발아해 버리는 일들을 겪게 되면서 자연스러운 경험에서 맥주를 얻게 된 것으로 보인다. 이는 수메르인들이 남긴 '모뉴멘트 블루(Monument Blue)'에 보리로 맥주를 만드는 그림을 통해 알 수가 있다.

비슷한 시기인 이집트의 맥주양조에 대한 유적은 기원전 3000년경으로 추정되는데, 기원전 1500년경의 제5왕조 무덤에는 비교적 상세한 맥주 제조 기록이 보존되어 있다. 당시 맥주는 발아된 맥아를 건조하여 분쇄한 것을 반죽해서 구운 뒤 일종의 빵으로 만들고 빵을 물에 담가 부풀려 맥아의 산소로 당화를 진행시켜 알코올을 발산시킨 것이었다.

즉 맥주는 제분이 어렵고 소화에도 좋지 않은 대맥을 소화가 잘 되는 맥아를 빵으로 만드는 기술에서 파생되어 식품에 가까운 음료로 탄생한 것이라고 추측할 수가 있다.

기원전 1700년경으로 추정되는 바빌로니아의 함무라비 법전에는 맥주에 관한 조항이 있으며 이때의 맥주는 사회적으로 중요한 역할을 차지하고 있었다. 그리고 기원전 600년경의 신바빌로니아 왕국에서는 맥주 양조업자의 조합이 만들어지기 시작했다.

맥주 제조의 핵심기술은 북방의 켈트(celt)인이나 게르만인에게도 전해졌지만, 그들 사이에서는 고대오리엔트 맥주와는 다르게 곡물의 수확시기에 맞추어 하례의 행사로 쓰일 특별한 음료로 양조가 행해지는 경향이 강했다.

그 후 크리스트교가 확대되면서 수도원에서 자급자족을 위한 맥주를 양조하게 되었는데, 이는 수도원의 중요한 재원이였다. 또한 수도원의 맥주는 수많은 시행착오로 품질이 우수하였는데, 그로 인한 기술은 맥주의 발전에도 큰 역할을 했다.

그 중에서 발효를 안정시키는 목적으로 여러 가지 허브류를 조합한 그루트(Gruit)를 첨가하는 것이 행해지게 되었는데, 그루트(Gruit)는 영주의 의해 관리되어 왔기 때문에 양조업자는 영주로부터 그루트(Gruit)를 비싼 비용을 지불하고 구입해야만 했다.

이후 11세기경 독일에서는 그루트(Gruit)를 홉(hop)으로 바꿔 사용하기 시작하였는데, 홉에는 독특하고 산뜻한 풍미와 잡균을 억제하는 효과가 있어 다른 나라에서도 차츰 홉이 양조에 사용이 되었다.

1516년 바이에른에서는 질이 나쁜 맥주의 유통이나 식용이 아닌 소맥이 맥주의 원료로 사용되는 것을 막기 위해 프리드리히 빌헬름 4세(Friedrich Wilhelm IV)가 맥주 순수령을 공포(Bayerische Reinheitsgebot), 원료로써 대맥, 홉, 물이 3가지 원료 외에는 사용을 금하도록 명했다.

이는 맥주 제조업자의 부정을 단속하고 가짜 맥주 또는 맥주의 품질 검사를 시행하기 위함이였는데, 이는 현재에도 통용된다. 예를 들어 가죽바지를 입은 3명의 검사원이 맥주를 흘린 나무의자에 2시간 앉아 의자가 가죽바지에 붙은 체 일어서게 되면 합격이라는 검사도 있었다. 그 후 16세기 중엽에 효모가 첨가되어 대맥, 홉, 물, 효모 이 4가지가 맥주의 주원료로 정해졌다.

15세기 중반에는 바이에른지방의 뮌헨(München)에서 저온의 동굴에서 숙성된 라거 맥주의 제조가 시작되었고, 1842년에는 체코의 푸루제니에서 세계 최초의 필스너(Pilsner) 맥주가 제조되었다.

그리고 1845년에는 영국에서 글라스 세금이 철폐되어 저렴한 글라스 용기가 대량 생산 되었으며, 1866년 프랑스의 세균학자 루이 파스퇴르(Louis Pasteur)에 의해 저온살균법이 고안되어 맥주의 장기 보관이 가능해졌다.

그 후 덴마크의 아우메우에르 한센(Armauer Gerhard Henrik Hansen)이 파스퇴르의 이론을 응용하여 효모의 순수배양법을 발명하여 번식에 성공하고 1873년 독일의 카를 폰 린데(Carl Paul Gottfried von Linde)에 의해 암모니아 냉각기가 발명되어 냉장기술이 진보되었다.

즉 글라스 제품의 보급과 맥주 효모의 순수배양기술을 개발하여 잡균을 철저히 배제시킨 위생적인 냉장기술의 확립에 의해 맥주의 보존성은 높아지고 저렴한 가격에 대량 생산이 시작되면서 맥주는 오늘날 전 세계로 널리 퍼졌다.

5. 맥주의 원료

(1) 대맥(Barley)

맥주의 주원료는 발아된 맥아이다. 맥아는 이삭의 형태의 따라 6조, 4조, 2조의 종자로 구별된다. 그 중 맥주양조에 사용되는 것은 2조대맥(두줄보리)과 6조대맥(여섯줄보리)을 사용하나 주로 2조대맥을 사용한다. 2조대맥은 입자가 크고 고르며 곡피가 엷아 맥주 양조에 적합하나 6조대맥은 알이 고르지 않아서 발아가 불균일하기 때문에 잘 사용하지 않는다. 맥주용 대맥은 19세기 초부터 주로 유럽에서 많이 재배되었으며 영국의 아처(Archer), 스칸디나비아의 골드(Gold), 독일의 한나(Hanna)가 대표적인 품종이다.

양조용 대맥으로는 다음과 같은 조건을 충족하여야 한다.

① 곡피가 엷고 맥립이 균일한 크기로 둥글며 담황색을 띠고 있는 것

② 95%이상의 발아력이 왕성한 것
③ 전분함유량이 많고 수분함유량이 10%내외로 잘 건조된 것
④ 단백질이 적은 것

(2) 호프(Hop)

호프는 뽕나무과에 속하는 다년생 넝쿨식물로 수꽃과 암꽃이 다른 나무에 피는 자웅이주(암수딴몸)인데 맥주에 사용되는 것은 암꽃의 수정되지 않은 것을 사용 한다. 암꽃의 루풀린(Lupulin)이라고 하는 호프수지는 맥주의 특유한 쓴맛과 향을 부여하는 중요한 원료이다. 호프수지 중 탄닌(Tannin)은 맥아즙 중의 단백질과 결합하여 침전 시키는 성질이 있어 ①맥주의 단백 혼탁을 방지하고 보존성을 높이는 역할도 하고 있으며, 거품의 막을 강화하여 거품의 안정성과 기벽 부착성을 향상시켜 ②맥주의 거품을 지속시킨다.

홉의 생산지는 위도 35와 55도 사이에 위치하며 홉의 종류에는 체코 자쯔(Saaz)지방, 독일 남부의 할레타워(Hallertau), 테트낭(Tettnang)지방, 미국 북서부의 오레곤(Oregon), 워싱턴(Washington), 아이다호(Idaho)지방, 캐나다의 브리티시 컬럼비아(British Columbia)지방이 있다.

(3) 효모(Yeast)

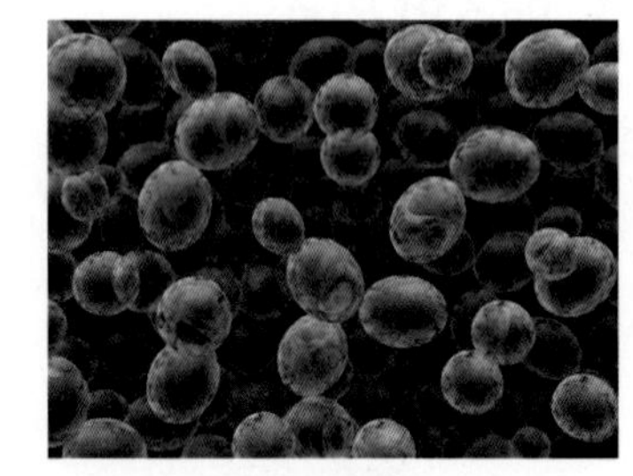

맥주에 사용되는 효모는 맥아즙 속의 당분을 분해하고 알코올과 탄산가스를 만드는 작용을 하는 미생물로 맥주 효모는 전적으로 순수 배양된 효모를 사용하고 있으며 대개의 맥주에는 단일 효모를 배양하여 사용하지만 2종 정도의 효모를 혼합하여 사용하는 경우도 있다.

맥주 효모에는 ①상면발효효모와 ②하면발효효모가 있으며, 상면발효효모는 발효 중에 발생하는 탄산가스와 함께 액면에 떠서 발효 최성기를 지나면 거품과 함께 두터운 갈색 크림상태의 층을 형성하며, 발효온도는 보통 15~20℃이며 4~5일 정도로 주발효를 끝낸다.

하면발효효모의 발효온도는 6~8℃로 저온이며, 주발효는 10~12일 정도로 끝나고 발효말기에는 발효조의 바닥에 침전한다.

(4) 물(Water)

양조용수는 맥주의 맛과 품질에 중요한 역할을 하며, 보통 맥주 생산량의 10~20배가 필요하다.

수질은 맥주의 종류에 따라 다르며 일반적으로 필스너 담색 맥주에는 연수가 사용되고 뮌헨 맥주와 같은 농색 맥주에는 일시 경도가 높은 물이 사용된다.

양조용수의 조건은 다음과 같은 조건을 충족하여야 한다.

① 음료기준에 준해야한다.
② 무색, 무미, 무취로 잡균 등의 오염이 없고 각종 무기성분도 적당량 함유되어야 한다.
③ 물은 침맥용, 담금용, 기계기구세척용, 기관용, 냉각용 등으로 구분하여 사용된다.

(5) 전분질 부원료(Starchy Cereals)

맥주의 품질과 안정성을 향상시키고 전분을 보충하기 위해 기타곡류를 사용하는데, 주세법 시행령에 맥주는 그 제조용 원료 중 '쌀, 옥수수, 수수, 감자 및 전분의 합계중량이 맥아 중량의 100분의 50을 초과하지 아니한 것으로 한다'라고 규정되어 있다.

맥주의 성분

성분	농도(%)	성분의 수	성분의 주요 출처
물	90	1	양조용수
알코올	4	1	효모, 맥아
탄수화물	4	16	맥아, 부원료
무기염류	0.8	10	양조용수, 맥아
질소화합물	0.3	35	맥아
유기산	0.2	13	효모, 맥아
Co	0.5	1	효모
기타	0.2	750	효모, 맥아, 호프
계		827	

6. 맥주의 제조과정

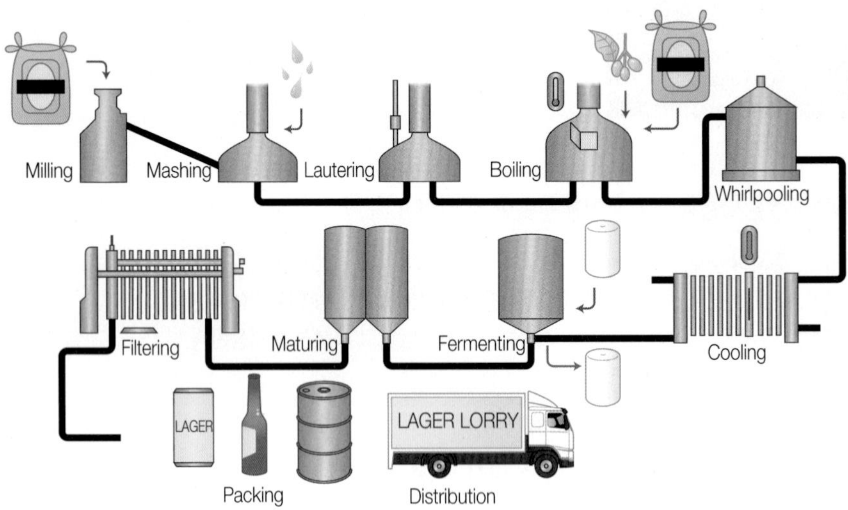

① 제분(Milling) → ② 담금(Mashing) → ③ 맥즙여과(Lautering) → ④ 끓임(Boiling) → ⑤ 침전(Whirlpooling) → ⑥ 냉각(Cooling) → ⑦ 발효(Fermenting) → ⑧ 숙성(Maturing) → ⑨ 여과(Filtering) → ⑩ 제품(Packing)

(1) 제분(Milling)

맥아를 제분하는 목적은 효소분해를 용이하게 하기 위함이다. 입자를 너무 작게 세분하면 맥아즙의 여과시간이 오래 걸리며, 맥주의 색과 맛에 영향을 주기 때문에 적당한 크기로 제분해야 한다.

(2) 담금(Mashing)

분쇄된 맥아를 물과 섞어 배양하여 녹말질을 당화시키는 과정으로 발효하기 쉬운 형태로 당을 분해하는 과정이다.

(3) 맥즙여과(Lautering)

당화와 단백질 분해가 완료된 담금액은 맥아 찌꺼기와 단백질 응고물 등을 걸러낸다.

(4) 끓임(Boiling)

여과된 맥아즙에 호프를 첨가하고 90~120분 동안 끓이게 되는데 맥아즙을 끓이는 목적은 살균, 효소 불활성화, 단백침전, 호프성분의 추출 및 성분의 이성화, 휘발성 물질의 발산, 색상의 호전 등이다.

(5) 침전(Whirlpooling)

호프가 첨가된 맥아즙은 침전조로 옮겨 응고된 단백질과 기타 불순물을 제거한다.

(6) 냉각(Cooling)

침전시킨 맥즙은 열교환기를 통해 냉각한다. 냉각 최종온도는 상면발효의 경우 10~15℃, 하면발효의 경우 5℃이다.

(7) 발효(Fermenting)

전발효(1차발효, 주발효), 맥아즙에 효모를 첨가, 8℃ 정도에서 알코올을 발효시켜 맥아즙의 모든 발효성 당을 8~10시간 발효시킨다.

(8) 숙성(Maturing)

후발효(2차발효), 전발효를 마친 후 잔존 분을 숙성시키고 탄산가스를 함유, 맛의 숙성을 위하여 저온(0~2℃)에서 1~3개월간 발효시킨다. 발효기간은 일반적으로 병맥주는 60~90일, 생맥주는 30~60일 정도이다.

(9) 여과(Filtering)

맥주가 충분히 숙성되면 탄산가스를 방출하고 저온에서 여과한다. 이는 숙성(후발효) 후 잔존한 단백질과 맥주의 혼탁의 원인인 콜로이드 물질을 제거하기 위함이다.

(10) 제품(Packing)

여과된 맥주는 바로 통에 넣어 생맥주로 출고하거나 가열살균 하여 병입한다. 가열살균처리 하지 않은 것을 생맥주(Draft Beer)라고 하는데 효모가 살아 있는 신선미의 장점이 있으나 잔존한 효묘의 단백분해작용과 재발효가 계속되므로 맥주의 혼탁 및 장기저장이 곤란하다. 가열살균처리 하여 병입한 맥주가 병맥주 또는 캔맥주(Lager beer)이다. 병입 후 살균하는 방법과 병입전에 살균하는 방법이 있는데 가열살균처리로 인해 신선미가 떨어지는 단점이 있으나 생맥주에 비해 장기저장이 가능하다. 병, 캔맥주의 권장음용기간은 12개월이다.

7. 맥주의 분류

(1) 발효방식에 의한 분류

맥주는 발효방식에 따라 상면(上面)발효 맥주와 하면(下面)발효 맥주로 나뉜다. 상면발효효모는 발효 중 탄산가스와 함께 발효액의 표면에 뜨는 성질이 있다. 이에 비해 하면효모는 발효 도중이나 발효가 끝났을 때 가라앉는 성질이 있다.

상면발효맥주	고온에서 발효시키고 숙성 기간이 짧으며 풍부한 향과 쓴맛이 강한 것이 특징 알코올 도수(8~11%)가 하면발효에 비해 5~10%정도 높다. 대표적인 맥주로는 에일(Ale), 포터(Porter), 스타우트(Stout) 등이 있다.
하면발효맥주	저온으로 발효시킨 맥주로 숙성 기간이 길고, 부드러우며 알코올 도수가 낮은 것이 특징 전 세계적으로 하면발효 맥주가 맥주의 대부분을 차지한다. 대표적인 맥주로는 필스너(Pilsener), 뮌헨(Munchen), 도르트문트(Dortmunt), 보크(Bock) 등이 있다.
자연발효맥주	야생효모, 젖산균 등의 균을 사용하여 자연발생적으로 발효시킨 맥주로 벨기에의 람빅(Lambic) 맥주가 있다.

① 상면발효맥주(Top Fermentation Beer)

에일 Ale

거품이 적고 쓴맛이 강한 편이며 알코올 도수는 일반 맥주보다 높은 5도이다. 종류에는 비터, 패일에일, 스타우트 발리와인, 알트, 트래피스트 등이 있다.

포터 Porter

짐을 운반하는 사람(Porter)에서 유래된 말로 맥아즙 농도, 발효도, 호프의 사용량이 높고 카라멜(caramel)로 착색하여 색이 검고 단맛이 있으며 거품층이 두꺼운 것이 특징이다.

스타우트 Stout

색이 검고 호프의 맛이 매우 독특하며 향이 강하다. 알코올 도수 8~11도의 맥주이다.

② 하면발효맥주(Bottom Fermentation Beer)

필스너 Pilsener

체코의 풀젠지방(독일어로 Pilsen)에서 1842년에 처음으로 만들어진 맥주를 말한다. 색이 황금빛처럼 짙고 맛은 담백하며 쓴맛이 강하다. 알코올 함량은 약 5%이다.

뮌헨 Minchen

독일의 뮌헨에서 유래되었으며 감미로운 맛이 나는 대표적인 농색 흑맥주로 알코올 함량은 약 4%이다.

도르트문트 Dortmunt

독일 도르트문트에서 생산된 맥주를 뜻하며 필스너 맥주보다 발효도가 높고, 향미가 산뜻하며, 쓴맛이 적은 담색맥주로 알코올 함량은 3~4%이다.

보크 Bock

라거맥주의 일종으로 농도가 1.6%이상인 짙은 색의 맥주로 향미가 진하고 단맛을 띤 강한 맥주이다. 알코올 함유량은 6~11도이다.

③ 자연발효맥주(Natural Fermentation Beer)

람빅 Lambic

벨기에의 브뤼셀에서 양조되고 있는 맥주로 60%의 맥아와 40%의 밀을 원료로 하여 제조된다. 야생효모, 젖산균 등의 균을 사용하여 자연발생적으로 발효시킨다.

(2) 열처리에 의한 분류

생맥주 (Draft Beer)	살균처리 하지 않은 맥주로 고유의 맛과 향이 우수하다. 장기보관이 어려운 문제점과 지속적인 효모활동에 의하여 맥주가 변질되기 때문에 유통기간이 짧다는 단점이 있다.
병, 캔맥주 (Lager Beer)	병 또는 캔맥주를 뜻하며 장기보관을 위하여 저온살균과정을 거쳐 병입된 것으로 효모의 활동을 중지시킨 것이다.

(3) 양조법에 의한 분류

드라이 맥주(Dry Beer)	단맛이 적고, 담백한 맛을 내는 맥주로 일반 맥주와 달리 당분을 분해하는 능력이 강한 효모를 사용해 맥주에 남아 있는 당을 최소화한 맥주이다.
디허스크 맥주 (Dehusk Beer)	맥아껍질에 있는 탄닌 등 쓴맛의 원인이 되는 물질을 제거하여 깨끗한 맛이 특징이다.
아이스 맥주(Ice Beer)	숙성의 단계에서 맥주를 영하 3~5도의 탱크에서 3일 정도 더 숙성시켜 맥주맛을 거칠게 하는 탄닌과 프로테인 등의 성분을 살얼음과 함께 걷어내는 양조법을 사용한다.

(4) 색에 의한 분류

담색 맥주	옅은 황금색을 띠는 맥아를 사용해 양조한 맥주로 오늘날 제조방식의 대부분은 담색 맥주이다.
중간색 맥주	오스트리아의 빈에서 유래 되었으며, 색과 향미가 필젠 타입의 중간정도이다.
농색 맥주	흑갈색 맥아를 섞어 양조한 맥주로 담색 맥주에 비하여 깊고 풍부한 맛이 있다.

(5) 알코올 함량에 의한 분류

라이트 맥주	알코올 농도가 4~5%인 일반 맥주에 비해 알코올 도수가 낮은 맥주
비알콜성 맥아음료	발효된 후 알코올을 제거하는 과정을 거쳐 생산되는 알코올 1%미만의 맥주

(6) 부원료의 사용에 의한 분류

All Malt 맥주	맥아 이외의 어떤 원료도 첨가하지 않은 맥주
부원료첨가맥주	부원료를 사용하여 풍미를 더한 맥주

8. 맥주의 종류

(1) 각 국가별 대표 맥주

① **중국(China Beer)**

중국은 경제성장과 맥주 소비의 급증으로 세계 최대 맥주 생산국으로 부상하고 있다.

또한 유명 맥주회사와의 합병으로 인해 800여개가 넘는 맥주공장에서 약 2,400만을 생산하여 세계 전체 맥주 생산량의 16%에 해당된다. 중국의 유명맥주로는 1897년 독일의 기술에 의하여 개발된 중국 최초의 맥주 칭타오(Tsingtao)가 있는데 알코올 도수는 5%정도이고, 자스민과 같은 특유의 향이 들어있으며 드라이한 맛이 특징이다.

칭타오 Tsingtao

생산지 : 중국
도수 : 5%
형태 : 라거맥주
제조사 : 청도맥주

버드와이저 Budweiser

생산지 : 미국
도수 : 5%
형태 : 라거맥주
제조사 : 안호이저 부쉬

② **미국(America beer)**

미국의 대표적인 맥주로는 세계 맥주 총 생산량의 8~9%를 점유하고 있는 버드와이저를 들 수 있다. 버드와이저는 1876년부터 생산된 프리미엄급 라거맥주로서 색은 엷고, 맛은 상쾌하며 부드럽다.

③ **독일(Germany beer)**

맥주를 만든 최초의 국가로서 1,300여 개에 이르는 양조장이 있으며, 또한 세계 제일의 맥주 축제인 옥토버페스트(Oktoberfest)가 뮌헨에서 개최되고 있다. 독일의 유명 맥주 중에서 벡스(Becks)는 프리미엄급 정통 독일맥주로서 125년 이상 140여 개국에서 최상의 품질과 맛으로 맥주 애호가들의 입맛을 사로잡고 있다.

벡스 Becks

생산지 : 독일
도수 : 5%
형태 : 라거맥주
제조사 : BRAUEREI BECK &CO

④ **일본(Japan Beer)**

일본맥주의 역사는 140년 정도 되었으며, 일본맥주의 4대 메이커인 기린, 아사히, 삿포로, 산토리사를 비롯하여 전국 각지에 270여개의 지역맥주회사에서 맥주를 생산하고 있다.

아사히 수퍼 드라이 Asahi Super Dry

생산지 : 일본
도수 : 4.8%
형태 : 라거맥주
제조사 : Asahi Breweries

뉴캐슬 Newcastle

생산지 : 영국
도수 : 4.7%
형태 : 에일 맥주
제조사 : Brewed

⑤ 영국(United Kingdom Beer)

영국의 맥주산업은 잉글랜드와 남부 독일 바이에른(Bayern)에서 크게 발달하였다. 1730년 런던의 양조기사 하우드(Harwood)가 포터(porter)라는 상면발효 맥주를 만들기 시작하였는데, porter는 짐을 나르는 사람이란 의미로 지어진 이름이다. 18, 19세기에 걸쳐 영국은 세계 최대의 맥주 생산국이 되었으며 유명맥주로는 에일 타입의 뉴캐슬 브라운, 스타우트 타입의 기네스 등이 있다.

⑥ 덴마크(Denmark Beer)

덴마크의 대표 맥주인 칼스버그(Carlsberg)는 1847년에 탄생하여 오늘날 고품질 맥주뿐만 아니라 유럽 정통 맥주의 대명사가 되었다. 그 외 유명맥주로는 세레스 로얄(Ceres Royal), 스캔디아(Scandia) 등이 있다.

칼스버그 Carlsberg

생산지 : 덴마크
형태 : 라거맥주
제조사 : Calsberg

하이네켄 Heineken

생산지 : 네델란드
도수 : 5%
형태 : 라거맥주
제조사 : 하이네켄

⑦ 네덜란드(Netherlands Beer)

네덜란드의 유명맥주인 하이네켄(Heineken) 맥주는 세계 2위의 판매량을 자랑하고 있다. 그 외 유명맥주로는 암스텔(Amstel), 그로쉬(grolsch) 맥주 등이 있다.

⑧ 프랑스(France Beer)

프랑스의 유명맥주로는 300여년 전통의 크로넨버그(Kronenbourg)를 비롯하여 데스페라도스(Desperados), 켄터브라우(Kanterbrau) 등이 있다.

크로넨버그 1664 Kronenbourg 1664

생산지 : 프랑스
도수 : 5.2%
형태 : 라거맥주

레페 브라운 LEFFE BRUNE

생산지 : 벨기에
도수 : 6.5%
형태 : 흑맥주
제조사 : 인터브루

⑨ 벨기에(Belgium Beer)

벨기에는 영국과 마찬가지로 상면발효를 사용한 맥주를 주로 생산한다. 유명맥주로는 수도원에서 만들어 내고 있는 전통의 시메이 트라피스트(Chimay Trappistes)를 비롯하여 하면발효의 라거 타입으로 알코올 도수가 높은 스텔라 아르투아(Stella Artois), 레페 브라운(Leffe Brown) 등이 있다.

⑩ 멕시코(Mexico Beer)

멕시코의 유명맥주는 1925년 멕시코의 구루포 모델로사에서 생산한 코로나 맥주를 들 수 있다. 코로나는 스페인어로 왕관을 뜻하며 레몬을 넣어 마시는 것이 특징이다. 그 외 맥주로는 네그라 모델로(Negra Modelo)가 있는데 흑맥주로서 쓴맛이 아주 강하다.

코로나 Corona

생산지 : 멕시코
도수 : 4.6%
형태 : 라거맥주
제조사 : Gurupo Modelo

포스터스 FOSTERS

생산지 : 호주
도수 : 4.9%
형태 : 라거맥주
제조사 : Carlton and United Breweries Ltd

⑪ 호주(Australia Beer)

호주의 유명맥주로는 포스터스(FOSTERS)를 들 수 있다. 이 맥주는 1794년 시드니에서 옥수수를 원료로 하여 처음으로 양조하였으며, 씁쓸하고 고소한 맛이 특징이다. 그 외 유명맥주로는 포엑스(XXXX), 테킬라 슬래머(Tequila Slammer), 쿠퍼스(Coopers) 등이 있다.

⑫ **한국(Korea Beer)**

우리나라에 맥주가 처음 들어 온 것은 1883년이며, 한국의 맥주제조는 1933년 일본의 삿포로 맥주 회사가 조선맥주(주)를, 기린맥주 회사가 동양맥주(주)를 서울에 자회사를 설립하면서 역사가 시작되었다. 해방 후 조선맥주(주)와 동양맥주(주)가 일본회사로부터 독립하면서 양대 메이커로 자리를 잡았고, 1990년대 후반 조선맥주(주)는 HITE맥주(주)로, 동양맥주(주)는 OB맥주(주)로 상호를 변경하여 오늘날까지 맥주 업계의 양대 산맥으로서 라이벌을 형성하고 있다.

하이트 Hite

생산지 : 한국
도수 : 4.5%
형태 : 라거맥주
제조사 : 하이트맥주

II. 와인 Wine

1. 와인의 정의

와인은 과실을 발효시켜 만든 알코올 함유 음료를 말하지만 일반적으로 포도를 원료로 포도과즙의 발효제품을 와인이라고 정의한다.

2. 주세법상의 와인(과실주)

(1) 과실(과실즙과 건조시킨 과실을 포함한다. 이하 같다) 또는 과실과 물을 원료로 하여 발효시킨 술덧을 여과·제성하거나 나무통에 넣어 저장(貯藏)한 것
(2) 과실을 주된 원료로 하여 당분과 물을 혼합하여 발효시킨 술덧을 여과·제성하거나 나무통에 넣어 저장한 것
(3) (1) 또는 (2)의 규정에 의한 주류의 발효·제성과정에 과실 또는 당분을 첨가하여 발효시켜 인공적으로 탄산가스가 포함되도록 하여 제성한 것
(4) (1) 또는 (2)의 규정에 의한 주류의 발효·제성과정에 과실즙을 첨가한 것 또는 이에 대통령령이 정하는 물료를 첨가한 것
(5) (1) 내지 (4)의 규정에 의한 주류의 발효·제성과정에 대통령령이 정하는 주류 또는 물료를 혼합하거나 첨가

한 것으로서 대통령령이 정하는 알콜분의 도수 범위안의 것

(6) (1) 내지 (5)의 규정에 의한 주류의 발효 · 제성과정에 대통령령이 정하는 물료를 첨가한 것

3. 와인의 어원

라틴어의 비넘(Vinum)으로 포도나무로부터 만든 술이라는 의미다. 그 외적으로 국가별 와인 명칭은 영어로는 와인(Wine), 프랑스어로는 뱅(Vin), 독일어로는 바인(Wein), 포르투갈어로 비뉴(Vinho), 이탈리아어 및 스페인어로 비노(Vino)라 한다.

4. 와인의 역사

와인의 역사는 포도주의 역사에서 시작된다. 기록상으로는 인류가 언제부터 와인을 마시기 시작했는지 정확히 알 수는 없지만, 고고학자들이 발굴한 유적에 의하면 선사 시대부터 인류가 포도를 먹었을 것으로 추측되고 있다. 현존하는 가장 오래된 기록에 의하면 기원전 6,000~5,000년경, 흑해와 카스피해 사이에 있는 메소포타미아 지역에서 인류 최초로 양조용 포도가 재배되었다는 유적들이 점토판 형태로 발견되었고, 기원전 4,000년경에는 와인을 담는데 쓰인 항아리의 마개로 추측되는 유물이 발견되기도 했다.

고대 이집트의 벽화와 아시리아의 유적에 의하면 기원전 약 3,500년에 이미 와인이 많이 음용되고 있었는데, 이러한 유적과 바빌로니아의 상형문자에서 발견되고 있는 것을 토대로 하여 와인의 역사를 보면 기원전 약 4,000년에 소아시아지방에서 시작되었을 것으로 추측된다.

또한 문헌상의 자료에 의한 다양한 와인에 관한 내용이 있는데, 고대 바빌로니아의 길가메시 서사시(Gilgamesh Epoth)에는 목수들이 화이트 와인과 레드 와인을 마시면서 7일 만에 배를 건조했다는 기록이 있고, 함무라비 법전(Code of Hammurabi)에는 "주벽이 나쁜 자에게는 와인을 팔아서는 안 된다." 등의 규정이 있었다. 성서(Bible)에도 와인에 관한 내용이 있는데 "노아가 그의 방주가 않은 아라라트 산에 포도나무를 심었더니 포도주를 마시고 대취하여 그 장막 안에서 벌거벗은지라…" 라는 구절이 있다.

그리스는 기원전 600년경 와인을 생산한 최초의 유럽 국가였는데, 그 이후 로마에 와인을 전해주었다. 당시 로마는 유럽을 점령하고 식민지를 넓힐 때마다 포도재배 및 와인양조를 하여 포도 품종을 분류하고 재배방법, 양조방법에 이르기까지 발달시키고 포도재배의 확산과 나무통과 유리병을 사용하여 와인을 보관, 운반하여 대량생산을 시작한다.

기원후 500~1,400년까지는 유럽이 세계 와인 생산지의 중심지였으나 로마제국의 쇠퇴 후 포도재배 및 와인거래도 다소 감소하게 된다. 하지만 와인은 교회의 의식에 필요한 성찬용으로 또는 의약용으로 그 중요성이 강조되면서 포도재배나 와인양조기술이 발전을 하여 다시금 와인산업은 부상하게 된다. 이유인즉 당시 수도원은 와인양조에 관한 세금도 면제였고, 와인이 판매 수입원으로 상당한 비중을 차지하였기 때문이다.

한편 영국에서는 와인소비가 갑자기 급증하기도 하였는데, 이는 헨리 2세(Henry II, 1133~1189)가 보르도의 알리에노르 다키테느(Alienor [Eleonore] d'Aquitaine, 1122~1204)공주와 결혼하면서 보르도가 영국령 같이 되어 와인이 세관 통관 없이 수출되었기 때문이다. 중세시대부터 유럽의 다른 지역에서는 다양한 와인이 생산되기 시작했는데, 셰리가 에스파냐에서 생산되었고, 포르투갈에서는 포트가 생산되었으며 보르도와 부르고뉴는 훌륭한 레드 와인을 생산하기 시작했다.

1679년에 오빌러 수도원의 수사인 동 페리뇽(Dom Pérignon : 1639~1715)은 ①샴페인을 개발하였고 이 시대부터 ②와인병의 마개로 코르크의 사용이 일반화되어졌다.

이후 멕시코 정복자인 에스파냐인 에르난 코르테스(1485~1547)가 신대륙에 포도를 심을 것을 명령한 것을 시작으로 북미 지역과 남미 지역으로 와인이 전파되었고, 17세기에는 남아프리카, 18세기에는 오스트레일리아와 캘리포니아에 전파되었다.

19세기 중반에는 와인산업의 큰 피해를 주게 되는 포도나무의 뿌리에 기생하던 필록세라(Phylloxera)선충(진딧물)이라는 기생충으로 인해 유럽전역 및 세계의 거의 모든 포도원을 황폐화시키는 위기가 있었지만 저항력이 강한 미국산 포도묘목과 유럽 포도묘목의 접붙이기로 해결할 수 있었다.

또한 1860년 루이 파스퇴르(Louis Pasteur, 1822~1895)는 미생물 작용에 의해서 발효와 부패가 일어난다는 과학적인 발견으로 순수효모의 배양, 살균 그리고 숙성에 이르기까지의 제조방법을 개선하게 되었고, 산업혁명 이후 발달된 기계공업을 이용하여 비교적 싼값으로 와인을 대량생산하여 일반 대중화가 되었다.

1935년 프랑스에서는 와인에 관한 규정(A.O.C)을 제정하여 포도의 재배와 와인의 양조 과정을 엄격히 관리하여 좋은 품질을 유지함으로써 이태리, 독일, 미국, 호주, 스페인 등 다른 여러 나라에서도 이와 유사한 와인법을 제정하여 실시해 오고 있다. 오늘날 전 세계 약 50개국의 850만 헥타르의 포도원에서 연간 250억 병의 와인이 생산되고 있다.

5. 와인의 제조과정

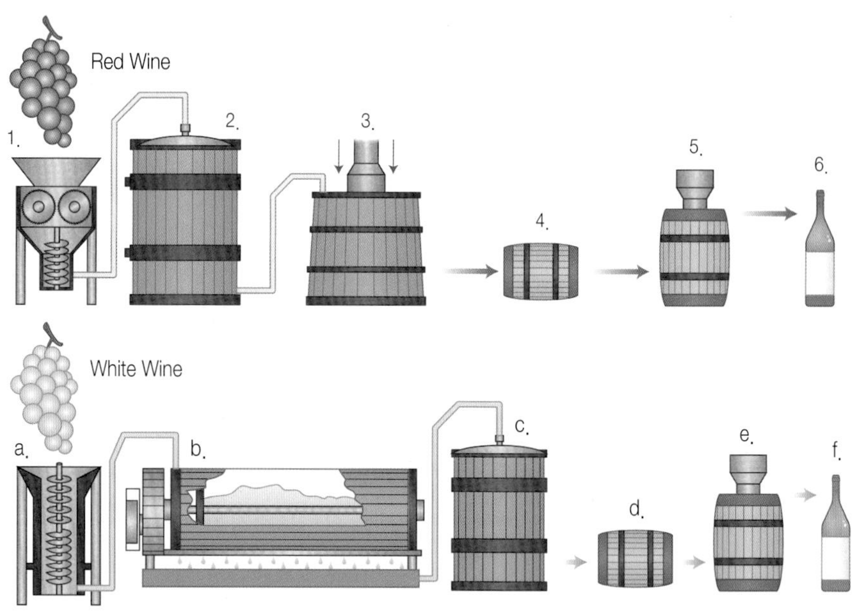

(1) 레드 와인(Red Wine)

수확(Harvest) → ① 파쇄(Mushing) → ② 발효(Fermentation) →
③ 압착(Pressing) → ④ 숙성(Aging) → ⑤ 여과(Filtering) → ⑥ 병입(Bottling)

(2) 화이트 와인(White Wine)

수확(Harvest) → ⓐ 파쇄(Mushing) → ⓑ 압착(Pressing) →
ⓒ 발효(Fermentation) → ⓓ 숙성(Aging) → ⓔ 여과(Filtering) → ⓕ 병입(Bottling)

(3) 로제 와인(Rose Wine)

수확(Harvest) → 파쇄(Mushing) → 압착(Pressing) →
발효(Fermentation) → 여과(Filtering) → 숙성(Aging) → 여과(Filtering) → 병입(Bottling)

① 수확(Harvest)

포도 수확은 보통 늦여름에서 가을에 걸쳐서 이루어지며, 지역적인 기후에 따라 달라질 수 있으나 일반적으로 위도에 따라서 결정된다. 북반구의 포도밭은 8월말에서 10월말까지, 남반구의 포도밭은 2월말에서 3월말까지 수확한다.

② 파쇄(Mushing)

포도 줄기를 제거하고 화이트 와인의 경우에는 포도 껍질과 알맹이를 분리한다.

③ 압착(Pressing)

화이트 와인은 과육만을 압착하여 과즙을 만들고, 레드 와인은 과육, 과피, 과즙, 씨를 모두 탱크에 넣어 전발효시킨 후 포도 껍질과 알맹이를 압착하여 과즙을 만든다.

④ 발효(Fermentation)

㉠ 전발효 - 효모를 첨가하여 포도즙을 발효시킨다.

㉡ 후발효 - 와인의 맛과 향을 숙성시킨다.

발효공정은 화이트와인과 레드와인이 차이가 있는데, 화이트와인은 압착된 주스를 발효시키고 레드와인은 머스트(Must : 줄기를 제거하고 으깬 포도 과즙) 상태로 발효시킨다.

⑤ 숙성(Aging)

발효가 끝난 와인은 아직 완숙되지 못하기에 일정한 숙성기간을 거쳐야 완성된다.

⑥ **여과(Filtering)**

와인은 많은 양의 유기물, 무기물을 함유하고 있으나 유기물 및 무기물의 함량이 과도하게 높으면 유통과정 중 침전물을 발생시킬 수 있다. 이러한 침전물을 주석산염이라고 하는데, 상품적인 가치를 저하시키므로 병입전에 칠링으로 제거한다.

⑦ **병입(Bottling)**

숙성이 끝난 와인은 품질 변화를 방지하기 위하여 병입하게 된다. 주로 마개를 코르크로 사용하는 방법과 콜드필링하는 방법있다. 콜드필링이라는 것은 와인을 병입한 후 미생물에 의한 오염을 방지하기 위하여 열처리를 하는 살균과정을 뜻한다.

반대로 지속적인 숙성을 위하여 코르크 마개를 사용하여 병입하는데, 와인 숙성에 필요한 적절한 소량의 산소를 코르크가 공급해 주기 때문이다.

6. 와인의 분류

(1) 색에 의한 분류

① **레드 와인(Red wine)**

적포도 품종으로 만드는 레드 와인은 포도껍질에 있는 붉은 색소를 추출하는 과정에서 씨와 껍질을 함께 넣어 발효하게 되는데, 씨와 껍질에 있는 탄닌(Tannin) 성분까지 함께 추출되어 화이트 와인과는 달리 떫은맛이 난다. 레드 와인의 일반적인 알코올 농도는 12~14% 정도이며, 보통 상온 섭씨 18~20도에서 마신다.

② **화이트 와인(White wine)**

화이트 와인은 백포도 품종과 일부 적포도 품종을 이용하여 만드는데, 포도를 으깬 뒤 바로 압착하여 발효시켜 만든다. 화이트 와인은 탄닌(Tannin) 성분이 적으며 맑은 황금색을 띤다. 화이트 와인의 일반적인 알코올 농도는 10~13% 정도이며, 섭씨 8도 정도로 차게 해서 마신다.

③ **로제 와인(Rose wine)**

로제 와인의 제조 과정은 레드 와인과 같이 포도껍질을 같이 넣고 발효 후 껍질을 제거하여 과즙만을 가지고 와인을 만든다.

④ **옐로우 와인(Yellow wine)**

백포도와 적포도로 만드는데, 주로 프랑스 쥐라(Jura)지방의 사바냉(Savagnin)이라는 포도로 만들며 오크통에서 최저 6년간 숙성한다. 와인의 색은 진한 노란색을 띤다.

⑤ **그린 와인(Green wine)**

포루투갈 포도품종으로 만들며, 초록빛을 띠는 와인이다.

(2) 맛에 의한 분류

① **드라이 와인(Dry wine)**

포도즙을 발효시킬 때 포도 속의 천연 포도당이 모두 발효하여 단맛이 거의 없는 와인이다.

② **미디엄 드라이 와인(Medium dry wine)**

드라이와 스위트의 중간으로 약간의 단맛이 난다.

③ **스위트 와인(Sweet wine)**

발효시 천연 포도당이 남은 상태에서 발효를 중지시킨 것으로 단맛을 내며, 식후 디저트와 함께 마신다.

(3) Body에 의한 분류

① **풀 바디드 와인(Full-bodied wine)**

오래 숙성시켜 특유의 우아한 향과 부드러운 탄닌의 맛을 제대로 즐길 수 있는 무게감이 있는 와인을 말한다.

② 미디엄 바디드 와인(Medium-bodied wine)

적절한 무게감을 느낄 수 있는 와인으로 일반적인 와인이 이에 속한다.

③ 라이트 바디드 와인(Light-bodied wine)

가볍고 경쾌한 맛을 느낄 수 있는 와인으로 보졸레누보(Beaujolais Nouveau)가 대표적인 라이트 바디드 와인이다.

· 바디(Body)란 와인이 입안에서 감지되는 무게감을 뜻한다.

(4) 탄산가스에 의한 분류

① 발포성와인(Sparkling Wine)

1차 발효가 끝난 다음 2차 발효 도중에 설탕을 추가해서 인위적으로 재발효를 유도해서 생기는 탄산가스를 함유한 와인으로 스파클링 와인을 뜻한다. 프랑스 상파뉴의 ①샴페인(Champagne), 이탈리아산의 ②아스티 스푸만테(Asti Spumante), 스페인의 ③카바(Cava), 독일의 ④젝트(Sekt)가 있다.

② 비발포성 와인(Still Wine)

포도당이 분해되어 와인이 되는 과정 중에 발생되는 탄산가스를 완전히 제거한 와인으로 대부분의 와인이 여기에 속한다.

(5) 알코올 첨가에 의한 분류

① 강화와인(Fortified Wine)

와인에 증류주를 첨가하여 알코올 도수를 높힌 와인으로 ①스페인의 세리와인(Sherry Wine), ②포르투갈의 포트와인(Port Wine)이 대표적이다.

Sherry Wine

Port Wine

② **비강화 와인(Unfortified Wine)**

증류주를 첨가하지 않고 순수한 포도만을 발효시켜서 만든 와인이다.

(6) 식사용도에 의한 분류

Dry Sherry Wine

Dry Vermouth

① **식전용 와인(Aperitif Wine)**

Appetizer(애피타이저)와 함께 마시는 와인으로 주로 식전에 제공되며, ①스페인의 드라이 셰리 와인(Dry Sherry Wine), ②이탈리아의 드라이 베르뭇(Dry Vermouth)이 대표적이다.

② **테이블 와인(Table Wine)**

식사 중에 메인요리와 함께 마시는 와인으로 보통 레드와인을 뜻한다.

③ **식후용 와인(Dessert Wine)**

식후에 디저트와 함께 마시는 스위트와인(Sweet Wine)으로 ①포르투갈의 포트와인(Port Wine), ②스페인의 크림셰리(Cream Sherry Wine) 와인이 대표적이다.

Port Wine

(7) 숙성연도에 의한 분류

① **영와인(Young Wine)**

1~2년 저장한 와인으로 별도의 숙성기간을 거치지 않으며 장기간 보관이 어렵다.

② **에이지드 와인(Aged Wine)**

5~10년 저장한 와인으로 일정한 숙성기간을 거친 것으로 품질이 우수한 와인이다.

Cream Sherry Wine

③ 그레이트 와인(Great Wine)

15~20년 저장할 수 있는 와인으로 최상급의 품질을 지닌 와인이다.

(8) 수확연도 표시에 의한 분류

① 빈티지 와인(Vintage Wine)

라벨에 포도의 수확연도를 표시한 포도주이다.

② 넌 빈티지 와인(None Vintage Wine)

포도의 수확연도를 표시하지 않은 포도주이다.

(9) 음식에 의한 분류

① 레드 와인(red wine)은 육류(소고기, 돼지고기, 양고기 등)와 궁합이 잘 맞는다.
② 화이트 와인(white wine)은 해산물(생선류, 어패류 등)과 궁합이 잘 맞는다.

7. 포도품종

전 세계의 포도 품종은 8천여종으로 다양하지만 정작 와인을 만들 수 있는 품종은 60여 개에 불과하다. 아래는 대표 포도품종이다.

(1) 레드와인을 만드는 대표 포도품종

① 까베르네 소비뇽(Cabernet Sauvignon)

세계적으로 가장 많이 재배되는 포도 품종은 프랑스 보르도 지방의 메독(Medoc) 지역이 원산지인 까베르네 소비뇽(Cabernet Sauvignon)이다.

까베르네 소비뇽의 장점은 다양한 기후와 토양에 적응을 잘 하는 것과 껍질이 두꺼워 병충해나 부패, 각종 곤충들의 공격에 저항력이 강하다.

② 메를로(Merlot)

카베르네 소비뇽과 함께 레드와인의 주품종으로서 보르도에서는 두 번째로 많이 재배되는 품종이다. 메를로 와인은 대체로 부드러우며 탄닌 성분이 적고 당분이 많아 오래 숙성시키지 않고도 쉽게 마실 수 있는 것이 특징이다.

③ 까베르네 프랑(Carbernet Franc)

보르도에서 주로 보조 품종으로 프랑스 유명 와인들의 블렌딩에 사용되고 있다.

④ 시라(Syrah), 쉬라즈(Shiraz)

프랑스 론(Rhone)지역의 대표 품종으로 론 북쪽지방과 남부지방에서 많이 재배된다. 색깔이 짙고 탄닌 성분이 많으며 호주에서는 이 품종으로 '쉬라즈(Shiraz)'라는 와인을 생산하고 있다.

⑤ 피노 누아(Pinot Noir)

전세계적으로 재배되는 품종으로 생산량이 적은 품종이며 배수가 잘되는 토양에서 잘 자란다. 하지만 부패나 병충해에 민감하다.

⑥ 진판델(Zinfandel)

캘리포니아의 대표 품종으로 이탈리아에서는 Primitivo라 부른다. 포도알이 굵고, 검푸른 색이며 달콤하고 즙이 많은 것이 특징이다.

⑦ 가메이(Garmay)

보졸레 지방에서 많이 재배되며, 보졸레 누보에 사용되는 품종이다.

⑧ 산지오베제(Sangiovese)

이탈리아가 원산지이며 이탈리아의 끼안티(Chianti)와 부르넬로 디 몬탈치노에서 많이 재배된다. 지금은 까베르네 쇼비뇽 품종과 혼합하여 와인을 만든다.

⑨ 네비올로(Nebbiolo)

이탈리아 포도품종으로 주로 피아몬테 백악질 토양에서 잘 자라며 이탈리아의 최고급 와인인 바롤로와 바바레스코 와인을 생산하는 품종이다.

⑩ 템프라닐로(Tempranillo)

스페인에서 많이 재배되며 특히 리오하 지방에서 많이 재배되는 품종이다.

Cabernet Sauvignon
Merlot
Carbernet Franc
Syrah, Shiraz
Pinot Noir
Zinfandel
Garmay
Sangiovese
Nebbiolo
Tempranillo

(2) 화이트와인을 만드는 대표 포도품종

① 샤르도네(Chardonnay)

부르고뉴지방과 샹파뉴지방이 원산지로 화이트와인의 대표 포도품종이다. 석회질 토양과 점토질 토양에서 잘 자라며 특히, 샹파뉴와 같은 백악질 토양에서 잘 자란다.

② 리슬링(Riesling)

독일의 라인가우나 모젤 지방과 프랑스 알자스 지방의 주품종으로 단맛과 신맛이 강하다.

③ 쇼비뇽 블랑(Chauvignon Blanc)

보르도, 르와르 지방에서 많이 재배된다. 샤르도네, 슈냉 블랑, 리슬링, 세미용과 함께 대표적인 5대 화이트와인품종이다.

④ 세미용(Semillon)

프랑스 메독 지역 남부의 쏘테른 지방에서 주로 생산되며 보르도에서는 주로 쇼비뇽 블랑과 혼합되어 사용된다.

⑤ 슈냉 블랑(Chenin Blanc)

프랑스 발 드 르와르 지방과 남아공 그리고 캘리포니아 등지에서 주로 재배하고 있는 포도품종으로, 신선하고 부드러우며 높은 산도가 특징이다. 사과향, 복숭아향, 배향, 달콤한 벌꿀향 등이 특히 매력적이다.

⑥ 게부르츠트라미너(Gewurztraminer)

원산지가 이탈리아 북부로 알려져 있으나 알자스에서 최상의 게부르츠트 라미너 와인이 생산된다. 독일어 '게부르츠(Gewurz)'는 '향신료'라는 뜻이다.

⑦ 뮈스까데(Muscadet)

프랑스 뮈스까데 지방이 원산지이다. 르와르지방에서 드라이 와인을 만드는데 사용되고 캘리포니아에서도 재배된다.

⑧ 피노블랑(Pinot Blanc)

샤르도네 품종과 혼동되는 품종이다. 알자스지방에서 재배되며 발포성 와인인 크레망을 만드는 데 많이 이용된다.

⑨ 위니블랑(Ugni Blanc)

주로 아르마냑지방과 꼬냑지방에서 많이 재배되며 브랜디를 만드는데 많이 사용된다.

8. 각국 와인의 특징

(1) 프랑스(France Wine)

① 역사

프랑스 와인은 기원전 600년경, 켈트인이 갈리아(Gallia) 마르세유 지방에 이주하여 포도를 재배한 것이 시작이며, 기원전 300년경 포도경작법이 로마에 전파되면서 부흥기를 맞는다. 당시 로마가 식민지로 지배했던 프랑스 지역은 로마 군인에게 배급할 와인이 필요하였기에 프랑스 전역에 걸쳐 와인 재배 지역을 확대하였다. 그 후 게르만족의 침입으로 로마제국은 멸망하였고, 중세시대에 이르러 교회에서 미사용 와인을 만들면서 수도원에서 수도사들에 의해 포도 재배와 양조법를 유지하게 된다.

1337년 프랑스왕 루이7세(Louis VII, 1120~1180)의 왕비인 알리에노르 다키테느(Alienor d'Aquitaine, 1122~1204)는 십자군 전쟁 중 루이7세와 이혼하고 영국왕 헨리 2세(Henry II, 1133~1189)와 재혼하게 되는데, 그로 인해 프랑스 최고의 와인 산지 보르도는 영국왕실의 상속지가 된다. 이를 되찾기 위해 일어난 전쟁이 그 유명한 100년 전쟁이다.

18세기에는 유리병과 코르크의 사용으로 판매와 유통경로의 다양화가 시작되었고, 이후 1863년부터 25년간 포도나무 뿌리 진딧물인 필록세라(Phylloxera)라는 기생충이 프랑스의 전 포도밭을 황폐화 시키나 미국의 야생종과 유럽종을 접목하여 이를 해결한다. 이후 프랑스는 와인의 품질보장을 위해 1935년 원산지호칭통제법(A.O.C)에 관한 제도 및 INAO(프랑스 국립원산지명칭연구소)를 설립한다.

② 프랑스 와인의 등급

프랑스 와인의 등급은 4단계로 분류되며, A.O.C등급이 가장 우수한 품질의 와인이다.

㉠ AOC(Appellation d'origine Controlee) - 아펠라시옹 도리진 콩트롤레(원산지통제명칭 와인)

프랑스 와인의 품질을 유지하기 위하여 제정된 것으로 포도재배 지역의 명칭, 포도의 품종과 재배방법, 단위면적당 수확량의 제한 등 제조방법과 알코올 농도에 이르기까지 원산지 통제명칭 위원회의 관할 하에 엄격히 통제된다.

· 국립원산지호칭통제기구(INAO) 감독, 규제기관

ⓛ VDQS(Vin Delimite de Qualite Superieure) -뱅 데리미테 드 칼리테 슈페리어
뱅 드 페이와 A.O.C등급의 중간 단계로 이 단계부터 본격적인 규제가 시작된다.

ⓒ VDP(Vins de Pays) - 뱅 드 페이
하우스 와인을 뜻하는 것으로 지방명 와인들은 원산지를 표기 할 수 있다는 점에서 테이블 와인과 구별된다.

ⓔ VDT(Vins de Table) - 뱅 드 따블
테이블 와인으로 이 포도주들은 원산지 표시를 전혀 할 수 없고 또한 수확연도를 적을 수 없게 되어 있다.

③ 주요 생산지역

㉠ 보르도(Bordeaux)
보르도 와인의 특징은 유명한 A.O.C 등급의 와인이 그랑 크뤼(Grand Crus)라는 분류로 한 번 더 나뉘어져 있다는 것이다. 프랑스 A.O.C 와인의 25%가 이곳에서 생산되고 있다.

보르도는 프랑스의 남서부 대서양의 연안에 위치하며 자연적으로 풍부한 수자원의 혜택과 기후는 매우 온화하다. 토양은 대개 자갈 많은 땅과 퇴적물로 구성되어 있는데 이 자갈 많은 토양은 배수가 뛰어나며 열기를 품고 있을 수 있어 포도재배에 적합한 조건을 갖추고 있다. 보르도의 레드와인을 클라렛(Claret)이라 호칭하는데 이는 '적도포도주의 여왕'이라는 뜻이다.

보르도 지방의 와인

· 메독(Medoc)
메독(Medoc)이란 '중간에 위치한 땅'이라는 뜻이다. 이 지역의 특징은 자갈, 모래, 조약돌 성분의 토양과 조그마한 언덕들이 형성되어 있다. 토양 자체는 척박하지만 배수가 뛰어나고 온기가 있어 이 지역의 주품종인 까베르네 소비뇽에 특히 알맞다.

메독 지방 와인명칭으로는 메독(Medoc), 오 메독(Haut- Medoc), 마고(Margaux), 생 줄리앙(St. Julien), 뽀이악(Pauillac), 생떼스떼프(St. Estephe), 물리(Moulis), 리스트락(Listrac)이 있다.

· 그라브(Graves)

그랑 크뤼급의 레드 와인을 생산하며 토질은 자갈 등 중퇴적물층이 모래 섞인 토양이나 점토성 토양으로 이루어져 있다.

· 소테른과 바르삭(Sautrtnes et Barsac)

가론강 왼쪽에 위치하며 석회질의 규토, 자갈 토양으로 이루어져 있다.

· 쌩떼밀리용(St. Emilion)

도르돈뉴강의 오른쪽에 위치하며 메를로가 이 지역의 주요품종이다. 석회 성분과 모래 진흙의 토양으로 이루어져 있다.

· 보르도(Bordeaux)

지롱드강 연안의 포도원 전역에서 생산된다.

· 뽀므롤(Pomerol)

포므롤의 지하 토양은 철분이 함유된 충적층의 특성을 지니고 있어 '쇠 찌꺼기'라는 별명을 지니고 있다. 샤또 뻬트뤼스(Chateau Petrus)가 유명하다.

· 프롱삭(Fronsac)

릴(l'isle)강과 도르돈뉴강 사이에 위치한 프롱삭과 까농 프롱삭(Canon-Fronsac)은 알코올 함량이 높고 장기보관이 가능한 레드 와인을 주로 생산한다.

ⓛ 부르고뉴(Bourgogne)

부르고뉴 지방의 포도원은 프랑스에서 가장 오래된 포도원 중 하나이다. 부르고뉴 지방의 전체 포도원 면적은 24,000헥타르에 달하는데 부르고뉴 지방의 가장 큰 특징은 단일 품종으로 다양한 와인을 만들어내는 것에 있다.

레드와인은 피노 누아(Pinot Noir)를 화이트 와인은 샤르도네(Chardonnay)만을 사용한다. 부르고뉴의 남쪽 지방 보졸레에서는 가메이(Gamay)만을 사용하여 와인을 만든다.

부르고뉴의 기후는 겨울에는 한랭하고 빙결기가 잦으며 여름에는 고온인 대륙성 기후이다. 춘빙(春氷)현상을 막기 위해, 포도원 중앙에 화덕을 만들어 기온을 높인다.

부르고뉴 주요 산지로는 샤블리(Chablis), 꼬뜨 드 뉘(Cote de nuits), 꼬뜨 드 본(Cote de beaune), 꼬뜨 로네즈(Cote Chalonnaise), 마꼬네(Moconnais), 부르고뉴 네고시앙(Bourgogne Negociants) 등이 있다.

ⓒ 알자스(Alsace)

알자스 지방은 프랑스의 우수한 와인 생산지로 프랑스에서 가장 건조한 기후이다. 화이트 와인이 전체 생산량의 82%를 차지하며, 석회질, 이회암, 화강암, 사암, 모래와 황토 등 매우 다양한 토양이 이 지방 포도밭의 특성을 이룬다. 많이 재배되는 포도 품종은 레드 와인의 경우 피노 누아, 화이트의 경우 게뷔르츠 트라미너(Gewurztraniner), 토카이-삐노그리(Tokay-pinot Gris), 리슬링(Riesling), 뮈스카 달자스(Muscat d'Alsace), 실바너(Slvaner), 삐노 블랑(Pinot blanc)등 다양한 품종이 재배된다.

ⓡ 샹파뉴(Champagne)

17세기말, 이 지역 사람들은 와인을 병입 한 후 이듬해 봄, 날씨가 더워지면 와인에 거품이 생긴다는 사실을 발견하게 되었다. 한 사원에서는 승려들이 이러한 발포 방법을 완성하는데 수도승 동 페리뇽(Dom Perignon)이 이 방법을 사용하여 샴페인을 만들어낸 것이다.

샹파뉴 지방의 전체 포도 재배 면적은 약 30,000헥타르로 주요 품종은 삐노누아르(Pinot Noir), 삐노 뫼니에(Pinot Meunier), 샤르도네이(Chardonnay)가 재배된다. 이 지역 연중 평균 기온은 10℃로, 포도의 성숙에 필요한 최저 온도인 9℃에 가깝다.

샹파뉴 와인의 종류로는 몽따뉴 드 랭스(montagne de Reims), 발레 드 라 마른느(Vallee des la Marne), 꼬뜨 데 블랑(cote des Sezanne), 오브(Aube) 등이 있다.

당도에 따른 샴페인의 등급

보통 샴페인은 등급이나 빈티지가 매겨지지 않는 대신, 당도의 정도에 따라 등급을 결정한다. 샴페인 라벨에 표기된 당도는 다음과 같다.

Extra Brut(엑스트라 브뤼)	1리터당 6g 정도
Brut(브뤼)	15g 정도
Extra Dry(엑스트라 드라이)	12~20g
Sec(섹)	17~35g
Demi-Sec(드미 섹)	33~50g
Doux(두)	50g 이상

각국의 발포성 와인

① 프랑스의 무세(Mousseux)
② 독일의 젝트(Sekt)
③ 스페인의 카바(Cava)
④ 이탈리아의 스푸만떼(Spumante)
⑤ 미국의 스파클링와인(Sparkling Wine)

ⓜ 랑그독(Languedoc)

프랑스에서 가장 남부에 위치하는 랑그독 루씨용은 프랑스에서 가장 넓은 포도 재배 지역으로 전체 포도 재배 면적이 40,000헥타르로 프랑스 총 재배 면적의 38%에 해당한다. 대부분의 뱅 드 따블과 뱅 드 뻬이를 생산하며, 랑그독 루씨용 지방은 고온 건조한 지중해성 기후이다.

랑그독 지방의 와인으로는 꼬뜨 드 루씨용(Cotes du Roussillon), 꼴리우르(Collioure), 꼬르비에르(Corbieres), 미네르브아(Minervois), 불랑께뜨 드 리무(Blanquette de Limoux), 꼬또 뒤 랑그독(Coteaux du Languedoc), 쉬니앙(ST, chinian), 뱅 두 나뛰렐(Vins Doux naturels), 클라쁘(clape), 생 싸뛰르넹(St. Saturnin) 등이 있다.

ⓑ 프로방스(Provence)

프로방스 지방 포도원은 프랑스에서 가장 오래된 포도원이다. 프로방스의 토질은 배수가 잘되고 자갈이 많아 포도 재배에 적합하다.

많이 재배되는 품종은 레드 와인의 경우 그르나슈(Grenache), 시라(Syrah), 쌩쏘(Cinsault), 까리냥(Cariganan), 무르베드르(Mourvegre), 띠부랭(Tibouren), 까베르네 쇼비뇽(Cabernet Sauvignon)이 재배되고 화이트 와인은 롤(Roll), 위니블랑(Ugni Blanc), 끌레레뜨(Clairette), 쎄미용(Semillon)이 많이 재배된다.

프로방스 지방의 와인으로는 꼬또 덱 썽 앙 프로방스(Coteaux d'Aix-En-Provence), 레 보 드 프로방스(Les Baux-de-Provence), 팔레뜨(Palette), 꼬또 바루아(Coteaux Varois), 벨레(Bellet), 까시스(Cassis) 등이 있다.

ⓢ 발레 뒤 론(Vall e du Rh ne)

전체 포도원의 면적은 75,800헥타르에 달하며 약 77%를 차지하는 꼬드 뒤 론과 꼬뜨 뒤 방뚜 등 기타 지역으로 구성되어 있다. 꼬드 뒤 론은 북부 산악 지대와 지중해성 해양 기후의 영향을 강하게 받는 남부 지대로 나뉘는데 포도 품종으로는 적포도 품종으로 시라(Syrah), 생쏘(Cinsaut), 무르베드르(Mourvedre), 그르나슈 누와르(Grenache noir)와 백포도 품종으로 비오니에(Viognier), 마르산(Marssanne), 그르나슈 블랑(Grenache blanc), 루싼(Roussanne), 클레렛뜨(Clairette), 부르불랭(Bourboulenc)이 주재배 품종이며 그 외 2차 품종으로 12개 품종의 재배가 허용되어 있어 전체적으로 21개 품종으로 와인을 만든다. 총 와인 생산은 3,755,000헥타르이며 레드가 91%, 화이트가 3%, 로제가 6%로서 레드가 압도적이다.

꼬뜨 뒤 론의 와인으로는 꼬뜨 로띠(Cote Rotie), 꽁드리외와 샤또 그리예(Condrieu와 Chateau Grillet), 르미따쥬(Hermitage), 생-조세프(Saint-Joseph), 꼬르나(스Cornas), 생 뻬레(Saint-Peray), 샤또뇌프 뒤 빠프(Chateauneuf-du-Pape), 꼬뜨 뒤 론 제네리끄(Cote du Rhone "generiques"), 꼬뜨 뒤 론 빌라쥐(Cote du Rhone Villages), 따벨(Tavel), 지공다(Gigonda) 등이 있다.

ⓞ 보졸레(Beaujolais)

보졸레 지방의 전체 포도원 면적은 22,000헥타르에 이른다. 서쪽에서 부는 찬바람과 보졸레 지방의 산맥으로부터 불어오는 습한 바람을 언덕들이 잘 막아 이 곳 기후는 아주 온화하지만 가끔 한파가 닥치기도 한다. 토양은 주로 화강암과 편암으로 이루어져 있어 가메이 품종이 자라는데 중요한 역할을 하고 있다.

보졸레의 와인으로는 시루블(Chiroubles), 꼬뜨 드 브루이(Cote de Brouilly), 생-따무르(Saint-Amour), 플뢰리(Fleurie), 슈나(Chenas), 모르공(Morgon), 쥘리에나(Julienas), 물렝-아-방(Moulin-a-vent), 레니에(Regnie)가 있다.

보졸레 누보(Beaujolais Nouveau)

매년 11월 셋째 주 목요일 새벽 0시(출시일)를 기해 전 세계적으로 일제히 판매에 들어가는 햇와인이다. 보졸레 누보라는 명칭은 엄격한 검사를 거쳐 일정 기준을 충족시킨 보졸레 지역의 햇포도주에만 붙일 수 있다. 즉 라벨에 A.O.C(원산지통제명칭)가 표기되며, 보졸레 누보는 보졸레 지역에서 첫 수확되는 적포도를 일주일 정도 발효시킨 후 4~5주간의 짧은 숙성과정을 거쳐 여과, 병입 한다. 보졸레 누보는 추수감사절과 크리스마스 또는 새해까지, 출하된 지 1~2개월 내에 가장 많이 소비된다.

ⓩ 발드 르와르(Val De Loire)

파리의 서남쪽에 위치하고 있으며 해안성 온대(온난한 겨울, 혹서 없는 겨울)기후이며, 일조량도 풍부하고 강수량도 일정하다.

이곳에서 재배되는 포도 품종은 레드 와인으로는 삐노 도니(Pineau d'Aunis), 그롤로(Grolleau), 가메이(Gamay), 까베르네 프랑(Cabernet Franc), 꼬(Cot), 삐노 누와르(Pinot Noir)가 있고, 화이트 품종은 슈냉(Chenin), 소비뇽(Sauvignon), 샤르도네(Chardonnay), 뮈스까데 혹은 믈롱 드 부르고뉴(Muscadet de Melon de Bourgogne)가 주로 재배된다.

발 드 르와르 지방의 와인으로는 낭뜨(Nantes), 앙주(Anjou), 뚜렌느(Touraine)가 있다.

(2) 독일(Germany Wine)

① 역사

독일 와인의 역사는 기원전 100세기인 고대 로마시대로 거슬러 올라간다. 중세시대 수도원에서 훌륭한 포도원들이 설립 되어 포도나무와 와인들을 재배하고 취급하였는데 이러한 바탕이 고도로 발달한 독일 포도 재배학의 기준이 되었다.

1803년 교회 소유였던 포도원들은 나폴레옹이 라인지역을 정복할 때 개인 소유주들과 각 주의 소유로 팔리면서 나뉘어졌고 현재까지도 이러한 포도원들과 와인들은 지속적인 발전과 명성을 지니고 있다.

와인 생산국으로는 가장 북쪽에 위치한 독일의 포도재배 면적은 약 10만ha로 전 세계의 재배면적인 1,000만ha의 약 1%에 해당하고, 생산량은 3%에 조금 못 미친다. 독일 내에서 생산되는 와인은 대부분이 화이트 와인으로 전체 생산량의 85%를 차지하며, 나머지 15%는 레드 와인과 로제 와인이다.

② 독일 와인의 등급

독일 와인의 등급은 4단계로 분류되며 아래와 같다.

㉠ Q.M.P(Qualitatswein mit Pradikat) - 쿠발리테츠바인 미트 프레디카트

독일의 최고급 포도주를 포함하는 등급이다. 설탕을 일체 첨가하지 않은 최고 품질의 와인으로 특정 포도원에서만 생산된다.

㉡ Q.B.A(Qualitatswein bestimmter Anbaugebiete) - 쿠발리테츠바인 베스티머 안바우게비트

독일 전체와인의 65%가 Q.b.A의 범주에 포함되고 13개의 포도재배지역에서 생산된다.

㉢ Landwein - 란트바인

20개 특정 지역에서 생산되며 지역명이 표기되어 있다.

㉣ Deutschertaflwein - 도이처 타펠바인

가장 낮은 등급으로 보통 테이블 와인을 뜻한다.

③ 주요 생산지역

㉠ 모젤-자르-루베어(Mosel-Saar-Ruwer)

전체 독일 와인 생산량의 15%를 차지하고 있다. 라인과 모젤은 독일의 전형적인 두 가지 타입의 와인을 대표한다. 모젤 와인의 특징은 풍부한 향미와 부드럽고 산뜻한 것이 특징이다.

㉡ 라인가우(Rheingau)

라인가우는 독일 와인 중에 가장 고급 와인의 생산지이며, 세계 최고의 와인 생산지역 중에 하나이다. 대부분 소규모 와인을 생산하는 작은 포도원이며, 생산량이 400병 미만이지만 최상품의 와인을 생산해 낸다. 주요 포도품종은 라인가우 기후에 알맞은 리슬링(Riesling)을 재배한다.

㉢ 나헤(Nahe)

이 지역의 토양은 석영암, 점판암, 사암, 황토 등으로 이루어져 있다. 주요 재배품종은 뮬러-투르가우(Muller-Thurgau), 리슬링(Riesling), 실바네르(Sylvaner)로서 독특한 풍미가 특징이며, 독일 전체 생산량의 4.4%를 점유한다.

㉣ 라인팔츠(Rheinpfalz)

독일 최대의 와인 생산지역이며 부드럽고 향기 높은 맛의 와인이 생산된다. 독일 레드 와인의 25%를 생산해 내고 있다.

㉤ 라인헤센(Rheinhessen)

라인헤센 와인은 수출 시장에서 1위를 차지하고 있는데 이는 유명한 리프프라우밀히(Liebfraumilch)가 영국과 미국에서 인기 있기 때문만이 아니라 여러 다양한 토양 조건, 여러 가지 포도 품종이 다양한 와인의 생산을 촉진시키기 때문이다.

ⓗ 프랑켄(Franken)

프랑켄은 독일 포도주 생산지역 중에서 가장 동쪽에 위치하고 있다. 주요 포도품종은 리슬링(Riesling), 뮬러-투르가우(Muller-Thurgau), 실바네르(Sylvaner), 엘블링(Elbling), 구테델(Gutedel), 모리오-머스캇(Morio-Muskat), 슈레베(Scheurebe), 트라미너(Traminer), 케르너(Kerner)등이 있으며 독일 전체 수확량의 3.7%를 차지한다.

(3) 이탈리아(Italian Wine)

① 역사

이탈리아 와인의 역사는 그리스인들이 이탈리아 남부에 정착하면서 시작된다. 19세기 와인의 양조, 숙성법의 발달과 코르크마개를 이용한 포장법의 발달로 활성화되고, 키안띠(Chianti), 바롤로(Barolo)와 마르살라(Marsala) 등의 명성이 인정받기 시작하면서 전 세계로 알려지게 된다.

이탈리아는 와인 산지로서 가장 이상적인 곳임에도 불구하고 주로 저가의 대중적인 와인들을 주로 생산해 왔는데, 1960년대에 들어서야 'Denominazione d'Origine'라는 법안이 통과되면서, 산 지미냐노의 베르나치아가 1966년도에 처음으로 DOC 등급을 받은 이래로, 오늘날 300여 개가 넘는 와인업체가 DOC 등급의 와인을 생산하고 있다.

② 이탈리아 와인의 등급

이탈리아 와인의 등급은 3단계로 분류되며 아래와 같다.

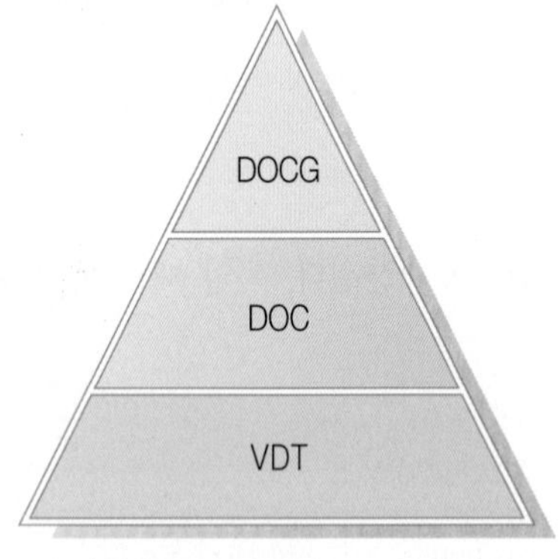

㉠ D.O.C.G(Denominazione di Origine Controllata e Garantita) - 데노미나지오네 디 오리지네 꼰트롤라따 에 가란띠따

원산지 통제 표시 와인으로 최상급 와인을 의미한다.

㉡ D.O.C(Denominazione di Origine Controllata) - 데노미나지오네 디 오리지네 꼰트롤라따

원산지 통제표시 와인 품질을 결정하는 위원회에 의하여 원산지, 수확량, 숙성기간, 생산방법, 포도품종, 알코올 함량 등을 규정하고 있다.

㉢ V.D.T(Vino da Tavola) - 비노 다 따볼라

일반 테이블 와인으로 일상적으로 소비하는 와인이다.

③ 주요 생산지역

㉠ 피에몬테(Piemonte)

피에몬테라는 말은 "알프스의 기슭"이라는 뜻으로 이태리에서 가장 훌륭한 레드 와인을 생산하는 지역이다. 피에몬테의 최고의 레드 와인은 바롤로(Barolo)와 바르바 레스코(Barbaresco)이다.

㉡ 토스카나(Toscana)

이탈리아 와인의 본고장으로 레드 와인 산지오베제(Sangiovese)와 키안티(chianti)가 유명하다. 주요 품종은 산지오베제(Sangiovese), 카나이올로 네로(Canaiolo Nero), 화이트 트레비아노 토스카노(Trebbiano Toscano), 말바지아 델 키안티(Malvasia del Chianti)이다.

㉢ 베네토(Veneto)

베네토는 이태리에서도 피에몬테, 토스카나 다음으로, 세 번째로 유명한 레드 와인 생산 지역이다. 소아베(Soave), 아마로네(Amarone), 발포리첼라(Valpolicella)가 유명하다.

㉣ 발레 다오스타(Valle D'Aosta)

알피네(Alpine)산맥의 북서쪽 맨 끝에 위치하고 있으며 장기 숙성을 필요로 하는 레드 와인을 생산하고 있다.

㉤ 롬바르디아(Lombardia)

이 지역의 주요 포도 품종은 네비올로(Nebbiolo)이다. 트레비아노(Trebbiano) 포도 품종으로 만든 루가나(Lugana)와 프란치아코르타(Francia Corta)가 생산된다.

(4) 스페인(Spain Wine)

① 역사

스페인 와인의 역사는 기원전 550~525년으로 거슬러 올라 로마시대 이전부터 포도가 재배되었다. 이후 기원전 3세기 로마인에 의해 와인 제조기술이 전수되었고, 8세기에 스페인을 정복한 무어

인들의 의해 식용포도가 재배되었으며 또한 단식증류기(Pot Still)가 사용되어, 서기 900년경에 알코올 강화 와인(셰리)이 만들어진다.

1870년, 필록세라가 프랑스의 포도재배 지역을 강타하면서 많은 포도 재배 업자들이 스페인의 리오하(Rioja) 지역으로 이주함으로 인해 스페인 포도 재배업자들은 프랑스의 선진 양조기술을 전수 받을 수 있었다.

1926년 리오하(Rioja)를 시점으로 1933년 헤레스(Jerez)가 명산지로서 정비되고 특히 1970년에는 전국적인 원산지 호칭법(Denominaciones de Origin-D · O)이 제정 되면서 스페인 와인의 품질은 전 세계로 알려지게 된다.

② 스페인 와인의 등급

스페인 와인의 등급은 4단계로 분류되며 아래와 같다.

㉠ D.O.C(Denominacionde de Origen Calificada) - 데노미나시온데 데 오리헨 칼리피카다

원산지호칭의 의미로 INDO(국립원산지호칭위원회)의 생산조건을 갖춘 최고급 품질의 와인이다. 최고 등급 D.O.C를 획득한 유일한 지역은 리오하이다.

㉡ D.O(Denominacion de Origen) - 데노미나시온데 데 오리헨

원산지 호칭제도, 프랑스의 A.O.C등급에 해당된다.

㉢ Vino de la tierra(비노 데 라 티에라)

DO보다 한단계 낮은 등급으로 컨트리 와인이라고 불리운다.

㉣ Vino de Mesa(비노 데 메사)

등급이 없거나 다른 지역의 와인을 블랜딩한 테이블 와인으로 스페인 와인의 75%를 차지한다.

③ 주요 생산지역

㉠ 리오하(Rioja)

스페인의 최고 와인산지이다. 프랑스 보르인들이 보르도를 대체할 만한 지역을 물색할 때 발견된 지역으로, 리오하의 레드 와인의 경우 스페인의 보르도 와인이라고 불릴 만큼 명성이 높다. 리오하 지역의 대표적인 포도품종은 템프라니요(Tempranillo)로 가르나차(Garnacha) 포도 품종과 섞어 만든다.

㉡ 헤레즈(Jerez)

스페인을 대표하는 와인인 셰리(Sherry)의 고장으로 유명한 헤레즈는 스페인의 가장 남쪽 안달루시아(Andalucia) 지방에 위치하고 있는 백암토 토질의 지역이다. 셰리는 헤레즈의 영어식 발음이다. 헤레즈에서 만들어지는 셰리는 와인을 증류하여 만든 브랜디를 첨가하여 알코올 도수를 18~20% 정도로 높여 만든 주정강화 와인이다. 특히 드라이 셰리(Dry Sherry)는 주로 식전주로 유명하며, 셰리는 포르투갈의 포트와인과 함께 디저트 와인으로도 세계적인 명성을 가지고 있다.

㉢ 패네데스(Penedes)

스파클링 와인 까바(Cava)로 유명한 패네데스 지역은 까탈로니아(Catalonia) 지방의 중심지인 바르셀로나에서 멀지 않은 곳에 위치한다.

㉣ 리베라 델 두에로(Rivera del Duero)

마드리드 북쪽에 위치한 지역으로 베가 시실리아(Vega Sicilia)가 만든 우니코(Unico)가 유명하다. 우니코는 주로 템프라니요 포도와 20%의 카버네 소비뇽 포도로 만드는데, 스페인의 로마네꽁티라 불리울 정도로 농도가 진하고 장기 숙성을 하며 오크통에서만 10년 이상 숙성하는 아주 고가의 와인이다.

(5) 포르투칼(Portugar Wine)

① 역사

로마가 지중해를 지배할 당시 스페인을 거쳐 포르투갈의 북동쪽 도우루(Douro)와 남부의 알랭때조(Alentejo)지역에서 포도재배가 시작되었으며, 12세기경 북쪽 미뉴(Minho) 지방에서 포도주를 영국으로 수출 하면서 1386년 Windsor 조약 이후 포트(Port)와인의 수출이 증가 하였다. 17세기 영국과 프랑스의 전쟁시 영국이 프랑스 산 포도주대신 포르투갈 산 포도주와 포트의 수입을 확대 하였으며 1703년 메투엥 조약(Methuen Treaty, 영국과 포르투칼 간의 특혜관세)이 체결된 후 포트와인은 영국의 주도하에 발전하게 되었다.

② 포르투칼 와인의 등급

포르투칼 와인의 등급은 4단계로 분류되며 아래와 같다.

㉠ D.O.C.(DenominacÇão de Origem Controlada) - 드노미아싸옹 드 오리젱 콘트롤라다

프랑스의 A.O.C에 해당되는 최상급 와인이다.

㉡ I.P.R(Indicaçâo de Proveniencia Regulamentada) - 인디카싸옹 드 프로브니엥시아 헤굴라멘타다

지정된 지역에서 생산된 와인으로 프랑스의 V.D.Q.S에 해당한다.

㉢ Vinho Regional - 비뉴 레지오날

프랑스의 벵 드 뻬이(Vin de Pays)급에 해당하는 지방명칭 와인이다. 테이블 와인 중에서도 산지명의 표시가 인정되고 있는 와인이다.

㉣ Vinho de Mesa - 비뉴 드 메자

프랑스의 벵 드 따블(Vins de Table)에 해당하는 일반 대중적인 와인이다. 원산지명을 표시할 수 없는 테이블 와인이다. 가장 많은 생산량을 차지한다.

③ 주요 생산지역

㉠ 도우루(Douro)

이 곳에서는 포트와인이 많이 생산되고 있다. 포트(Port)는 스페인의 셰리와인과 함께 주정강화 와인으로써, 와인의 발효 공정에서 와인에 브랜디를 추가하여 양조시킨 와인으로 강한 맛과 향기를 가지며 알코올 도수 또한 통상 19%에서 22%에 이를 정도로 높은 특징을 가진다. 대표적인 식후 디저트 와인으로 알려져 있다.

㉡ 미뉴(Minho)

포르투갈에서 생산되는 포도의 1/4이 이 지역에서 생산되고 있다. 그 중 비뉴 베르드(Vinho Verde)는 세계에서 유일하게 포르투갈에서만 생산되는 와인이다. 조금 덜 익은 상태에서 숙성이 시

작되어 약간의 신맛을 내기 때문에 그린와인이란 이름이 붙여졌다.

ⓒ 다웅(Dao)

이 지역에서는 비뉴 마두로스(Maduros)를 주로 생산하고 있다.

ⓔ 마데이라(Madeira)

마데이라는 마데이라섬 고유의 제조 방법으로 만든 와인으로 포트와인과 함께 포르투칼의 대표적인 주정강화 와인(Port)이다.

(6) 미국(American Wine)

① 역사

콜럼버스가 신대륙을 발견하기 500년 전에 이미 미국에는 포도가 재배되고 있었다는 기록이 있지만 본격적인 포도 재배는 200여 년 전에 멕시코를 통해 들어온 프란체스코 선교사들을 통해서였다. 1919년 금주법의 시행과 경제 대공황으로 미약하던 와인은 1933년 금주법이 폐지되면서 발전하기 시작하였는데, 캘리포니아에서 금광이 발견되면서 인구가 폭발적으로 증가하였고 금광이 없는 곳은 포도밭으로 일구게 되면서 점차 포도밭이 증가하게 되었다. 미국은 1983년 A.V.A(American Vitcultural Areas)를 도입하여 생산지와 포도품종을 표기하도록 하였으며 미국의 고급 와인은 품종 와인(Varietal Wine)으로 포도 품종을 라벨에 기재하는 것이다.

② 미국 와인의 등급

미국 와인의 등급은 3단계로 분류되며 아래와 같다.

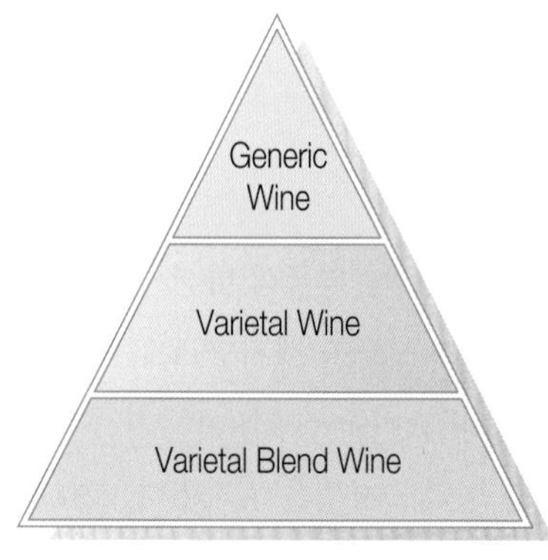

㉠ Generic Wine - 제네릭 와인

산지와 포도품종이 표기되며, 이때 그 포도품종의 85% 이상이 표기된 지역에서 생산된 것이어야 한다.

㉡ Varietal Wine - 버라이어털 와인

단일 포도품종으로 만들며, 라벨에 품종을 표시한다.

ⓒ Varietal Blend Wine - 버라이어틸 브랜드 와인

두 개 이상의 품종을 블랜딩한 경우로 라벨에는 중요도에 따라 순서대로 표기한다.

③ 주요 생산지역

㉠ 나파 벨리(Napa Valley)

미국에서 가장 유명한 포도 재배 지역으로, 포도생산량은 켈리포니아 전체의 5% 정도밖에 안 된다. 프랑스와 같이 좋은 레드 와인이 생산되고, 또 프랑스에서 재배되는 품종의 화이트 와인도 생산된다.

㉡ 소노마(Sonoma)

나파 벨리 다음으로 유명한 와인 생산 지역이다. 소노마에서는 샤르도네(Chardonnay), 까베르네 소비뇽(Cabernet Sauvignon), 멜로(Melot)를 많이 생산하고 있다.

㉢ 산조퀸 벨리(San Joaquin Valley)

미국에서 와인을 가장 많이 생산하고 있는 지역으로 캘리포니아 와인의 80%를 생산한다.

이 곳의 와인은 주로 큰 병에 담은 저그와인(Jug Wine)이 많고, 매일 쉽게 마시는 등급의 와인을 주로 많이 생산하고 있다.

㉣ 산타바바라

피노누아(Pinot Noir)와 샤르도네(Chardonnay)가 주요 산지로 특히 피노누아가 유명하다. 미국에서 와인을 가장 많이 생산하고 있는 지역으로 캘리포니아 와인의 80%를 생산한다.

(7) 호주(Australia Wine)

① 역사

호주 와인의 역사는 유럽인들의 호주 대륙 상륙과 함께 시작된다. 1788년 영국의 아서 필립 선장(Captain Arthur Philip)이 최초로 와인용 포도 묘목을 호주에 심으려는 시도를 했지만 토질이 맞지 않아 실패했고, 이후 '호주 포도 재배의 아버지'라고 불리우는 제임스 버스비(James Busby)가 유럽에서 678종의 다양한 포도나무를 가져와 심으면서 호주 주민들에게 와인 만드는 법을 전파했다. 1800년대 중반 필록세라(Phylloxera)에 의해 유럽 전역 포도밭을 황폐화 시켰는데, 호주 역시 피해갈 수 없었

지만 엄격한 검역 규제 관리로 와인 생산 지역을 필록세라로부터 보호할 수 있었다.

1980~1990년대에 이르러 레드 와인의 소비가 엄청나게 증가하고 해외 수출도 크게 늘어나게 되어 오늘 날 호주 와인은 칠레, 미국과 함께 신대륙 와인으로 인기를 얻고 있다.

② 호주 와인의 등급

호주 와인의 등급은 3단계로 분류되며 아래와 같다.

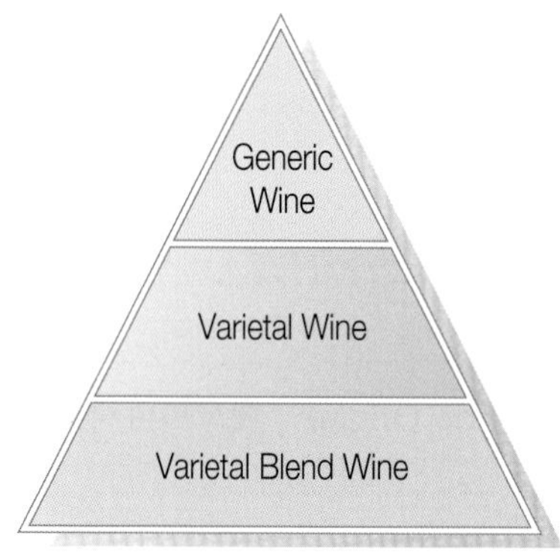

㉠ Generic Wine - 제네릭 와인

특정한 산지와 포도품종이 표기되며, 이때 그 포도품종의 85% 이상이 표기된 지역에서 생산된 것이어야 한다.

㉡ Varietal Wine - 버라이어틸 와인

단일 포도품종으로 만들며, 라벨에 품종을 표시한다.

㉢ Varietal Blend Wine - 버라이어틸 브랜드 와인

두 개 이상의 품종을 사용해 블랜딩한 경우로 어느 한 품종이 85%를 넘지 못하는 경우이다. 라벨에는 중요도에 따라 순서대로 표기한다.

③ 주요 생산지역

㉠ 사우스 오스트레일리아(South Australia)

사우스 오스트레일리아 지역은 호주 와인의 주요 생산지이다.

㉡ 뉴 사우스 웨일즈(New South Wales)

호주 동부해안의 남쪽 부분에 위치하고 호주 와인 생산의 두 번째 지역인 동시에 호주산 와인의 최초 생산지이다. 주요 생산지는 Hunter Valley지역이다.

㉢ 빅토리아(Victoria)

호주의 주요 와인 생산지로서 디저트 와인에 사용되는 토카이(Tokay)와 뮈스까델(Muscadelle) 와인이 생산되고 있다.

(8) 칠레(Chile Wine)

① 역사

칠레는 16세기 중반 스페인 사람들에 의해 최초로 포도농장이 들어선 이후 수세기 동안 와인을 만들면서 번영을 유지해왔다. 그 중 1980년대 중반부터 와인 산업이 크게 성장하게 되는데 이는 칠레의 와이너리들이 와인 선진국들의 발전된 기술을 적극적으로 도입하였기 때문이다. 또한 칠레는 천혜의 자연환경과 철저한 예방조치로 인해 세계에서 유일하게 필록세라의 피해를 입지 않은 포도로 와인을 만들고 있는 나라이다.

② 칠레 와인의 등급

원산지 표기에 따른 등급으로 아래와 같다.

㉠ D.O(Donominacion de Origin) - 데노미나시오 데 오리헨

칠레에서 병입되어야하며 원산지를 표기하기 위해서는 그 지역 포도를 75% 이상 사용하여야만 한다. 품종 표기 역시 해당 품종이 75% 이상 사용 되어야하며 여러 포도품종을 블랜딩하여 사용하는 경우에는 많이 사용된 순서대로 3가지만 표기한다.

㉡ Vino de Mesa - 비노 데 메사

포도품종, 수확연도(빈티지)의 표시가 없으며, 프랑스의 뱅 드 따블(Vin de Table)급에 해당한다.

숙성 정도에 따른 등급으로 아래와 같다.

① 레제르바 에스파샬(Reserva Especial) : 최소 2년 이상 숙성된 와인에 표기
② 레제르바(Reserva) : 최소 4년 이상 숙성된 와인에 표기
③ 그란 비노(Gran vino) : 최소 6년 이상 숙성된 와인에 표기
④ 돈(Don) : 아주 오래된 와이너리에서 생산된 고급와인에 표기
⑤ Finas : 정부 인정하의 포도 품종에 근거한 와인

③ 주요 생산지역

㉠ Central Valley(Regadio) : 칠레와인의 주 생산 지역으로 전체 생산량의 60%에 달한다.
㉡ 아콘카구아(Aconcagua) : 산티아고 북부, 고급 와인을 만드는 곳 중에서 가장 덥다.
㉢ 마이포(Maipo) : 칠레 최대의 포도산지
㉣ 라펠(Rapel) : 마이포 지방보다 기후가 선선하며 일부 지역에서는 파이스 포도를 재배한다.
㉤ 마울레(Maule), 비오-비오(Bio-Bio) : 벌크와인 생산지

9. 와인 라벨(Wine Label)

와인 라벨에 포함되어 있는 정보로는 와인의 원료가 된 포도의 이름, 포도가 자란 지역이름, 와인의 등급, 포도가 수확된 해, 와인을 만든 회사명이나 생산자 이름, 특정한 와인에 붙여진 특별한 이름을 알 수 있다.

10. 와인의 보관요령과 주의할 점

① 온도 : 온도변화가 일정하며 서늘한 곳이 좋다. 이상적인 온도는 7~13℃이다
② 햇빛 : 와인은 햇빛에 결정적으로 손상을 입게 된다.
③ 습도 : 습도가 부족하면 포도주에 함유된 수분이 건조한 코르크를 통해 증발하고 대신 공기가 병 안으로 들어가 포도주의 산화를 촉진시킨다. 적정 습도는 55~75% 수준이다.
④ 진동 : 지속적인 진동은 성분분해 속도를 촉진시킨다.
⑤ 수평 : 와인 병은 수평으로 눕혀 보관해야 한다. 그래야 코르크 마개의 건조를 막을 수 있다. 와인 병을 세워서 보관하면 산화되기 쉽기 때문에 와인의 맛을 잃게 된다.

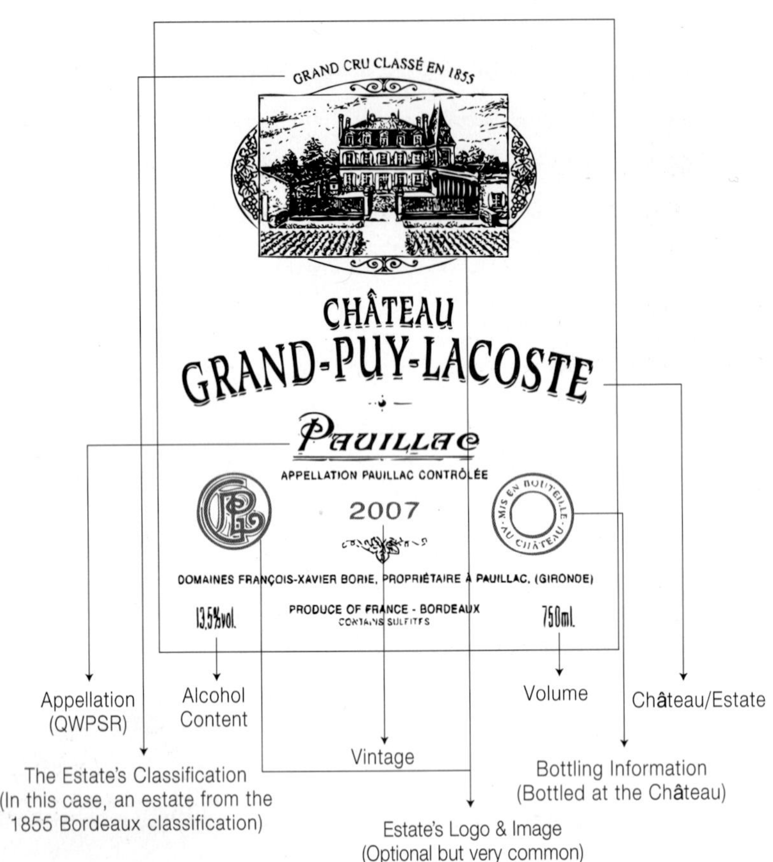

와인 라벨을 통해 알 수 있는 정보

1. 와인의 이름
2. 와인의 등급
3. 생산지
4. 생산자의 분류
5. 생산자 이름
6. 와인의 생산년도
7. 알코올도수
8. 용량
9. 포도품종이름
10. 생산국
11. 생산자의 주소

11. 와인 서비스 및 주의사항

(1) 와인 서비스 방법

① 와인 리스트(Wine List)를 제시하고 요리와의 관계나 선호도 등을 고려하며 와인을 추천한다.

② 와인 서비스시 와인의 라벨은 고객에게 보이며 고객이 주문한 와인이 맞는지 확인한다.

③ 캡술(Capsule)을 벗겨내고 코르크스크루(Corkscrew)를 코르크의 중앙에 수직으로 넣고 천천히 뽑아 올린다.

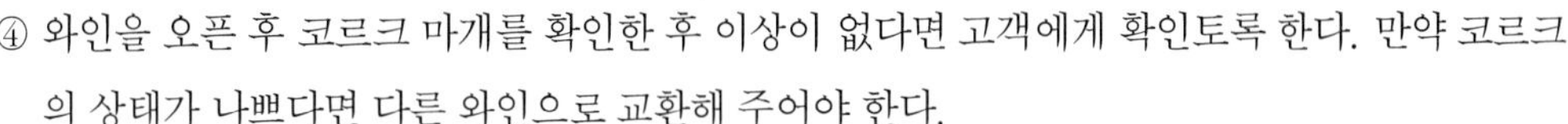

④ 와인을 오픈 후 코르크 마개를 확인한 후 이상이 없다면 고객에게 확인토록 한다. 만약 코르크의 상태가 나쁘다면 다른 와인으로 교환해 주어야 한다.

⑤ 와인을 서비스할 때 고객의 우측에서 한다.

⑥ 와인을 처음 따를 때에는 고객 중 테이스팅 여부를 묻는데 보통 그날의 주최자나 와인을 선택한 사람이 하면 된다.

⑦ 와인을 따를 때는 레드와인의 경우 2/3정도, 화이트와 로제 와인은 1/2정도 따르는 것이 좋다.

⑧ 서비스하고 남은 화이트 와인은 와인 쿨러(Wine Cooler)에 담아두고, 레드와인은 와인 바스켓(Wine Basket)에 담아 테이블에 올려둔다.

⑨ 와인잔이 비기 전에 고객에게 물어본 후 와인을 추가로 따라준다.

⑩ 빈 와인병은 추가 와인주문과 함께 고객에게 확인시키고 치운다.

(2) 샴페인 서비스 방법

① 캡슐의 윗부분을 벗겨낸다.

② 왼손 엄지손가락으로 코르크의 윗부분을 누르면서 와이어네트를 완전히 벗겨낸다.

③ 왼손으로 병목부분을 잡고 오른손으로 약간씩 좌우로 비튼다.

④ 코르크가 순간적으로 튕겨 나가지 않도록 오른손으로 코르크를 잡고 서서히 오픈한다.

⑤ 글라스에 따를때 거품이 넘치지 않게 조심스럽게 따른다.

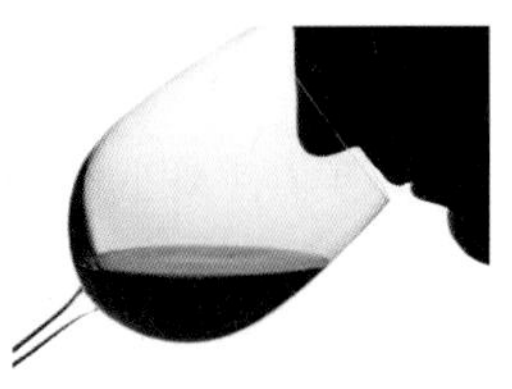

(3) 와인 테이스팅(Wine Tasting) 방법

테이스팅은 색(시각), 향(후각), 맛(미각)의 3가지 단계를 거친다.

① 시각 : 와인의 색과 농도, 투명도 등을 눈으로 확인한다.

② 후각 : 와인의 향을 통해 포도품종과 떼루아, 아로마, 부케를 확인한다.

③ 미각 : 입안 전체를 통해 맛을 확인한다.

12. 와인과 건강

와인과 건강을 분석한 자료 가운데 가장 유명한 것은 프렌치 패러독스(French paradox)를 들 수가 있다. 프렌치 패러독스는 프랑스인이 영국, 독일 등 여타 북유럽 국민과 달리 동맥심장병(Coronary heart disease)의 발병률이 현저히 낮은 이유가 바로 와인 때문이라는 것을 일컫는 말이다. 이러한 연구결과는 1819년 아일랜드인 새뮤얼 블랙 박사에 의해 발표되었으며, 블랙 박사는 아일랜드인과 프랑스인의 후두염 발병률 차이를 비교 분석하면서 프랑스인의 생활 방식이 와인과 함께하는 식습관으로 인해 후두염 발병률을 낮췄다고 주장했다.

13. 와인 기초 용어집

(ㄱ)

① **귀부병(Noble rot)**

포도가 무르익을 때 포도껍질에 생성되는 보트리티스 시네레아(Botrytis cinerea)라는 곰팡이로 양질의 디저트 와인 혹은 스위트 와인 생산에 도움을 주기도 한다.

② **그랑 크뤼(Grand Cru)**

특급 포도원이라는 뜻으로 보르도지방의 메독지구에는 5단계, 상떼밀리옹지구에는 2단계로 나누어 등급을 매기는데, 그중 최고등급을 가리킨다.

(ㄴ)

① **네고시앙(Negociant)**

네고시앙이란 각기 다른 포도원에서 와인을 사들여 병입, 유통을 담당하는 와인 중개상을 의미한다.

(ㄷ)

① **도멘(Domaine)**

부르고뉴 지방에서 포도를 재배하고 와인을 양조하는 양조장, 보르도지방에서는 샤또라고 한다.

② **디켄팅(Decanting)**

와인을 마시기전에 침전물을 없애기 위해 다른 용기(Decanter)에 와인을 옮겨 따르는 것

(ㄹ)

① **로쏘(Rosso) :** 레드(이태리)

② **로제 (Rose) :** 핑크색 와인

③ **루즈(Rouge) :** 레드(프랑스어)

(ㅁ)

① **매그넘(Magnum)**

750mL짜리 일반 와인병 보다 두배 큰 와인병 -1,500mL

(ㅂ)

① 바디(Body)

입안에 머금었을 때 느껴지는 무게감을 의미한다. 맛의 진한 정도와 농도, 혹은 질감의 정도를 표현하는 와인 용어

② 밸런스(Balance)

산도, 당분, 탄닌, 알코올 도수와 향 등 와인을 평가할 때 사용되는 용어

③ 부쇼네(Bouchonne)

코르크 마개가 부식되거나 곰팡이가 생긴 것을 부쇼네 라고 한다. 영어로는 corky라고 한다.

④ 부케(Bouquet)

주로 와인 생산과정이나 숙성과정에서 생기는 향을 말한다.

⑤ 블랜딩(Blending)

각기 다른 포도 품종, 포도밭에서 난 포도를 배합하여 와인을 생산하는 방식을 블랜딩이라 한다.

⑥ 블라인드 테이스팅(Blind Tasting)

와인의 라벨을 가리고 시음하여 와인의 색깔, 향, 맛 등을 통하여 와인의 품종, 이름, 생산년도 등을 맞추는 것을 뜻한다.

⑦ 블랑 드 블랑(Blanc de Blanc)

샤르도네(Chardonnay)와 같이 화이트 와인용 품종으로 만든 스파클링 와인을 일반적으로 말한다.

⑧ 빈티지(Vintage)

와인양조에 사용된 포도 생산연도

(ㅅ)

① 샤또(Chateau)

포도원 또는 포도농장을 가진 와인 공장이란 뜻이다.

② 셀러(Cellar)

프랑스어로 까브(Cave)라고도 하며, 발효가 끝난 와인을 숙성시키기 위해 보통 지하에 만든 장소를 말한다.

③ 소믈리에(Sommelier)

소믈리에는 중세 유럽의 솜메(Somme)라는 직책에서 유래되었으며, 와인을 관리하고 서빙 하는 전문 웨이터를 뜻한다.

(ㅇ)

① 아로마(Aroma)

포도 천연의 향을 의미한다.

② 오크(Oak)

와인을 숙성하거나 보관할 때 사용하는 배럴을 만드는 나무의 일종

③ 와인메이커(Wine Maker)

와인 양조장에서 와인 제조를 책임지고 있는 사람

(ㅋ)

① 코르크(Cork)

와인 병마개로 너도 밤나무과의 코르크나무로 만든다.

② 콜키지 챠지(Corkage Charge)

자기가 보관하고 있는 와인을 마실 경우 서비스 조건으로 와인가격의 일부 혹은 병당 일정 금액을 내는 돈을 말한다.

③ 크뤼(Cru)

와인 재배에 쓰이는 프랑스 용어로 와인의 품질 등급을 말한다.

(ㅌ)

① 탄닌(Tanin)

폴리페롤 물질로 와인의 쓴맛 또는 떫은맛을 느끼는 물질이다.

② **테루아르(Terroir)**

프랑스어로 와인을 재배하기 위한 자연조건을 총칭하는 말로 토양, 포도품종, 기후 등이 테루아르라고 한다.

(ㅍ)

① **프렌치 패러독스(French Paradox)**

프랑스인들이 흡연을 많이 하고 과다의 동물성 지방질 섭취를 함에도 불구하고 심장질환에 의한 사망률이 낮은 이유는 프랑스인들의 와인 섭취량이 높기 때문이라는 것이다.

② **필록세라(Phylloxera)**

포도나무 뿌리에 살고 있는 미세한 진딧물로 뿌리의 진액을 빨아먹고 산다. 19세기 후반에 유럽의 포도나무를 황폐화시켰다.

chapter_ 03 증류주

I. 위스키 Whisky

1. 위스키의 정의

위스키는 보리, 밀, 옥수수를 주원료로 하여 이것을 당화 · 발효시킨 후 증류하여 만든 술이다.

2. 주세법상의 위스키

위스키(불휘발분이 2도 미만이어야 한다)
(1) 발아된 곡류와 물을 원료로 하여 발효시킨 술덧을 증류하여 나무통에 넣어 저장한 것
(2) 발아된 곡류와 물로 곡류를 발효시킨 술덧을 증류하여 나무통에 넣어 저장한 것
(3) (1) 또는 (2)의 규정에 의한 주류의 술덧을 증류한 후 이를 혼합하여 나무통에 넣어 저장한 것
(4) (1)과 (2)의 규정에 의한 주류를 혼합한 것
(5) (1) 내지 (3)의 규정에 의한 주류에 대통령령이 정하는 주류 또는 물료를 혼합하거나 첨가한 것

3. 위스키의 어원

위스키의 어원은 고대 게일어의 우스게바하(Uisge-Beatha)에서 나왔다. 이 말이 변화하여, 위스게바하(Usquebaugh)가 되고, 이후 어스퀴보(Usquebaugh)에서 우슈코(Usiqe)로 변화하여 위스키보(Wiskybae) 그리고 어미가 생략된 위스키(Wisky)가 되었다고 한다. 이것은 라틴어의 아쿠아 비테(Aqua Vitae)에 해당되며 생명의 물(Water of life)이란 뜻을 담고 있다. 오늘날 아일랜드와 미국은 Whiskey로, 스코틀랜드와 캐나다는 Whisky로 표기한다.

4. 위스키의 역사

위스키는 12세기 십자군 전쟁이 끝난 직후 중동지역으로부터 돌아온 그리스도교의 전도사 세인트 패트릭(St. Patrick, 387경~461)이 아일랜드인에게 증류 기술을 가르쳐서 만든 것이 시작이라고 한다. 연금술사들로부터 전수된 알코올 증류 기술은 초기에는 향수를 제조하는데 사용되었으나, 유럽에서 아일랜드를 거쳐 스코틀랜드로 전해지면서 위스키의 증류기술로 발전하게 되었다.

위스키에 대한 문헌상의 최초의 기록은 1172년 영국 왕 헨리 2세(Henry II, 1133~1189)가 아일랜드 정복 당시 보리로 만든 증류주가 있었고, 1494년 스코틀랜드 재무부 기록에 의하면 린도레스 수도원의 수도사인 존코어(Joncour)가 보리로 증류주를 만들었다고 적혀 있다.

Moonshiner

위스키는 15세기까지 성직자들에 의해 만들어지다가 1534년 헨리 8세(Henry VIII, 1491~1547)때 영국내 가톨릭교회를 폐쇄함으로써, 민간인들에 의해 만들어지기 시작한다. 이후 잉글랜드에서는 1661년 크리스마스에 위스키에 세금을 1갤런당 2펜스로 부과했는데, 1707년 잉글랜드와 스코틀랜드의 합병으로 대영제국이 탄생한 후 정부는 나폴레옹과의 전쟁 준비로 부족한 재원을 확보하기 위해서 이전에 시행되던 몰트세를 증류업자들에게 종전보다 높은 세금을 부과한다. 이에 불만을 품은 증류업자들이 정부의 단속을 피해 하이랜드의 산속에 숨어 밤에 몰래 위스키를 밀조했다. 그래서 그들을 Moon Shiner(달빛지기)라고 불렀는데, 이는 '밤에 위법 행위를 하는 사람' 즉, 부정의 의미를 담고 있다.

하지만 여기서 위스키에 놀라운 발견이 이루어지는데, 몰트는 원래 자연 상태에서 건조를 했었지만, 산속에서 밀조를 하면서 자연건조가 어려워지자 이를 해결하기 위해 맥아의 건조를 이탄(Peat 수목질의 오래된 퇴적층)을 사용했는데, 이 건조방법이 엿기름에 피트향을 베이게 하여 오늘날의 위스키의 스모키한 피트향을 가지게 된다. 오늘날의 위스키는 맥아의 건조시 피트에 훈연시키는 노출 시간에 따라 각기 다른 개성을 이룬다.

또한 밀조한 술은 정부의 감시로 인한 빠른 판매가 어려워지자 밀조자들은 스페인에서 수입한 세리(sherry)를 담았던 빈 오크통에 저장하게 되는데, 하지만 이것은 또 다른 놀라운 발견의 시초가 된다. 증류 당시 무색이었던 술이 오크통에서 오랜 저장시간을 거쳐 맑은 호박색에 짙은 향취가 풍기는 술로 변한 것이다.

1823년 밀조가 성행하자 정부에서는 밀조 방지의 목적으로 세금을 낮추는 새로운 위스키 법이 공포되었고 이후 1826년경에 로버트 스테인(Robert Stein)이 연속식 증류기를 발명하게 되나 실용화되지는 못하였다. 1831년 이니어스 코페이(Aeneas Coffey)가 이것을 개량한 연속식 증류기를 만들어 특허를 얻게 되었다.

이것을 패턴트 스틸(Patent Still)이라 부르며 증류 공장을 설립하여 그레인 위스키를 만들기 시작했다. 19세기 중반 에딘버러에 있는 한 위스키 판매상이 몰트 위스키와 그레인 위스키를 섞은 제품을 판매하기 시작하는데, 이것이 오늘날의 블랜디드 위스키(Blended Whisky)이다.

19세기 중반부터 유럽의 포도가 필록세라충(Phylloxera)에 의해 전멸되었기 때문에 당시 명성을 떨치고 있던 코냑(Cognac)의 제조가 불가능하게 되자 위스키는 코냑을 대신하는 술로 급부상하게 된다.

5. 위스키의 원료

(1) 맥아(Malt)

위스키에 사용되는 맥아는 보리에 수분과 온도, 산소를 작용시켜 발아시킨 보리알을 뜻하는 것으로 엿기름이라고도 한다.

(2) 기타 곡류(cereals)

위스키의 원료는 맥아뿐만 아니라 밀 · 옥수수 · 귀리 등의 다양한 곡식이 사용되며 기타 곡류를 사용하더라도 당화만은 대맥 맥아를 사용한다.

(3) 이탄(peat)

이탄은 헤더(Heather)라는 식물이 토양 중에서 탄화된 것으로서 스코틀랜드에서는 일반적으로 가장 손쉬운 연료로 사용되고 있다.

6. 위스키 제조과정

(1) 맥아(Malting)

대맥을 물에 담가 싹을 틔운 후 이것을 건조 시킨다.(몰트 스카치위스키는 건조시 피트(Peat)탄을 이용)

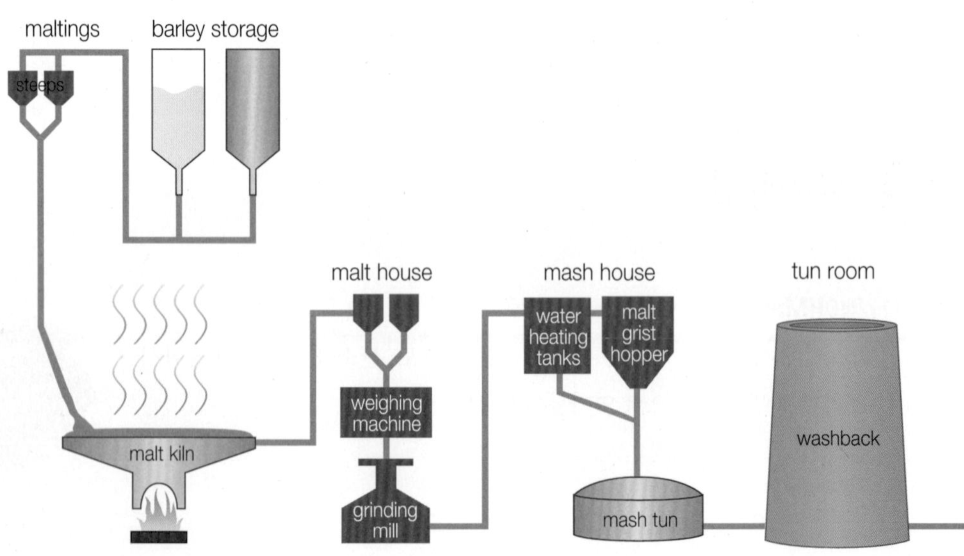

(2) 당화(Mashing)

건조된 맥아를 분쇄하고 더운물을 가하여 당화조에서 전분을 당으로 분해시켜 여과 후 발효조로 보낸다.

(3) 발효(Fermentation)

당화액을 냉각한 후 효모를 첨가하여 발효시킨다. 이것을 매쉬(mash)라고 하며 이 때 알코올 도수는 7~8%가 된다.

(4) 증류(Distillation)

단식 증류기 또는 연속 증류기를 사용하며 증류한다.(단식 증류기는 2~3회 증류)

처음 증류된 증류액을 로우와인(Low Wine), 두 번째 증류된 증류액을 스피릿(Spirit)이라고 한다.

(5) 숙성(Maturation)

증류된 무색투명한 위스키 원액을 오크(oak)통 속에 저장하여 숙성한다. 법적으로 최소 3년이상 숙성시키게 되어 있으나, 보통 그 이상 숙성시키며, 위스키의 색이 충분치 않을 경우에는 인위적으로 캐러멜 색소를 첨가 할 수 있다.

(6) 블랜딩(Blending)

숙성이 끝난 후 한 종류의 원액만을 물로 희석하여 제품화 하는 경우도 있지만, 대부분 30여 종류의 몰트위스키 원액과 한 가지 또는 그 이상의 그레인위스키 원액을 적당한 비율로 블랜딩한 후 물을 첨가하여 제품화 한다.

(7) 메링(Marring)

블랜딩한 다양한 위스키 원액이 서로 잘 조화될 수 있도록 일정기간 통속에서 후숙성시킨다.

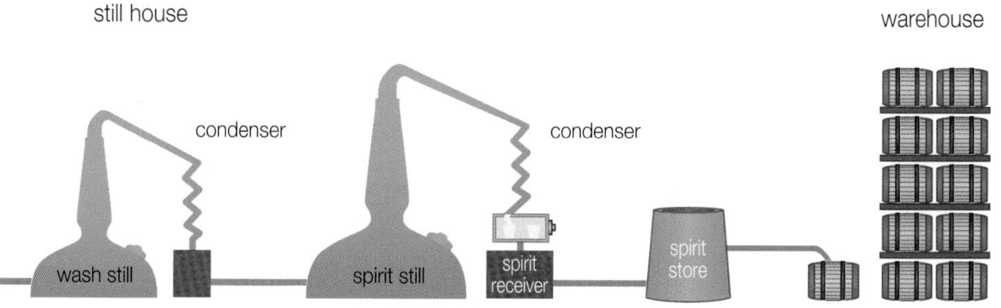

(8) 제품

숙성이 끝난 위스키 원액에 물을 첨가하여 제품화 하며 알코올도수는 40~43%이다. 제품의 종류에는 한 증류소의 몰트위스키 원액만 사용한 것, 여러 증류소의 몰트위스키 원액을 혼합한 것, 그레인위스키 원액만 사용한 것, 몰트위스키 원액과 그레인위스키 원액을 블랜딩한 것 등이 있다.

7. 위스키의 분류

(1) 생산지에 의한 분류

① 스카치 위스키(Scotch Whisky)

스카치위스키란 스코틀랜드에서 생산되는 위스키를 총칭하며, 다른 지역에서 생산되는 위스키나 알코올 등이 전혀 섞이지 않아야 한다. 또한 스카치위스키는 ①스코틀랜드에서 생산되는 보리와 물 그리고 ②피트(Peat)탄 등을 사용하여 ③최소 3년간 숙성시켜야 스카치위스키라고 할 수 있다. 스카치위스키의 특징은 엿기름을 건조할 때 피트(Peat)탄을 사용하는 것과 단식증류기(Pot Sill)로 증류한 뒤 셰리를 담은 오크통을 사용하여 숙성시키기 때문에 독특한 스모키 향이 나는 것이 특징이다. 스카치위스키는 제조법에 따라 크게 몰트위스키, 그레인위스키, 블랜디드 위스키 3가지로 나눈다.

스카치 위스키의 종류

㉠ 싱글몰트 스카치 위스키(Single Malt Scotch Whisky)
한 곳의 증류소에서 물과 몰트만 사용하며 단식증류기로 증류하여 만든 위스키

㉡ 싱글 그래인 스카치 위스키(Single Grain Scotch Whisky)
한 곳의 증류소에서 물과 몰트 외에 다른 곡물을 섞어서 만든 위스키

ⓒ 블랜디드 몰트 스카치 위스키(Blended Malt Scotch Whisky)

다른 증류소에서 만든 싱글 몰트 위스키를 섞어서 만든 위스키로 배티드 몰트(Vatted Malt) 또는 퓨어 몰트(Pure Malt)라고 한다.

ⓓ 블랜디드 그래인 스카치 위스키(Blended Grain Scotch Whisky)

다른 증류소에서 만든 둘 혹은 그 이상의 싱글 그래인 위스키를 섞어서 만든 위스키

ⓔ 블랜디드 스카치 위스키(Blended Scotch Whisky)

둘 또는 그 이상의 싱글 몰트 위스키와 싱글 그래인 위스키를 섞어서 만든 위스키

② 아이리쉬 위스키(Irish Whiskey)

아이리쉬 위스키란 아일랜드에서 만들어지는 위스키를 총칭하며, 스카치위스키의 원료가 100% 맥아인데 비해 아이리쉬 위스키는 호밀 등을 섞어 원료로 사용한다. 또한 스카치위스키는 맥아의 건조시 피트탄을 사용하지만 아이리쉬 위스키는 석탄으로 건조시키기 때문에 스모키한 피트향은 가지고 있지 않다. 증류할 때도 스카치위스키는 2회 증류를 하지만 아이리쉬 위스키는 단식 증류기를 사용하여 3회 증류한다.

아이리쉬 위스키의 종류

ⓐ 블랜디드 아이리쉬 위스키(Blended Irish Whiskey)

Black Bush, Bushmills Original, Inishowen, Jameson, Kilbeggan, Locke's Blend, Midleton Very Rare, Millars, Paddy, Powers, Tullamore Dew, Clontarf, The Irishman Potstill, Writer's Tears 등

ⓑ 블랜디드 아이리쉬 위스키(Blended Irish Whiskey)

단식 증류기(Pot still)만 사용한 것

Green Spot, Jameson 15년, Old Pure Pot Still, Redbreast 12년, 15년 등

㉢ 싱글 몰트(Single Malt)

Bushmills 10년, 16년, 21년, Connemara Peated Malt Regular, Connemara Peated MaltCask Strength & 12년, Locke's Single Malt 8년, Tyrconnell, The Irishman Single Malt, Tullamore Dew Single Malt 10년 등

㉣ 싱글 그래인(Single Grain)

Greenore 8년, 10년

③ 아메리칸 위스키(American Whiskey)

아메리칸 위스키란 미국에서 생산되는 모든 위스키를 총칭하며, 원료의 함량과 만드는 방법에 따라 스트레이트 위스키(Straight Whiskey)와 블랜디드 위스키(Blended Whiskey)로 구분된다. 그리고 스트레이트 위스키는 다시 사용하는 주원료에 따라 콘 위스키(Corn Whiskey), 라이 위스키(Rye Whiskey)로, 산지에 따라 버번 위스키(Bourbon Whiskey), 테네시 위스키(Tennessee Whiskey)로 나뉜다. 현재 미국의 위스키는 미국 연방 알코올관리법에 의해 곡물을 원료로 해서 알코올분 95%미만으로 증류하여 Oak Cask로 숙성, 알코올분 40%이상으로 병입 시킨 것으로 정의하고 있으며, 일반적으로 스트레이트 위스키와 블랜디드 위스키로 분류하고 있다.

㉠ 스트레이트 위스키

스트레이트 위스키는 한 가지의 곡물이 최소한 51%이상 함유되도록 곡물을 섞은 후 발효하여 알코올 도수가 80%를 넘지 않게 증류한 후 속을 그을린 화이트 오크(White Oak) 통 속에서 최소 2년 이상 숙성시켜 알코올 40%이상으로 낮추어 병입한 위스키라고 한다. 스트레이트 위스키는 다양한 곡물로 만들 수 있는데 사용한 주재료의 비율에 따라 다음과 같이 표시한다.

① 옥수수(Corn)를 51% 이상 사용 : 스트레이트 버번 위스키(Straight Bourbon Whiskey)
② 옥수수를 80% 이상 사용 : 스트레이트 콘 위스키(Straight Corn Whiskey)
③ 호밀(Rye)을 51% 이상 사용 : 스트레이트 라이 위스키(Straight Rye Whiskey)
④ 발아한 호밀(Malted Rye)을 51% 이상 사용 : 스트레이트 라이 몰트(Straight Rye Malt Whiskey)
⑤ 밀(Wheat)을 51% 이상 사용 : 스트레이트 휘트 위스키(Straight Wheat Whiskey)

ⓑ 몰트(Malt)를 51% 이상 사용 : 스트레이트 몰트 위스키(Straight Malt Whiskey)

㉡ 블랜디드 위스키

보통 몰트 위스키와 그래인 위스키를 혼합한 위스키를 블랜디드 위스키라 부르는 영국과 달리, 미국에서 블랜디드 위스키는 스트레이트 위스키와 뉴트럴 스피리츠(Neutral Spirits), 또는 그래인 스피리츠(Grain Spirits)를 서로 블랜딩한 것을 말한다.

미국에서 생산되는 대부분의 위스키가 블랜디드 위스키(Blended Whiskey)이다.

아메리칸 위스키의 종류

ⓐ 버번 위스키(Bourbon Whiskey)

버번위스키는 미국의 초대 대통령이 취임하던 해인 1789년 켄터키주 버번 카운티(Bourbon County)에서 침례교 목사인 엘리야 크레이그(Elijah Craig)에 의해 처음 만들어졌다고 한다. 최소 2년간 숙성해야 하며 착색, 착향이나 다른 증류주를 넣지 않아야 스트레이트 버번으로 불릴 수 있다. 또한 연속식 증류기(Patent Still)를 사용한다.

- 짐빔(Jim Beam)

짐빔은 버번의 위스키 유명상표로 그 중 블랙라벨(Black Label)은 라벨에 101개월(8년 5개월)이라 적혀 있듯이 장기 숙성에서 얻어진 풍미가 특징이다.

- 와일드 터키(Wild Turkey)

켄터키 주에 있는 오스틴 니콜즈사의 제품으로 101프루프(Proof)의 고농도의 알코올이 함유된 위스키이다. 이 버번은 매년 사우스 캐롤라이나 주에서 열리는 야생칠면조 사냥에 모이는 사람들을 위해 제조된 데서 비롯된 위스키이다.

- 얼리 타임즈(Early Times)

링컨 대통령이 취임한 1860년에 켄터키주 버번 카운티에서 탄생한 버번 위스키이다.

전통적인 풍미가 있고 부드러운 감촉이 호평을 받고 있으며 미국에서 인기가 매우 높다.

- 아이 더블유 하퍼(I. W. Harper)

1877년에 설립된 회사로 I. W. 하퍼는 창업 이래 높은 품질로 정평이 나있고 현재도 대맥, 라이보리의 사용 비율이 높아 향이 강하고 달콤한 점이 특징이다.

- 올드 그랜데드(Old Granddad)

올드 그랜데드(할아버지)란 이 회사의 창업자 하이든의 별명이다. 버번 위스키중 마일드한 풍미가 매우 독특한 것으로 알코올 도수는 57도이고 버번 중에서 가장 독한 위스키이다.

ⓑ 테네시 위스키(Tennessee Whiskey)

테네시 위스키는 미국의 테네시주에서 사우어 매쉬 프로세스에 의해 만들어지는 위스키이다. 숙성시 아메리칸 오크통을 사용하는 버번 위스키와 달리 테네시 위스키는 단풍나무의 일종인 메이플 우드(Maple Wood)통을 사용한다. 유명상표로는 잭다니엘스(Jack Daniel's)가 있는데 다른 위스키나 버번과 구별 짓기 위해 '테네시 위스키'라고 따로 이름 붙였다. 이는 사탕단풍나무 숯으로 여과하여 특유의 향미를 가지기 때문이다.

④ 캐나디언 위스키(Canadian Whisky)

캐나디언 위스키란 캐나다에서 생산되는 위스키를 총칭한다. 버번 위스키에 비해 호밀 사용량이 많은 것이 특징이며, 미국위스키와 같이 보리와 곡류(옥수수나 호밀)를 사용해 연속식 증류기(Patent Still)로 증류한다.

캐나디언 위스키의 종류

· 캐나디언클럽(Canadian Club)

캐나디언 클럽은 옥수수로 만든 중성 곡물 주정의 베이스 위스키와 호밀과 맥아로 만든 두 가지 위스키의 독특한 블랜딩으로 태어난다. 전체적으로 숙성이 이루어지면 처음으로 위스키가 블랜딩되고 다시 일정기간 나무통으로 되돌아간다. 이 과정을 '배럴 블랜딩'이라고 한다. 배럴들을 블랜딩하여 더 부드럽고 조화로운 풍미를 얻기 위한 것이다.

블랙벨벳(Black Velvet), 올드캐나다(Old Canada), 크라운로얄(Crown Royal), 씨그램스 V.O(Seagram's V.O) 등이 있다.

⑤ 제페니스 위스키(Japanese Whisky)

제페니스 위스키란 일본에서 생산되는 위스키를 총칭한다. 일본에서 처음 위스키가 만들어진 것은 1870년경이지만, 본격적으로 상업적인 생산과 판매가 이뤄진 것은 1924년에 일본 최초의 증류소인 야마자키(Yamazaki) 증류소가 문을 열면서 시작되었다.

일본에 위스키를 생산하는 몇몇 회사들이 있지만 가장 잘 알려진 두 회사는 역시 산토리(Suntory)와 니카(Nikka)이다.

(2) 원료에 의한 분류

① 몰트 위스키(Malt Whisky)

몰트 위스키는 보리로 만든 엿기름만을 사용하여 만든 위스키로서 엿기름을 건조시키는 과정에서 피트(Peat)탄을 사용하는 것이 특징이다. 또 이 피트향을 가진 엿기름을 단식 증류기(Pot Still)로 증류하여 오크통에서 법적으로 최소한 3년 이상을 저장 숙성시킨 위스키를 말한다. 스카치위스키와 아이리쉬 위스키가 여기에 속한다.

② 퓨어 몰트 위스키(Pure Malt Whisky)

몰트 위스키만 가지고 제조한 위스키로 품질이 뛰어나며, 배티드 몰트 위스키(Vatted Malt Whisky)와 싱글 몰트 위스키(Single Malt Whisky)가 있다. 퓨어 몰트 스카치 위스키는 올 몰트 스카치 위스키(All Malt Scotch Whisky), 언블랜디드 스카치 위스키(Unblended Scotch Whisky)라는 표시를 하기도 한다.

③ 블랜디드 위스키(Blended Whisky)

현재 생산 판매되고 있는 대부분의 위스키는 블랜디드 위스키이다. 블랜디드 위스키의 특징은 몰트 위스키와 그레인 위스키를 섞는 비율에 따라 다양한 개성을 가지는 데 있다.

④ 그레인 위스키(Grain Whisky)

곡물을 주원료로 하여 만든 위스키로서 대부분이 몰트 위스키와 혼합하기 위해 사용된다. 주로 옥수수, 호밀, 밀 등의 곡물을 사용하여 엿기름으로 당화, 발효시킨 후 연속식 증류기를 사용하여 만든다. 아메리칸 위스키와 캐나디언 위스키가 여기에 속한다.

⑤ 콘 위스키(Corn whisky)

80%이상의 옥수수가 포함되어 있는 곡물로 만들어지며, 이 위스키는 보통 재사용되는 그을린 오크통이나 태우지 않은 새 오크통에 저장 숙성시킨다. 그 결과 버번 위스키보다도 옥수수의 풍미가 강한 부드러운 위스키가 된다.

⑥ 라이 위스키(Rye whisky)

원료 중 라이(귀리)를 51%이상 사용하여 내부를 태운 새 오크통에 숙성시킨 위스키.

(3) 증류방식에 의한 분류

① 포트 스틸 위스키(Pot Still Whisky) : 단식 증류방법

포트 스틸로 증류시켜 만든 위스키를 말한다. 포트 스틸 증류기는 재래식 증류기로서 비교적 구조가 간단하다. 이것은 단 한 번에 높은 알코올을 얻을 수가 없으므로 ①두 세 번은 증류를 해야만 높은 알코올을 얻을 수 있다. 그리고 ②고품질의 위스키를 얻고자 한다면 이 재래식 방법으로 증류하는 것이 좋다. 몰트 스카치 위스키나 아이리쉬 몰트 위스키가 여기에 속한다.

② 패턴트 스틸 위스키(Patent Still Whisky) : 연속식 증류방법

패턴트 스틸로 증류시켜 만든 위스키를 말한다. 패턴트 스틸은 19세기에 만들어진 증류기로서 높은 알코올을 ①대량으로 생산할 수 있어 원가가 싼 장점은 있으나 ②향이 거의 없는 순수한 알코올에 가까운 것이 단점이다. 아메리칸 위스키나 캐나디언 위스키가 여기에 속한다.

(4) 숙성에 의한 분류

① 스탠다드 위스키(Standard Whisky)

일반적으로 숙성년도를 명시하지는 않으나 대개 4~7년 숙성된 것이 대부분이다.

② 프리미엄 위스키(Premium Whisky)

숙성연수가 12년 이상 된 몰트 위스키와 그레인 위스키를 사용한다.

③ 슈퍼 프리미엄 위스키(Super Premium Whisky)

일반적으로 17년 이상 숙성된 원액을 사용한 제품이다.

8. 세계 유명 위스키

(1) 스카치 위스키

듀어스 Dewar's

스카치 위스키 중 전 세계 판매 6위인 듀어스(Dewar's) 위스키는 스코틀랜드에서 생산되며, 160여년의 전통을 자랑하는 고품격 위스키 브랜드이다.

제품명 : 듀어스 18y(Dewar's 18y)
용량 : 700mL
알코올도수 : 40.0%
제조사 : 영국

딤플 Dimple

조니워커 제조사인 유나이티드 디스틸런스사의 또 하나의 명품으로 국내 맥주 3사 중 양주브랜드가 없는 조선맥주가 그 대안으로 직수입 판매하면서 국내에 알려졌다. 딤플(Dimple)은 보조개를 뜻하는 것으로 술병 모형이 보조개 형태이다.

제품명 : 딤플 12y(Dimply 12y)
용량 : 700mL
알코올도수 : 40.0%
제조사 : 영국

로얄 살루트 Royal Salute

국왕에게 21발의 예포를 쏘아 경의를 표하는 행사로 로얄살루트를 따서 제품명으로 한 이 제품은 현재의 영국여왕 엘리자베스 2세 즉위식 때 발사된 21발의 예포를 따서 21년 숙성으로만 생산되고 있다. '로얄살루트'라는 이름은 '왕의 예포'라는 뜻으로 1953년부터 발매를 시작했다.

제품명 : 로얄 살루트(Royal Salute)
용량 : 700mL
알코올도수 : 40.0%
제조사 : 영국

발렌타인 Ballantine's

전 세계 3대 스카치 위스키 브랜드 발렌타인은 스코틀랜드 전 지역에서 직접 공수한 40여 가지의 최상급 원액을 고유의 블렌딩으로 만들어진다. 1827년 농부 조지 발렌타인이 개발한 술로 스텐다드급에서부터 30년까지 숙성시킨 다양한 제품이 나오고 있다.

제품명 : 발렌타인 30y(Ballantines 30y)
용량 : 700mL
알코올도수 : 43.0%
제조사 : 영국

시바스 리갈 Chivas Regal

1801년 창립된 시바스 브라더스사 제품이다. 13세기 말엽 잉글랜드 국왕 에드워드 1세의 침공에 맞서 스코틀랜드를 지킨 알렉산더 3세의 용맹한 기사의 얘기와 시바스 가문의 이니셜을 합성시켜 상표명을 지었으며 프리미엄급 위스키 중 세계 1위의 판매량을 자랑한다.

제품명 : 시바스리갈 12y
(Chivas Regal 12y)
용량 : 700mL
알코올도수 : 43.0%
제조사 : 영국

올드 파 Old Parr

올드 파는 1871년에 글렌리스 형제에 의해 탄생했다. 영국 역사상 최장수를 기록한 전설적인 인물 '토마스 파(Thomas Parr)'의 애칭을 브랜드 네임으로 결정하였다.

제품명 : 올드 파(Old Parr)
용량 : 750mL
알코올도수 : 43.0%
제조사 : 영국

제이엔비 J&B

1747년 런던에서 와인 판매상으로 출발한 저스테리니 앤 브룩스 사는 '쟈코모 저스테리니'와 사무엘 존슨이라는 무용 단장과 합작하여 존슨 앤 저스테리니란 회사를 차렸다. 깊고 부드러우며 균형 잡힌 맛을 간직하고 있다.

제품명 : J&B 리저브(J&B Reserve)
용량 : 700mL
알코올도수 : 40.0%
제조사 : 영국

조니워커 Johnnie Walker

우리나라에서 위스키의 대명사로 가장 널리 알려진 조니워커는 레드라벨을 비롯하여 블랙(12년), 골드(18년), 블루(30년) 등의 4개 라벨이 있다. 블루라벨(Blue)은 최상의 품질을 유지하기 위해 생산되는 모든 병마다 고유 번호를 부여하고 있다.

제품명 : 조니워커 블루
(The Jonnie Walke Blue)
용량 : 750mL
알코올도수 : 43.0%
제조사 : 영국

(2) 아메리칸 위스키

메이커스 마크 Maker's Mark

메이커스 마크의 역사는 1784년으로 거슬러 올라간다. 스코틀랜드 아일랜드계 이민자인 로버트 사무엘스는 미국 켄터키로 이주하여 자신과 이웃들을 위해서 위스키를 만들었다. 버번 옥수수를 51% 이상 사용하여 만들고 기타 알코올을 섞지 않는 순수 버번인 스트레이트 버번(Straight Bourbon)이다.

제품명 : 메이커스 마크(Maker's Mark)
용량 : 750mL
알코올도수 : 45.0%
제조사 : 미국

짐빔 Jim Beam

1795년 제이콥 빔이 첫 생산을 시작한 이래로 215년, 7세대에 걸쳐 전통 비법을 전수하고 있다. 맛이 부드러워 소프트 버번의 대명사로 인정받고 있다. Black Label은 고급품이며 라벨에 101개월(8년 5개월)이라 적혀 있듯이 장기 숙성에서 얻어진 마일드한 풍미가 특징이다.

제품명 : 짐 빔 블랙(Jim Beam Black)
용량 : 700mL
알코올도수 : 40.0%
제조사 : 미국

테네시 위스키

잭다니엘스 Jack Daniel's

미국을 대표하는 고급 위스키 중의 하나이다. 테네시 고산지대에서 생산되는 사탕단풍나무 숯으로 여과한 후 숙성하고 있다. 테네시위스키와 버번이 구별될 수 있는 것도 바로 이점 때문이다.

제품명 : 잭 다니엘(Jack Daniel)
용량 : 750mL
알코올도수 : 43.0%
제조사 : 미국

(3) 캐나디언 위스키

캐나디언 클럽 Canadian Club

1858년 창업 이래 캐나디언 클럽은 하이 뎀 워커사의 주력제품이다. C.C 라는 애칭으로 온 세계에 알려져 있다. 빅토리아 여왕의 1898년 이래로 영국왕실에 납품하고 있어 라벨에 영국왕실의 문장을 표시하고 있다.

제품명 : 캐나디언 클럽 6y
(Canadian Club 6y)
용량 : 700mL
알코올도수 : 40.0%
제조사 : 캐나다

크라운 로얄 Crown Royal

크라운 로얄은 왕관의 모양을 본뜬 위스키로서 1939년 엘리자베스 2세의 캐나다 방문을 기념하여 만들어진 위스키이다.

제품명 : 크라운 로얄(Crown Royal)
용량 : 700mL
알코올도수 : 40.0%
제조사 : 캐나다

(4) 아이리쉬 위스키

제임슨 Jameson

1780년 더블린에서 존 제임슨이 설립한 증류소의 위스키이다. 오랫동안 아이리쉬의 고전적인 증류법을 지켜온 것으로서 중후한 맛의 전통 위스키이다.

제품명 : 제임슨 12y(Jameson 12y)
용량 : 750mL
알코올도수 : 40.0%
제조사 : 영국

(5) 재패니즈 위스키

산토리 히비키 Suntory Hibiki

1899년 시초는 고토부키야로 시작하였는데, 일본에서 주류 관련 기업으로 가장 오래된 곳이다.

제품명 : 산토리 히비키30y(Suntory Hibiki 30y)
용량 : 700mL
알코올도수 : 43.0%
제조사 : 일본

9. 위스키 테이스팅

(1) 라벨

위스키 라벨에는 기본적으로 위스키의 종류, 숙성 기간과 알코올 도수는 물론 위스키 생산 지역 등의 정보를 알 수 있으며, 생산된 빈티지도 표기되어 있다.

(2) 글라스

위스키 테이스팅에서 가장 중요한 것 중 하나는 글라스의 선택이다. 주로 튤립 모양의 셰리 코피타 (Sherry Copita)나 여러 가지 노징 글라스를 사용한다.

(3) 색

위스키의 색을 통해 위스키 숙성에 쓰인 오크통에 관한 정보를 얻을 수 있다.

빛깔이 진할수록 오래 숙성된 제품일 가능성이 높지만, 빛깔만으로 장기 숙성 여부를 판단하기 어렵다. 보통 버번 위스키를 담았던 통에서 숙성된 위스키는 금빛을, 스페인산 피노 셰리를 담았던 통에 처음 채운 위스키는 진홍빛을 띈다.

(4) 향

위스키의 풍미를 알아보는 가장 중요한 단계라고 할 수 있다. 다양한 향들을 통해 생산 지역과 생산 과정, 숙성 통 등을 짐작할 수 있다.

달콤한 바닐라 향이 강하면 대부분 버번 통에서 숙성한 위스키이며, 말린 과일 향이 풍부하다면 주로 셰리 통에서 숙성한 위스키이다.

(5) 맛

입안 전체를 통해 단맛, 신맛, 짠맛, 쓴맛 같은 여러 맛이 복합적으로 느껴지며 2차적인 향들까지도 느낄 수 있다.

테이스팅 순서

① 향을 모아줄 수 있는 테이스팅 글라스를 사용한다.
② 잔에 잡냄새가 남아있는지 확인한다.
③ 시간을 두고 여러 번에 걸쳐서 가볍게 향을 맡는다.

④ 차가운 물을 조금 섞어서 알코올 도수를 35% 정도로 낮춘다.
⑤ 위스키를 입안에 머금고 천천히 맛을 음미한 후 삼킨다.

Ⅱ. 브랜디 Brandy

1. 브랜디의 정의

일반적으로 브랜디 하면 포도를 발효, 증류하여 오크통에 숙성한 술을 의미하며, 넓은 의미에서는 모든 과실류의 발효액을 증류한 알코올 성분이 강한 술의 총칭이다.

또한 포도 이외의 과실을 원료로서 발효, 증류한 술의 총칭으로서 이용되기도 한다. 사과를 원료로 한 ①칼바도스(Calvados), ②애플 · 잭(Apple Jack) 등이 있고, 체리를 원료로 한 것은 독일어로 ③키르쉬(Kirsch)로 불린다.

2. 주세법상의 브랜디

브랜디(불휘발분이 2도 미만이어야 한다)
(1) 제4조 제1항 제2호 마목의 규정에 의한 주류(과실주 지게미를 포함한다)를 증류하여 나무통에 넣어 저장한 것
(2) (1)의 규정에 의한 주류에 대통령령이 정하는 주류 또는 물료를 혼합하거나 첨가한 것

3. 브랜디의 어원

브랜디는 영어이나 원래는 네덜란드어로 브란데 웨인(Brand ewijn, 영어로 Brunt Wine : 불에 태운 와인)에서 전해진 것으로 이를 프랑스어로 브란데 와인(Brande vin) 이후에 브랜디(Brandy)라 부르게 되었다. 브랜디를 프랑스에서는 오드비(Eau-de-vie)라 부르고 이는 생명의 물(Aqua Vitae)이란 뜻을 담고 있다.

4. 브랜디의 역사

십자군 전쟁을 통해 아랍의 연금술사들로부터 전수된 증류기술이 13세기경 스페인 태생의 의사이며 연금술사인 알노우 드 빌누으브(Arnaude de Villeneuve, 1235~1312)에 의해 와인을 증류한 벵 브루레(Vin Brule)가 탄생한다. 이것을 '불사의 영주'라 하며 판매를 하였는데, 이것은 태운 와인이란 뜻을 가진 술로서 바로 브랜디의 시초라고 볼 수 있다. 이 당시에는 흑사병이 유행하였는데 사람들은 이것을 마시면 흑사병에 걸리지 않는다고 믿게 되어 생명의 물(Aqua Vitae)이라고 부르며 널리 퍼지게 되었다.

17세기 후반 네델란드의 상인들은 코냑 지방에서 생산되는 값싼 와인을 영국으로 수출하였다. 그러나 이 와인들은 보르도 지방에서 수입된 와인의 풍미에 눌려 판매되지 못하는 사태가 벌어졌다. 궁지에 몰린 상인들은 와인을 증류하여 저장하기로 하였는데, 처음에 증류한 거친 원액을 오크통에 저장한 브랜디는 색과 향미가 훌륭한 새로운 술로 탄생한 것이다.

그 후 코냑 지방에서는 와인보다 브랜디 제조에 힘쓰게 되었다. 아르마냑은 코냑과 같이 세계적으로 품질을 인정받고 있는 프랑스의 유명 브랜디 생산지역으로 코냑지역보다 앞선 15세기부터 브랜디를 생산하였다.

5. 브랜디 제조과정

(1) 양조(Brewing)

브랜디 제조에는 주로 폴 블랑슈(Folle Blanche), 쌩떼밀리옹(Saint-Emillion), 콜롱바(Colombar) 품종을 사용한다. 포도를 파쇄한 후 압착하여 과즙을 만들고 과즙에 밑술을 첨가하여 18~23℃로 2~3주간 발효시킨다. 발효가 진행되어 알코올분이 4% 정도 되었을 때, 설탕, 포도당 등을 첨가하여 당도를 높여준다.

(2) 증류(distillation)

브랜디의 증류는 와인을 2~3회 단식증류(Pot Still)로 증류한다.

1차 증류로 원료 과실주의 주정분이 술덧에 남아 있지 않을 때까지 증류하며, 2차로 재증류하여 저장하게 된다.

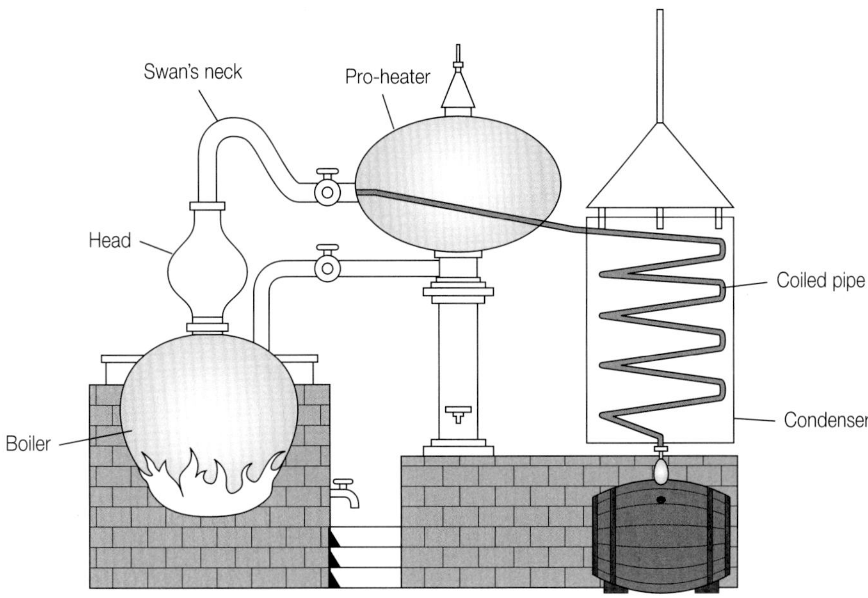

(3) 저장(Aging)

증류주를 오크통에 넣어 저장한다. 이때 사용되는 오크통은 반드시 열탕으로 소독하고 다시 화이트 와인(White wine)을 채워 이취물질을 제거한 후 브랜디를 넣어 저장한다. 저장 기간은 최저 5년에서 20년이나 오래된 것은 50~70년 정도 되는 것도 있다.

(4) 혼합(Blend)

브랜디의 최종 공정은 혼합에 의해서 정해진다. 그래서 블랜드는 가장 중요한 공정중의 하나이다. 블랜드된 브랜디는 다시 어느 정도 숙성시킨 후 병입되어 시판된다.

6. 브랜디의 등급

브랜디는 숙성 기간이 길수록 품질도 향상한다. 그러므로 브랜디는 품질을 구별하기 위해서 여러 가지 부호로써 표시하는 관습이 있다. 코냑 브랜디(Cognac Brandy)에 처음으로 별표의 기호를 사용한 것은 1865년 헤네시(Hennessy)사에 의해서이다.

이러한 브랜디의 등급 표시는 각 제조회사마다 공통된 부호를 사용하는 것은 아니다.

표시방법	숙성기간
★	2~5년
★★	5~6년
★★★	7~10년
★★★★★	10년 이상
V.O	12~15년
V.S.O.P	25~30년
X.O	40~45년
EXTRA	50~75년

브랜디 숙성도의 표시

① V - Very
② S - Superior
③ O - Old
④ P - Pale
⑤ X - Extra

이 외에도 여러 가지의 다른 등급 표시가 있다.

코냑 메이커인 헤네시(Hennessy)사에서 ★★★(Three Star)를 브라 자르므(Bras Arme)라고 표시하고 있으며 레미 마르탱(Remy Martin)사에서는 Extra대신에 Age Unknown이라 표시하고 있다. 또한 마르텔(Martell)사에서 V.S.O.P에 해당하는 것을 메다이용(Medaillion)이라 표시하고 있듯이 각 회사별로 등급을 달리 표시하기도 하고 같은 등급이라도 저장 연수가 다를 수 있다. Coganc의 경우 ★★★(Three Star)만이 법적으로 보증되는 연수는 5년이고 그 외는 법적 구속력이 전혀 없다.

(1) 코냑의 등급

1983년 코냑 사무국에서 숙성기간 조작을 방지하기 위하여 부호를 재정하여 숙성기간을 꽁트(compte)로 표시하게 되었다. 숙성기간이 이듬해 4월 1일을 기준으로 다음해 4월 1일이면 1꽁트라 하고, 매년 1꽁트씩 추가된다. V.O(very old)와 ★★★(three star)는 꽁트2~4, V.S.O.P(very superior old pale)와 리져브(reserve)는 꽁트4~6, X.O(extra old)와 나폴레옹(napoleon)은 꽁트6 이상이다.

(2) 아르마냑의 등급

국립 아르마냑 사무국에서는 코냑과 마찬가지로 숙성기간을 관리하고 있다. 대략 1년을 1꽁트로 하고, 1꽁트 이하는 병입해서 팔 수가 없으며, 오크통 단위로만 판매해야 한다. V.S(very superior)는 콩트2, V.O(very old)와 V.S.O.P(very superior old pale), 리져브(reserve)는 꽁트4, 오다르쥬(hors d'age)와 X.O(extra old), 엑스트라(extra), 나폴레옹(napoleon)은 꽁트5이다.

7. 브랜디의 종류

(1) 프랑스 브랜디(France Brandy)

세계 제일의 브랜디 생산국으로 대표적인 생산지로 코냑(Cognac)과 아르마냑(Armagnac)이 있다.

① 코냑(Cognac)

코냑은 프랑스 중부의 쉐랑뜨 지방에서 만들어지는 최고 품질의 포도주 브랜디를 지칭하며, 쉐랑뜨를 다른 말로 코냑이라고도 부른다. 프랑스 정부는 그랑드 샹파뉴 지방에서 생산되는 포도주를 50%이상 사용해 만든 브랜디에 한해서만 코냑이라는 이름을 붙일 수 있도록 법으로 정해놓고 있다. 즉 기타 지역에서 생산되는 브랜디는 코냑이라는 이름을 사용할 수가 없다. 포도 품종으로는 쌩떼밀리옹(St.Emilion)을 사용한다. A.C법에 따라 6개 지역이 지정되어 있다.

㉠ 그랑드 샹빠뉴(Grand Champagne) ㉡ 쁘띠뜨 샹빠뉴(Petite Champagne)
㉢ 보르드리(Borderies) ㉣ 팽브아(Fins Bois)
㉤ 봉브아(Bons Bois) ㉥ 브이조르디네르(Bois Ordinaires)

코냑의 상품명

마르텔 Martell

마르텔사는 1715년 장 마르텔이 설립한 역사 깊은 회사로 280여년간 한결같이 창업자의 가문에서 운영하고 있는 순수 혈통의 꼬냑 명가이다. 세계 3대 꼬냑 중 하나인 마르텔은 깊이 있는 숙성도와 높은 품위를 자랑하며, 화려하진 않지만 조용하고 안정적이며 절묘한 맛과 향이 조화를 이룬다. 마르텔 꼬낙은 전량 리무진 오크 통에서 숙성 과정을 거친 후 탄생된다.

생산지 : 프랑스
도수 : 40%
형태 : 코냑 브랜디

꾸르브아제 Courvoisier

마르텔, 헤네시와 함께 세계 3대 꼬냑 메이커의 하나로 손꼽히는 꾸르브아제사는 다른 메이커들과는 달리 자가 포도원이나 자가 증류소도 보유하고 있지 않은 순수한 블렌딩 전문기업이다. 꾸르브아제의 향은 풍부하며 진한 리무진 오크향이 뒷맛으로 남는다.

생산지 : 프랑스
도수 : 40%
형태 : 코냑 브랜디

비스키 Bisquit

1819년 약관 20세의 소금장수인 알렉산드르 비르끼가 샤르나크에 창설한 회사로 현재 8대 우량 꼬냑 메이커의 하나로 성업중이다. 비스끼 꼬냑의 특징은 우수한 과일 향을 가진 점이다.

생산지 : 프랑스
도수 : 40%
형태 : 코냑 브랜디

까뮈 Camus

1863년 당시 꼬냑지방의 대규모 구매업자들의 횡포에 대항하여 장 벱피스트 까뮈(JEAN BAPTISTE CAMUS)가 주동이 되어 농민들의 협동 조합이 결성되었는데 바로 이 조합이 오늘날 까뮈사의 전신이다. 중후하면서도 쏘는 맛을 지니고 있다.

생산지 : 프랑스
도수 : 40%
형태 : 코냑 브랜디

샤또 뽀레 Chateau Paulet

1848년 꼬냑지방의 작고 아름다운 성곽 샤또 뽈레를 본거지로 출발한 회사이다. 자사 소유의 포도밭이 없어 원료 포도를 구입하여 양조, 증류하거나 와인을 구입하여 증류한 후 이 샤또에서 숙성하고 있다. 원료 포도의 산지는 그랑드 샹파뉴, 퍼티트 샹파뉴, 보르더리 그리고 팡부와 4개 지역으로 제한하고 있다.

생산지 : 프랑스
도수 : 40%
형태 : 코냑 브랜디

끄르아제 Croizet

나폴레옹이 오스트리아군을 오스테르릿츠 전투에서 승리한 1805년에 창립하였다. 증류와 숙성에 세심한 주의를 기울이며, 풍부하면서 강력한 맛을 지니고 있다.

생산지 : 프랑스
도수 : 40%
형태 : 코냑 브랜디

헤네시 Hennessy

1765년 아일랜드 출신 리차드 헤네시가 세운 회사이다. 프랑스 북부 리무진 지방에서 자라는 떡갈나무로 통을 만들어 숙성시켜 부드러우며 은은한 바닐라 향이 나며, 주질이 중후하다.

생산지 : 프랑스
도수 : 40%
형태 : 코냑 브랜디

하인 Hine

유럽의 자존심 영국황실이 선택한 꼬냑으로 조지 하인에 의하여 개발되어 1933년 상품화를 시작하였다. 하인이라는 명칭에 착안하여 하인드(암사슴)으로 정하였다. 그 후에 스태그(숫사슴)로 변경하였고 자극적이며 품위가 있다.

생산지 : 프랑스
도수 : 40%
형태 : 코냑 브랜디

라센 Larsen

1926년 노르웨이 출신 선원 옌스 레인달 라센이 설립하였다. 조상인 바이킹의 영광을 자랑스럽게 생각해 회사의 상징을 범선으로 정하였다. 원액을 그랜드 상파뉴, 프티드 상파뉴, 팬 보어의 3지구에서 구입하여 자사에서 숙성 블랜드한다. 중후한 맛이 라센 꼬냑의 특징이다.

생산지 : 프랑스
도수 : 40%
형태 : 코냑 브랜디

오타드 Otard

회사는 프랑스 르네상스의 왕 프랑소와 1세의 탄생지인 샤또 드 꼬냑에 위치해 있다. 전체적으로 향과 맛이 섬세하고, 우아하며 균형이 잘 잡혀 있고, 남성적인 풍부한 향이 특징이다.

생산지 : 프랑스
도수 : 40%
형태 : 코냑 브랜디

뽀리냑 Polignac

원료포도는 전량 협동조합 회원들이 공급하며, 중후한 맛과 나무통의 향이 강하다.

생산지 : 프랑스
도수 : 40%
형태 : 코냑 브랜디

레미 마틴 Remy martin

1724년에 창업되었다. 마르텔, 헤네시, 까뮈 등과 함께 세계시장 점유율이 높은 회사이다. 사진의 레미마틴 V.S.O.P 브랜디는 숙성통의 향과 탄닌의 풍미, 포트와인과 바닐라 향이 난다. 이 회사 제품인 루이 13세는 최고급 브랜디이다.

생산지 : 프랑스
도수 : 40%
형태 : 코냑 브랜디

② 아르마냑(ARMAGNAC)

아르마냑의 역사는 코냑보다 오래되었다. 프랑스 아르마냑 지방에서 A.C법에 준하여 생산되는 Brandy이다. 포도 품종은 쌩떼밀리옹(St.Emilion)을 주로 사용하고 반 연속식 증류기로 1회 증류한다. 저장연수표시는 코냑에 준하여 사용하고 있다.

· A.C법에 의하여 지정된 구역
  - 바자르 마냑(Bas-Armagnac)
  - 오따르 마냑(Haut-Armagnac)
  - 떼나레즈(Tenareze)

아르마냑의 상품명

샤보 Chabot

샤보는 16세기의 프랑스의 해군 플립드 샤보인 원수의 이름이다. armagnac에게 적합한 바코종의 포도로부터 와인을 만들어, armagnac식 증류기로 불리는 독특한 증류기를 사용해 증류한 원주를 오크통으로 숙성시켜 브랜드한다.

생산지 : 프랑스
도수 : 40%
형태 : 아르마냑 브랜디

쟈노 Janneau

프랑스 남서부 지방 가스고니 지역은 세계적인 아르마냑 산지로 잘 알려져 있다. 1851년 설립된 Janneau사는 그 중 가장 오랜 전통을 가지고 있다. 뛰어난 주질과 독특한 병모양, 화려한 맛이 특징이다.

생산지 : 프랑스
도수 : 40%
형태 : 아르마냑 브랜디

마리약 Malliac

전통적으로 1회 증류하는 방식과 2회 증류하는 꼬냑 방식의 두 가지 증류기를 병용한다. 마리약 V.S.O.P 등급은 바닐라 향이 특징이다.

생산지 : 프랑스
도수 : 40%
형태 : 아르마냑 브랜디

셈페 Sempe

1934년에 설립되었다. Bas-Armagnac과 Tenareze지역의 쌩떼밀리옹, 위니블랑, 콜롬바드, 폴블랑슈 포도를 사용하여 발효시키고 연속식 증류기로 1회 증류한 뒤 리무진 오크통에 숙성시킨다.

생산지 : 프랑스
도수 : 40%
형태 : 아르마냑 브랜디

③ 프렌치 브랜디(French Brandy)

Cognac, Armagnac 이외의 Grape Brandy를 총칭하며 Cognac, Armagnac 주변 또는 기타 지역에서 생산되고 있다.

증류는 주로 연속식 증류기를 사용한다. 숙성은 단기간으로 가벼운 풍미를 만들어 낸다.

(2) 독일 브랜디(Germany Brandy)

독일브랜디의 제조자는, 원료가 되는 와인을 이탈리아나 프랑스, 스페인 등 EU제국으로부터 수입해 증류하고 있다. 증류는 단식 증류법과 연속식 증류법의 두 개의 방법이 이용된다. 숙성은 최저 6개월이고 1년 이상 숙성시킨 것은 우랄트(Uralt)의 표시가 허용된다.

(3) 이탈리아 브랜디(Italy Brandy)

이탈리아의 브랜디는 와인을 단식 증류법과 연속식 증류법을 병용하여 증류한다. 유명 브랜디로는 와인을 담그고 남은 포도를 증류해서 만든 그라빠(Grappa)가 있다.

생산지 : 이태리
도수 : 43%
형태 : 이탈리아 브랜디

(4) 스페인 브랜디(Spain Brandy)

스페인의 브랜디는 주로 셰리(sherry)가 생산되고 있다.

(5) 기타 브랜디

프루츠 브랜디(Fruit Brandy)

① 사과

칼바도스 Calvados

사과를 발효 시켜 사과주(Cidre 영어로 사이다 Cider)를 만들어 증류하고 숙성시킨다. 주된 산지는 프랑스 북부와 영국, 미국이다.

생산지 : 프랑스
도수 : 40%
형태 : 사과브랜디

애플 · 잭 Apple Jack

생산지 : 미국
도수 : 40%
형태 : 사과브랜디

② 체리

키르쉬 Kirsch

키르쉬(Kirsch), 키르쉬바서(Kirschwasser)라고 하며, 야생종의 블랙체리를 원료로 단식 증류기를 사용하여 무색 투명하다.

III. 진 Gin

1. 진의 정의

보리, 밀, 옥수수 등과 당밀을 혼합, 증류하여 쥬니퍼 베리(Juniper berry)란 노간주나무의 열매(두송자)로 착미 하여 소나무 향이 나는 증류주이다.

Juniper berry

2. 진의 어원

진이란 주니퍼(Juniper)의 불어인 주니에브르(Genievre)에서 유래 되었고, 네덜란드로 전해져 제네바(Geneva, Jenever)가 되고 17세기말 영국에 전파되어 진(Gin)이 되었다.

3. 진의 역사

Gin은 1640년경 네덜란드의 라이덴(Leiden)대학 의학교수인 프란시스쿠스 드 라 보에(Franciscus-de-le-boe) 일명 실비우스(Sylvius)박사에 의해 의약품으로 창시되었다. 실비우스(Sylvius)박사는 쥬니퍼 베리(Juniper Berry)에 이뇨 효과가 있다는 것을 발견한 뒤 곡류를 증류한 알코올에 쥬니퍼 베리(Juniper Berry)와 코리엔더(Coriander), 안제리카(Angerica) 등을 침출시켜 이뇨제, 소독제, 해열제로 만들어 낸다. 진은 초기에는 약국에서 약용으로 판매하였으나 이후 술로서 애주가들의 호평을 받아 네덜란드 전역에서 인기를 얻게 된다. 한편 1689년 윌리엄 3세(William III세)가 영국왕의 지위를 계승하면서 프랑스로부터 수입하는 와인이나 브랜디의 관세를 대폭 인상하게 되자 노동자들은 값싼 술을 찾던 중 네덜란드에서 작전 중이던 영국 군인들에 의해 진이 전해 들어오면서 널리 보급되었다.

진의 대중화는 한때 사회적 문제로 대두되기도 했다.

그 후 앤(ANN) 여왕이 즉위하면서 "런던 증류업 조합"

전매 법률을 폐지시킴으로서, 누구나 진을 자유로이 증류할 수 있게 되어 진은 1725년에는 5백만 갤런으로 소비가 늘었다. 1830년대 영국에서 연속식 증류기로 진을 대량 생산하는데 성공하면서 진의 산지는 네덜란드에서 영국으로 옮겨오게 되고 런던 드라이 진이 전 세계 진의 표준이 되었다.

4. 진의 제조과정

(1) 영국 진(England Gin)의 제조법

곡류(호밀, 옥수수, 보리)를 혼합 → 당화 → 발효 → 1차증류(Patent Still) → 향료첨가(Juniper Berry, Angerica, Caraway, Lemon Peel 등) → 2차증류(Pot Still) → 희석 → 병입

(2) 네덜란드 진(Netherlands Gin)의 제조법

곡류(호밀, 옥수수, 보리)를 혼합 → 당화 → 발효 → 향료첨가(Juniper Berry, Angerica, Caraway, Lemon Peele 등) → Pot Still 2~3회 증류 → 단기저장 → 희석 → 병입

5. 진의 분류

(1) 네덜란드 진(Holland Gin, Geneva Gin)

쥬니퍼베리를 첨가한 후 단식증류기(Pot Still)로 2~3회 증류하여 주정도수 55%정도를 만든다. 런던 드라이 진에 비해 단맛을 가지고 있고 네덜란드인은 제네바(Genever)라 부른다.

(2) 런던 드라이 진(London Dry Gin)

영국에서 생산하며, 네덜란드 진과 구분하기 위하여 Dry Gin으로 불러왔다.

연속증류기(Patent Still)로 증류해서 향료를 첨가하고 다시 단식증류기로 증류한다.

(3) 아메리칸 드라이 진(American Dry Gin)

영국에서 미국으로 건너온 진은 합성 진으로 중성 알코올의 향료를 넣은 것이다. 더욱 순하고 아주 부드럽게 만들어져 칵테일용으로 각광을 받게 되었다.

(4) 올드 탐 진(Old Tom Gin)

드라이 진에 2%정도의 당분을 넣어서 만들어진 감미가 나는 진이다.

(5) 플레이버드 진(Flavored Gin)

진에 두송자 대신 과일, 약초 씨앗, 뿌리 등의 향을 첨가한 진으로 혼성주, 리큐르 진(Liqueur Gin)에 속한다.

(6) 슬로 진(Sloe Gin)

증류주에 슬로 베리(Sloe berry)를 침지해, 설탕을 더해 숙성시킨 후 여과한 진이다.

6. 진의 특징

(1) 진의 특성은 두 번의 증류를 통하여 불순물이 완전히 제거된 증류주이다.
(2) 진은 숙성·저장을 하지 않는다.
(3) 특유한 방향성의 무색·투명한 증류주이다.
(4) 드라이 진(Dry Gin)은 감미가 없는 증류주이다.

7. 세계 유명 진

비피터 진 Beefeater Gin

비피터는 맥아와 옥수수를 주원료로 발효, 증류시킨 증류주에 쥬니퍼 베리(Juniper berry), 코리엔더, 안젤리카 등 다양한 식물들과 혼합하여 24시간 우려내서 만들어진다. 비피터란 영국 여왕에게 쇠고기를 배식 받은 근위병을 뜻하는 것으로 '쇠고기를 먹는 사람(Beef-Eater)'이라는 별명에서 왔다. 전세계 No.1 판매량을 자랑하는 프리미엄 진의 대표 브랜드이다.

생산지 : 영국
도수 : 40%
형태 : 진

고든스 진 Gordon's Gin

1769년 알렉산더 고든스(Alexander Gordon)가 진 최초로 영국 왕실 인증서(로얄 워런티)를 받았다고 하는 이 진의 제조법은 약 250년간 유지되어 오고 있다. 이 진은 1898년 위에 탱그레이사를 합병하여 세계 2개의 탑 브랜드를 가진 No.1 진 메이커이다. 다른 진에 비해 쥬니퍼 베리를 많이 사용하였다.

생산지 : 영국
도수 : 47.3%
형태 : 진

탱그레이 진 Tanqueray's Gin

시판되는 드라이진으로는 가장 품질이 우수한 것으로 알려져 있다. 런던 진 제조 회사인 찰스 탱그레이사는 1830년부터 생산을 시작하여 1898년에 고든사와 합병하여 판매와 수출을 하고 있다. 4회에 걸친 증류방식이 특징이며 부드럽고 깔끔한 맛이다.

생산지 : 영국
도수 : 47.3%
형태 : 진

봄베이 진 Bombay Gin

전통적인 원재료인 쥬니퍼 베리에 9개의 향료와 식물(아몬드, 레몬껍질, 코리앙더, 올리스, 안젤리카, 리콜리스 등)이 더해지고 있다. 강한 향 때문에 '지옥의 이발관에 비치된 스킨로션'이라는 별명을 얻었다. 전 세계에서 가장 많이 팔린 드라이 진으로 특유의 향이 인상적이다.

생산지 : 영국
도수 : 47%
형태 : 진

Ⅳ. 보드카 Vodka

1. 보드카의 정의

곡물(감자, 호밀, 보리, 옥수수 등)을 원료로 하여 당화, 발효 증류시켜 만든 무색, 무미, 무취의 증류주이다.

2. 보드카의 어원

러시아어로 '지제니즈 붜타(zhizenniz voda : 생명의 물)'에서 그 후 이것이 줄어들어 15세기경에는 붜타(Voda : 물)라고 불렸고, 16세기경부터는 워드카라 불리게 되었는데, 이것이 18세기경부터 영어식 발음으로 보드카가 되었다.

국가별 보드카 이름

- 폴란드어 : gorzałka
- 우크라이나어 : ropiлкa
- 벨라루스어 : Гарэлка
- 리투아니아어 : degtinė

3. 보드카의 역사

11~12세기경 러시아 농민들이 추위를 견디기 위해서 만들기 시작하였다. 처음에는 주로 벌꿀과 호밀이 원료로 사용되었으나 콜럼버스(Christopher Columbus, 1451~1506)가 신대륙을 발견한 뒤부터 미국이 원산지인 감자와 옥수수가 전해져 사용하게 되었다. 그러던 것이 18세기경 제조법에 변화를 가져오기 시작했고, 색이 없고 냄새가 없는 자작나무 활성탄으로 여과하여 보드카를 생산하다가 19세기경 연속식 증류기가 도입되어 현재까지 이르고 있다.

1917년 러시아 혁명으로 인해 외국으로 망명한 러시아인들은 보드카를 전 세계로 알리게 되는 계기가 되었다.

4. 보드카의 제조과정

보드카는 옥수수, 감자, 밀, 보리 등을 당화, 발효시켜서 양조한다. 주로 감자를 원료로 사용하지만 과일이나 벌꿀로도 만들기도 한다. 연속식 증류기(蒸溜器)에 의해 알코올 농도 95%의 주정(酒酊)으로 증류(蒸溜)하며, 물과 희석시킨 다음 자작나무 활성탄으로 여과시킨다. 마지막으로 숯의 냄새를 없애기 위해 모래에 여과시키는데 이 여과 과정을 통해 무색, 무미, 무취의 술 보드카가 탄생된다.

5. 보드카의 특징

(1) 보드카는 숙성, 저장하지 않는다.
(2) 무색, 무미, 무취의 3대 특징이 있다.
(3) 자작나무 활성탄으로 여과시킨다.

6. 세계 유명 보드카

(1) 러시아 보드카

모스코프스카야 Moskovskaya

"모스크바의 술"이라고 자칭하는 모스코프스카야는 러시아산 보드카 3대우량품종(스톨리치나야, 스톨로바야, 모스코프스카야) 중에서 가장 독하고, 매운맛과 톡 쏘는 맛이 특징이다.

생산지 : 러시아
도수 : 40%
형태 : 보드카

스톨리치나야 Stolichinaya

러시아산 보드카의 한 종류이다. 이름의 스톨리치나야는 러시아어로 「수도의」를 의미하며 그 이름과 같이 1901년에 모스크바에서 제조를 시작할 수 있었던 것에 유래한다. 맛은 그윽한 달콤한 향기와 산뜻하고, 소프트하고 섬세한 맛을 하고 있다

생산지 : 러시아
도수 : 40%
형태 : 보드카

스톨로바야 Stolovaya

러시아어로 「식탁의 것」을 의미하는, 샤프한 맛의 보드카이다. 원료는 보리와 밀을 주로 사용하며 세계 제일의 투명도를 자랑하는 Baical호수의 부근에서 만들어지고 있다.

생산지 : 러시아
도수 : 50%
형태 : 보드카

(2) 아메리칸 보드카

스미노프 Smirnoff

1818년, 보드카나 리큐어의 일급 주조가로 알려져 있던 피에르 스미노프가 발표한 것에서 시작되었다. 당시의 신칵테일 「모스코 · 뮬」에 의해 유명세를 타게 되었다.

생산지 : 미국
도수 : 40%
형태 : 보드카

(3) 네덜란드 보드카

볼스카야 Bolskaya

네덜란드의 가장 오래된 주류 메이커 볼스사가 진 증류의 경험을 살려서 만들고 있다. 볼스카야라는 주명은 회사명을 러시아어 풍으로 만든 것이다. 증류액을 백화의 활성탄으로 여과시켜서 깨끗한 주질(酒質)로 만들고 있다.

생산지 : 네덜란드
도수 : 45%
형태 : 보드카

(4) 잉글랜드 보드카

길베이스 Gilbey's

길베이 진을 생산하는 길베이사에서 생산하며 제2차 세계대전 이후부터 보드카를 생산하였다.

생산지 : 잉글랜드
도수 : 37.5%
형태 : 보드카

(5) 기타

앱솔루트 Absolute

앱솔루트 보드카는 자연의 재료만으로 만들어지고 있어 다른 일반적인 보드카와는 달리, 당분을 일절 더하고 있지 않다. 드라이 프루츠의 희미한 뒷맛이 느껴진다.

생산지 : 스웨덴
도수 : 40%
형태 : 보드카

핀란디아 Filandia

핀란디아는 1970년, 미국의 소비자에게 보드카를 제공하기 위한 브랜드로 탄생했다. 6조 보리 100%로 자연의 물에 의해서 만들어지며 순하고 섬세하며, 부드러운 맛이다.

생산지 : 핀란드
도수 : 40%
형태 : 보드카

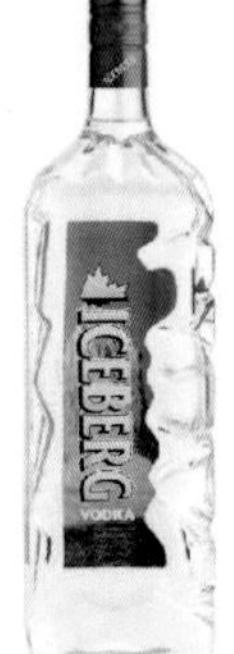

아이스버그 보드카 Iceberg Vodka

캐나다 북극권 빙산을 녹인 물을 사용하고 있으며 이름인 아이스버그는 빙산을 의미한다.

생산지 : 캐나다
도수 : 40%
형태 : 보드카

V. 럼 Rum

1. 럼의 정의

사탕수수(Sugar Cane)와 당밀(Molasses)을 주원료로 하여 발효, 증류시켜 만든 증류주이다.

Molasses

Sugar Cane

2. 럼의 어원

럼의 어원은 서인도 제도의 원주민들이 럼을 마시고 상당히 취하여 영어로 "흥분"이라는 단어인 럼빌리언(Rumbullion)에서의 어두인 럼(Rum)이 되었다는 설과 럼의 원료로 사용되는 사탕수수의 라틴어인 사카럼(Saccharum)의 어미인 럼(Rum)에서 나왔다는 유래가 있다. 오늘날 럼을 영어로 럼(Rum), 프랑스어로는 룸(Rbum), 스페인어로는 론(Ron)이라고 한다.

3. 럼의 역사

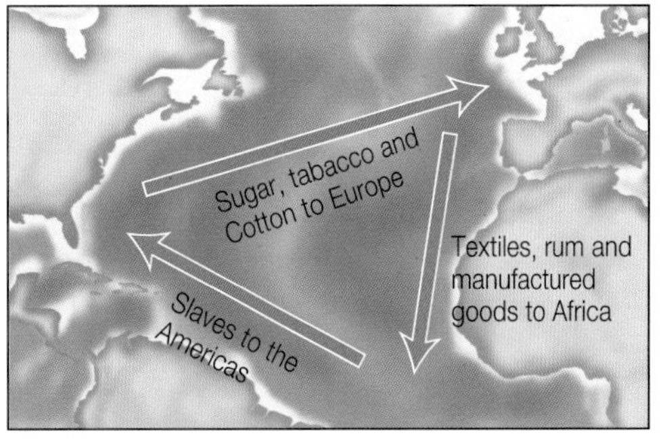

럼의 원료인 사탕수수는 중국과 인도 아라비아와 북아프리카를 경유하여 스페인과 포르투갈에 전파된다. 초기의 럼의 발견은 당즙(molasses)의 자연발효로 인한 우연의 발견 이였을 확률이 높다. 럼이 처음 만들어지기 시작한 것은 17세기 초경 카리브해역의 바아베이도스(Barbados) 섬에 영국인이 이주하여 사탕수수를 이용하여 럼을 만든 것이 시초라고도 하며, 다른 의견은 16세기 초 푸에르토리코(Puerto Rico)에 도착한 스페인의 탐험가들에 의해 사탕수수를 이용하여 럼을 만든 것이 시초라고도 한다.

이후 럼은 18세기에 항해기술의 발전으로 카리브해를 무대로 활약했던 대영제국의 해적들에 의해 보급되는데, 노예의 몸값을 럼으로 주는 삼각무역으로 인해 더욱 성장하게 된다.

문헌상에는 1740년경 괴혈병을 예방하기 위해 에드워드 바논(Edward Banon)이라는 제독이 럼에 물을 탄 것을 군함 안에서 지급했다는 기록이 있다. 또한 1805년 트라팔가(Trafalgar) 해전에서 나폴레옹 1세(Napoleon I세)의 함대를 대파하여 승리로 이끈 넬슨(Nelson)제독이 전사하게 되자 사체의 부패를 막기 위해 럼주 술통 속에 넣어 런던으로 옮겨졌다는 기록이 있다. 이에 영국 사람들은 Dark Rum을 "Nelson's Blood(넬슨의 피)" 라고도 불렀다고 한다.

4. 럼의 제조과정

럼은 라이트럼, 미디엄럼, 헤비럼의 세 가지 타입으로 제조된다.

(1) 라이트럼(Light Rum)은, 당밀에 순수배양 효모로 발효시켜 연속식 증류기로 증류하여 최고 알코올 도수는 95도 미만으로 하며 이것을 오크통으로 숙성한 후 활성탄층을 통해 여과한다. 부드러운 풍미와 섬세한 맛이 특징이다.

(2) 미디엄럼(Medium Rum)은, 헤비 · 럼과 같은 발효과정을 거친 후 연속식 증류기로 증류하는 방법과 라이트 · 럼과 헤비 · 럼을 브랜드 해 만드는 방법 등이 있다. 럼 본래의 풍미와 향이 미디엄 · 럼의 특징이다.

(3) 헤비럼(Heavy Rum)은, 자연 발효시켜 단식증류 후 안쪽을 태운 오크통으로 3년 이상 숙성시킨다. 이 경우, 버번 위스키를 담았던 통을 사용하기도 하는데, 풍미가 풍부하고 진한 갈색이 특징이다.

5. 럼의 분류

럼은 풍미와 색에 의해서 분류된다. 풍미에 의한 분류로는 라이트럼, 미디엄럼, 헤비럼이 있고, 색에 의한 분류로는 화이트럼, 골드럼, 다크럼이 있다.

(1) 라이트 럼(Light Rum), 화이트 럼(White Rum)

칵테일베이스로서 가장 많이 사용되는 라이트럼은 19세기 중반에 연속식 증류기의 도입에 의해서 만들어지게 되었다. 푸에르토르코, 바하마, 쿠바, 멕시코 등이 라이트럼의 주산지가 된다.

엷은 색 또는 무색으로 실버럼(Silver Rum)이라고 부르기도 하며 오크통에 저장한 럼주를 활성탄 여과 처리를 통해 잡미를 제거하여 무색, 투명하다.

(2) 미디움 럼(Medium Rum), 골드 럼(Gold Rum)

헤비 럼과 라이트 럼의 중간타입으로 엠버럼(Amber Rum)으로 불리기도 한다. 위스키나 브랜디의 색에 가깝다. 깔끔한 향미로 칵테일 베이스로 많이 사용된다.

(3) 헤비 럼(Heavy Rum)

럼 중에서 가장 풍미가 풍부한 타입으로 색도 진한 갈색을 띄고 있다. 자메이카산이 유명하다.

(4) 그 외의 럼

브라질의 카샤사(Cachaa), 동남아시아의 아락크(Arrack), 그 밖에 스페인, 남미 각지에서 사탕수수를 원료로 한 스피리츠가 만들어져 아그아르디엔테데카냐(Aguardiente de Caa)의 이름으로 팔리고 있다.

카샤사

사탕수수가 원료인 브라질의 증류주이며 Pinga(핀가)라고도 불린다.

생산지 : 브라질
도수 : 40%
형태 : 럼

6. 럼의 주요산지

(1) 푸에르토 리코(Puerto Rico) 럼

1년 숙성의 화이트 혹은 실버, 3년 숙성의 엠버(Amber)와 골드(gold)가 있다. 엠버나 골드는 캐러멜색이 나며 화이트나 실버보다 향기가 더 진하고 부드러운 맛이 난다. 플렌터스 펀치(Planter's Punch)는 레드와 헤비(Heavy), 다크(Dark) 라벨이 있는데 이 럼들은 보통 6년 이상 숙성시키며 드라이하고 진한 향기를 풍기고 부드러운 맛을 낸다. 푸에르토 리코는 세계에서 가장 많은 양의 럼을 생산해 내고 있다. 앞에 언급한 것 외에도 고전적인 바카디(Bacardi), 카르타 블랑카(Carta Blanca), 카르타 오로(Carta Oro) 등이 생산된다.

(2) 자마이카(Jamaica) 럼

짙은 마호가니 색을 띠는 진하고 풍미가 있는 럼이다. 5년에서 7년을 숙성시키며 40~43도에서 병입이 되는데 75도에서 병입되는 것도 있다. 자마이카 럼 중에서 가장 잘 알려진 것은 마이어스(Myers's) 이다. 자마이카는 전통적으로 가장 헤비한 럼을 생산해 내고 있다.

(3) 데메라란(Demeraran) 럼

데메라라 강을 따라 분포되어 있는 가이야나(Cuyana)섬의 데메라라 강 주변에서 생산된다. 짙은 카라멜색을 띠며 자마이카 럼보다 향기가 부드럽다. 40~43도, 75도로 병입된다. 좀비 칵테일이 생겨난 이후 75도(151 Proof)의 데메라란 럼의 수요가 늘고 있으며 북유럽 추운 지방에 사는 목재상이나 어부들이 이 럼을 선호한다.

(4) 바베이도즈(Barbados), 하이티(Haiti), 마르티니크 (Martinique) 럼

당밀 대신 사탕수수즙으로 만든다. 바베이도즈는 미디엄-라이트 럼을 생산하는데 마운트 게이(Mount Gay) 럼은 유명하다. 하이티는 뛰어난 진한 향의 럼을 생산하며 바반 코트(Barban Court) 럼이 잘 알려져 있다. 마르티니크와 구아델루페(Guadeloupe)는 향미가 좋은 럼을 생산한다. 쎄인트 제임스(St. James)는 자마이카 스타일의 다크 럼이다. 쿠바는 바카디 럼의 원산지로 훌륭한 라이트 럼을 생산한다. 트리니다드는 고품질의 럼을 많이 생산하고 있으며 올드 오크 트리니다드(Old Oak Trinidad)럼은 유명하다.

푸에르토리코와 자마이카에서는 리큐어 럼도 생산되는데, 이 럼은 브랜디처럼 15년간 숙성시킨다. 럼은 대부분 칵테일의 기주로서 많이 사용된다.

7. 세계 유명 럼

럼의 유명상표

마이어스 럼 Myers's Rum

1879년, 당시 자메이카의 설탕 농원 주요했던 Fred L. Myers가 모든 정열을 담아 만든 럼으로 풍부한 풍미의 프리미엄급 자메이카 다크럼이다.

생산지 : 자메이카
도수 : 40%
형태 : 럼

론리코 럼 Ronrico Rum

1860년, 카리브해에 위치하는 미국 자치령 푸에르토르코에 설립된 론리코사는, 금주법 시대에도 유일하게 제조가 허락된 푸에르토르코의 럼 브랜드이다. 론리코 화이트, 론리코 골드, 론리코 151이 있다. 론리코 화이트와 골드는 매끈하고, 부드러운 맛이 특징이며 151은 알코올 도수가 높은 강렬한 임펙트가 있는 맛이 특징이다.

생산지 : 푸에르토리코
도수 : 40%(151은 75.5%)
형태 : 럼

바카디 럼 Bacardi Rum

1933년, 금주법 폐지를 기회로 쿠바에서 설립된 럼 브랜드이다. 바카디 화이트 럼은 주로 칵테일 베이스로 사용된다. 종류로는 바카디 화이트, 골드, 바카디 8(다크럼), 151 등이 있다.

생산지 : 푸에르토리코
도수 : 40%(151은 75.5%)
형태 : 럼

· 바카디 럼

바카디는 1862년 돈 파쿤도 바카디(Don Facundo Bacardi)란 사람에 의해 쿠바에서 탄생하였다. 처음에는 손님이 직접 빈 병을 가지고 와서 담아가는 형태였다. 그러나 점점 바카디 럼은 유명해지기 시작했고 마침내 1862년에는 산티아고에 위치한 허름한 증류소를 사들여 본격적인 술 사업을 벌이게 된다. 이 때 술공장에는 과일 박쥐들이 가득 있었는데, 돈 파쿤도는 글을 모르는 손님들을 위해 이 박쥐 모양을 술병에 그려 넣었다. 이것이 지금까지 바뀌지 않고 전해져 회사의 심볼 마크가 되었다.

미국에서의 인기가 날로 커짐에 따라 여러 가지 일들이 벌어지기도 했다. 그 중에 하나는 1936년 뉴욕주 최고 연방재판소에서 결정된 판결로 내용은 "칵테일 바카디는 오직 바카디 럼만을 사용하여 만들어야지만 그 이름을 쓸 수 있다." 라는 판결이었다.

하바나 클럽 Havana Club

하바나 클럽은, 하바나의 Arechabala 패밀리가 1878년에 엄선된 사탕수수를 이용해 만든것이 시작이다. 종류로는 하바나클럽 실버드라이, 3년, 5년, 7년이 있다.

생산지 : 쿠바
도수 : 40%
형태 : 럼

애플톤 Appleton

17세기 영국 요크셔 출신 존 애플톤이 자마이카의 아름다운 계곡을 선택해서 개척하여 개척자의 이름을 따 애플톤 밸리라 불렀는데 그 곳에서 1825년부터 생산된 럼이다.

생산지 : 자마이카
도수 : 골드, 화이트 40%(17년은43%)
형태 : 럼

레몬하트 Lemon Hart

부드럽고 밸런스가 좋은 풍미를 자랑하며 미디엄타입럼 중 우수품의 하나이다.

생산지 : 가이아나
도수 : 75.5%
형태 : 럼

캡틴모건 Captain Morgan

양질의 사탕수수로부터 제조된 푸에르토루코산 골드럼에 바닐라 스파이스와 트로피칼 후르츠를 첨가해서 제조한 풍부한 향을 가진 럼이다.

생산지 : 푸에르토리코
도수 : 40%
형태 : 럼

VI. 테킬라 Tequila

1. 테킬라의 정의

블루아가베

용설란의 일종인 아가베(Agave)를 원료로 증류시켜 만든 증류주이다.

2. 테킬라의 어원

16세기 스페인이 멕시코를 점령했을 당시에 멕시코의 중앙고원에 위치한 멕시코의 도시인 과달라하라(Guadalajara) 교외에 테킬라라는 작은 마을이 있었는데 '테킬라(Tequila)'라는 이름은 거기서 유래되었다. 테킬라는 스페인어로 "격찬, 감탄" 이라는 뜻이다.

3. 테킬라의 역사

고대 멕시코 원주민들은 용설란에서 나오는 수액을 발효시켜 발효주를 생산했다. 이는 AD 250년의 것으로 추정되는 벽화에서 발효된 풀케를 나누어 마시는 장면으로 알 수가 있다. 풀케는 용설란의 수액을 발효시킨 것으로 1651년 헤로니모 에르난데스라는 스페인 의사가 치료용으로 사용하며(관절염에 효과) 테킬라가 알려진 이래, 돈 뻬드로 산체스 데 따그레 마르끼스가 처음으로 할리스코주에 테킬라 공장을 만들어 정신치료용으로 사용하다가 점차 멕시코 전역으로 퍼지게 되었다. 멕시코 올림픽(Mexico Olympic, 1968년) 이후 세계적으로 널리 알려졌다.

4. 테킬라의 제조과정

원료는 용설란과의 Agave(아가베)로 9년 정도 자란 푸른 용설을 발효시켜 발효주인 ①풀퀘(Pulque)를 만든다. 이 Pulque를 ②단식증류(Pot still)로 두 번 증류하여 White 오크통에 한 달 가량 숙성시킨 후 활성탄으로 정제하여 화이트 테킬라(White Tequila) 또는 골드 테킬라(Gold Tequila)를 만들어 낸다.

5. 테킬라의 원료

용설란의 일종인 아가베(Agave)에서 당분을 추출해 발효시킨 풀케(Pulque)를 증류하여 오크통 속에서 숙성하고 활성탄으로 정제한 것을 메즈칼(Mezcal)이라 하고 이 메즈칼 중에서도 테킬라 마을에서 생산된 것에만 테킬라(Tequila)라는 상표를 표기할 수 있다.

6. 테킬라의 분류

(1) 화이트 테킬라

오크통에서 숙성하지 않은 것으로 증류 후 스테인레스 탱크로 단기간 저장한 것만으로 병입한다. 테킬라의 대부분은 이 화이트 테킬라이며 무색, 투명하여 칵테일의 베이스로 애용된다.

(2) 골드 테킬라

오크통에 넣어 숙성시킨 것으로 오크통의 향미로 인해 옅은 황금색을 띠고 짙은맛이 특징으로 스트레이트로 즐겨 마신다. 2~6개월 이상 숙성시킨 것을 테킬라 레포사도(Tequila Reposado), 2년(최소 1년) 이상의 것을 테킬라 아네호(tequila anejo, 골드 테킬라)라고 부른다.

(3) 아네호(anejo) 테킬라

오크통에서 2년 이상 숙성시킨 테킬라이다.

(4) 레알레스(reales) 테킬라

오크통에서 7년 이상 숙성시킨 테킬라이다.

7. 테킬라의 특징

풀케(Pulque), 메즈칼(Mezcal), 테킬라(Tequila)의 차이점

(1) 풀케(Pulque)

6종 이상 Agave Plant를 사용하여 수액을 발효시킨 양조주, 스페인의 멕시코 정복 이전부터 애용되어 온 멕시코의 국민주이다.

(2) 메즈칼(Mezcal)

여러종의 아가베 플랜트(Agave Plant)로부터 채취된 수액의 발효액, 즉 풀케(Pulque)를 증류한 것이다.

(3) 테킬라(Tequila)

메즈칼(Mezcal)과는 차이점이 있다. 하나는 아가베 테킬라(Agave Tequila)라고 하는 한 종류의 아가베(Agave)만을 사용하는 것과 다른 하나는 테킬라 마을에서 생산되는 메즈칼(Mezcal)만을 테킬라라고 칭하고 있다.

8. 세계 유명 테킬라

페페로페즈 Pepe Lopez

일명 테킬라 호반(Tequila Jovan), 테킬라 호반은 아가베를 발효, 증류하여 숙성 없이 바로 병입되는 테킬라이다.

생산지 : 멕시코
도수 : 40%
형태 : 테킬라

호세쿠엘보 Jose Cuervo

테킬라의 탑 브랜드이며 호세 · 쿠에르보사가 자랑하는 레포사도 테킬라이다. 2개월 이상의 오크통 숙성에 의한 순한 맛이 특징이다.

생산지 : 멕시코
도수 : 38%
형태 : 테킬라

사우자 Sauza

멕시코 독립의 해에 창업된 사우자사는 테킬라 생산의 중심지 알리스코주에 본사를 두는 120년 이상의 역사를 가지는 테킬라 · 메이커이다. 사우자 골드는 연한 황금색을 띠며 균형있는 부드러운 맛이 특징이다.

생산지 : 멕시코
도수 : 40%
형태 : 테킬라

몬테알반 Monte Alban, Mezcal

멕시코 남부 오악사카주의 용설란으로 만들어지는 증류주이다. 메스칼(Mezcal)은, 류우제트란을 주원료로 하는 멕시코 특산 증류주의 총칭이다.

생산지 : 멕시코
도수 : 40%
형태 : 메즈칼

투핑거스 Two Fingers

8년부터 10년 이상 생육한 아가베를 증류해 만들어진다. 일반적인 테킬라보다 복잡한 진한 맛을 가지고 있다.

생산지 : 멕시코
도수 : 40%
형태 : 테킬라

VII. 아쿠아비트 Aquavit

1. 아쿠아비트의 정의

북유럽 스칸디나비아(Scandinavia) 지방의 특산주로 감자를 주원료로 맥아를 당화, 발효시켜 만든 증류주이다.

2. 아쿠아비트의 어원

아쿠아비트는 라틴어의 아쿠아 바이티(aqua vitae : 생명의 물)로부터 나왔고, 스웨덴에서는 스냅스(snaps), 덴마크에서는 셔냅스(schnapps)라고 불리고 있다.

아쿠아비트의 원료

감자, 곡류를 맥아로 당화시킨 후 발효시켜 증류한 후 95% 알코올을 추출하여 물을 타서 희석 시켜 만든다. 그리고 캐러웨이 종자(caraway seed)로 향을 낸다. 아니스 종자(anise seed), 비타오렌지 등을 사용하는 경우도 있다.

caraway seed

anise seed

3. 아쿠아비트의 역사

아쿠아비트에 관한 가장 오래된 기록으로는 15세기부터 만들어지고 있었다고 한다. 당시의 원료는, 감자는 아니고 독일로부터 수입한 와인을 증류한 것이었다. 16세기에 독일 와인의 생산량이 줄어들어 원료를 곡물로 전환했지만 18세기에는 한랭지 재배에 적절한 감자가 북유럽에 보급되면서 감자를 주원료로 사용되게 되었다.

4. 아쿠아비트의 제조과정

감자의 전분질을 당화, 발효 시키는 경우와 맥아를 당화, 발효시키는 두 가지의 제조방법이 있다. 발효 후 연속식 증류기로 증류하고 약초를 더해 2차 증류를 한다. 그 후 캐러웨이 종자(caraway seed)로 향을 낸다. 보통 오크통에서 숙성시키지 않는다.

북유럽 제국에서는 아쿠아비트를 차게 해서 스트레이트로 마시는 것이 일반적이다.

5. 아쿠아비트의 종류

세계 유명 아쿠아비트

(1) 덴마크

올버그 Aalborg

덴마크 도시 이름이다. 세계에서 가장 많이 마셔지고 있는 아쿠아비트의 하나가 되고 있다. 캐러웨이의 종자로 향을 낸다.

생산지 : 덴마크
도수 : 42%
형태 : 아쿠아비트

(2) 노르웨이

보멀룬더 Bommerlunder

감자, 스피리츠를 베이스로 한 마일드한 맛의 아쿠아비트이다. 향기의 주체는 캐러웨이와 아니스이고 낡은 떡갈나무의 통으로 숙성을 거쳐 제품화 된다. 상쾌한 아니스의 향기가 식욕을 돋게 한다.

생산지 : 노르웨이
도수 : 38%
형태 : 아쿠아비트

(3) 스웨덴

스카네 Skane

「O.P 앤더슨」을 닮은 타입이지만, 소프트화 되고 있다.

생산지 : 스웨덴
도수 : 43%
형태 : 아쿠아비트

O.P 앤더슨 O.P Anderson

1825년에 고르덴브르그에 증류소를 설립한 오로프 · 피터 · 앤더슨의 이름에서 유래한다. 주원료는 캐러웨이, 아니스, 회향풀이다. 스웨덴 아쿠아비트는 무색이 많은데 이것은 노르웨이 아쿠아비트와 비슷한 호박색이다.

생산지 : 스웨덴
도수 : 40%
형태 : 아쿠아비트

chapter_04 혼성주

1. 리큐어의 어원과 정의

리큐어(Liqueur)라는 말은 '녹는다, 녹이다'라는 의미의 라틴어 리케파세레(liquerfacere), 또는 리쿼(Liquor, 액체)에서 유래한 프랑스어로 이후 Liqueur로 불리게 되었다.

나라별 리큐어 명칭

① 프랑스 : 리쾨르(Liqueur)
② 독일 : 리코르(Likor)
③ 영국, 미국 : 코디알(Cordial)

2. 주세법상의 리큐어의 정의

주세법상의 리큐어는 다음 각목에 규정된 것에 엑스분 2도 이상인 것으로 정의하고 있다.

가. 전분이 함유된 물료 또는 당분이 함유된 물료를 주원료로 하여 발효시켜 증류한 주류에 인삼을 담가서 우려내거나 그 발효 · 증류 · 제성 과정에 인삼의 추출물을 첨가한 것

나. 전분이 함유된 물료 또는 당분이 함유된 물료를 주원료로 하여 발효시켜 증류한 주류에 과실(포도 · 사과 · 배 · 딸기 · 머루 등 발효시킬 수 있는 과실을 제외한다. 이하 이 목에서 같다)을 담가서 우려내거나 그 발효 · 증류 · 제성 과정에 과실 추출액을 첨가한 것

다. 기타 제1호 제6호 내지 제9호의 규정에 의한 주류의 발효 · 증류 · 제성 과정에 대통령령이 정하는 물료를 첨가한 것

3. 리큐어의 역사

고대 그리스의 의성(醫聖) 히포크라테스가 쇠약한 병자에게 심신의 힘을 길러주기 위하여 포도주에 약초를 넣어서 일종의 약용주를 만들었는데, 이것이 리큐르의 기원이 되었다.

그 후 중세의 연금술사들이 증류주에 과즙, 약초, 향료 등을 넣어 혼성주인 리큐르를 만들어 소화불량을 비롯한 각종 증상에 약용으로 사용했다. 18세기 이후 의학의 발전에 따라 약용주의 성격은 점차 쇠퇴하였고, 아름다운 색과 향, 달콤한 술로 리큐르가 상류층 부인들에 의해 애음되면서 식후주로 점차 유행하게 되었다. 19세기 후반에는 기존에 단식증류만으로 제조되었던 리큐르가 연속식 증류기의 개발로 고농도의 리큐르가 생산되기 시작한다. 오늘날 리큐르는 미국, 프랑스, 이탈리아, 영국, 일본을 비롯하여 세계 각국에서 다양하게 생산되고 있고 스트레이트용으로도 애음되며, 칵테일의 필수 불가결한 재료로 사용되고 있다.

4. 리큐어의 제조방법

(1) 증류법(Distillation)

침출액을 넣고 원료를 증류주에 일정기간 담갔다가 우려낸 다음 침출액을 단식 증류법으로 재증류하여 만든다.

(2) 침출법(Infusion)

증류하면 변질될 수 있는 원료를 주정에 넣어 열을 가하지 않고 일정한 기간 동안 맛과 향을 우려내는 방법으로 만든다.

(3) 에센스(Essence) 추출법, 향유혼합법

원료로부터 향유를 추출한 후 주정과 혼합하여 만들어낸다. 천연향료와 인공향료가 있으며 가장 보편적으로 채택되고 있는 방법이다.

5. 리큐어의 분류

리큐어는 원료에 의해서 분류된다.

(1) 과실류(오렌지)

큐라소 Curacao

베네수엘라 큐라소 섬의 지명 이름으로 스피릿 또는 브랜디에 오렌지 껍질의 향미를 더한 것이 시초이다. 종류로는 White, Blue, Red, Orange, Green 등이 있다. 주정도는 34~40%이다.

트리플 섹 Triple Sec

오렌지를 원료로 한 것으로 Triple sec이란 세번 증류를 하였다는 뜻이다. marie brizard는 다른 브랜드 보다 알콜도수가 강하다.

생산지 : 프랑스
도수 : 39%
형태 : 리큐어

쿠앵트로 Cointreau

1849년 프랑스의 쿠앵트로 형제들에 의해 만들어진 리큐어로 주정에 오렌지 껍질을 첨가하여 만들었다. 주원료는 비터 오렌지와 스위트 오렌지의 과피이다. 식후주로 유명하며, 무색 · 투명한 것이 특징이다.

생산지 : 프랑스
도수 : 40%
형태 : 리큐어

그랑마니에르 Grand Marnier

1880년 아렉산더 마니에르 · 라포스톨(Alexander Marnier-Lapostolle)에 의해 만들어진 프랑스 오렌지 리큐어이다. 코냑(Cognac)을 베이스로 비터 오렌지 껍질을 첨가한 후 오크통에 숙성시킨다. 오렌지 계열의 리큐어 중에서 최고급품이다. 체리를 원료로 한 체리마니에르(Cherry Marnier)도 있다.

생산지 : 프랑스
도수 : 40%
형태 : 리큐어

(2) 과실류(체리)

체리브랜디 Cherry Brandy

브랜디에 체리를 주원료로 하여 시나몬(Cinnamon), 클로브(Clove) 등의 향료를 침전시켜 만드는 리큐어이다. 각국에서 다양한 종류가 생산되고 있다.

- 생산지 : 네덜란드
- 도수 : 24%
- 형태 : 리큐어

마라스키노 Maraschino

마라스카종의 체리를 사용하여 발효 후 세번을 증류하여 숙성시킨 후 원액에 주정, 물, 시럽 등을 첨가하여 만든 무색 · 투명한 리큐어이다. 주정도는 30%이다.

- 생산지 : 이탈리아
- 도수 : 32%
- 형태 : 리큐어

체리 히어링 Cherry Heering

덴마크산 체리를 원료로 한 리큐어로 Red와 White 제품이 있다. 통에서 3년 숙성시키며 색이 진한 특징을 가지고 있다.

- 생산지 : 덴마크
- 도수 : 25%
- 형태 : 리큐어

(3) 과실주(딸기)

크렘 드 카시스 Creme de Cassis

야생딸기의 일종인 까막까치밥 나무(Cassis)의 열매를 으깬 후 당분을 첨가하여 숙성시킨 뒤 여과하여 만든 리큐어이다.

- 생산지 : 프랑스
- 도수 : 15%
- 형태 : 리큐어

크렘 드 프렘보이즈 Creme de Framboeses

프랑스 부르고뉴 고원지대의 나무딸기(Framboise)를 원료로 한 리큐어이다.

- 산지 : 프랑스
- 도수 : 18%
- 형태 : 리큐어

블랙베리 리큐어 Blackberry Liqueur

주정(Spirit)에 검은 딸기(Blackberry)와 설탕을 첨가하여 만든 달콤한 리큐어이다.

- 산지 : 네덜란드
- 도수 : 20%
- 형태 : 리큐어

(4) 과실류(살구)

애프리콧 브랜디 Apricot Brandy

브랜디에 살구와 향료를 첨가하여 당분과 함께 침지법을 사용하여 만든 리큐어이다. 중성 스피리츠, 꼬냑, 설탕, 그 외의 식물을 배합해 숙성한 리큐어이다.

산지 : 네덜란드
도수 : 27%
형태 : 리큐어

(5) 과실류(기타)

슬로 진 Sloe Gin

슬로우 베리(Sloe berry, 오얏나무의 열매)를 주정(Sprit)에 침지하여 향미를 추출후 감미를 첨가하여 만든 리큐어이다.

산지 : 네덜란드
도수 : 33%
형태 : 리큐어

맨더린 Mandarine

맨더린 과실과 약초를 알코올 주정에 담가 만들고 짙은 향미가 있는 리큐어이다. 제법은 오렌지 큐라소와 동일하다.

산지 : 이탈리아
도수 : 30%
형태 : 리큐어

피치 브랜디 Peach Brandy

복숭아를 주원료 하여 만든 리큐어로 알코올 도수는 30~35%이다. 피치 스냅스의 일종이라 볼 수 있지만, 피치 스냅스와는 달리 색이 있다.

산지 : 네덜란드
도수 : 24%
형태 : 리큐어

피치 트리 Peach Tree

피치 스냅스라고 하며, 주정에 복숭아를 첨가하여 만든 리큐어이다. 투명하며 달콤한 맛과 향이 특징이다.

산지 : 네덜란드
도수 : 33%
형태 : 리큐어

서던 컴포트 Southern Comfort

버번 위스키 원액에다 복숭아와 과일의 향미를 낸 리큐어이다.

산지 : 미국
도수 : 35%
형태 : 리큐어

미도리 Midory

멜론을 주원료로 주요 생산국은 네덜란드와 일본이 유명하다. 최초의 멜론 리큐어로는 일본의 산토리가 발매한 헤르메스 · 멜론 · 리큐어가 세계 최초의 제품으로 되어 있다.

산지 : 멕시코
도수 : 20%
형태 : 리큐어

바나나 Banana

바나나의 향미를 스피릿에 침지하여 만든 리큐어로, 프랑스에서는 크렘드바나나(Creme de Banana)로 불린다.

산지 : 네덜란드
도수 : 17%
형태 : 리큐어

애플 퍼커 Apple Pucker

주정에 사과 향미를 첨가한 리큐어이다.

산지 : 네덜란드
도수 : 15%
형태 : 리큐어

(6) 크렘류(Creme)

크림 드 바이올렛 Creme de Violette

프랑스 자주색 바이올렛(제비꽃)의 향기가 있는 자주색 리큐르로 마시는 향수라고도 불린다. 동일한 리큐어로 파르페 아모르(Parfait Amour : 완전한 사랑)가 있다.

- 산지 : 프랑스
- 도수 : 16%
- 형태 : 리큐어

크렘 드 망트 Creme de Menthe

차조기과에 속하는 다년생 초목인 허브의 일종으로 민트 향유액을 주정에 녹여 설탕 및 향신료를 첨가하여 만든다. 종류로는 화이트(White)와 그린(Green) 두 가지가 있다.

- 산지 : 네덜란드
- 도수 : 24%
- 형태 : 리큐어

베일리스 오리지널 아이리쉬 크림
Baileys Original Irish Cream

베일리스는 1974년에 아일랜드의 더블린에 있는 R.&A.베이 리사에 의해서 개발되었다. 아일랜드 원산의 크림계의 리큐어이다. 아일랜드에서는 위스키에 크림을 넣어 마시는 습관이 있었는데, 이것을 상품화하여 개발하였다. 베일리스를 제조하는 재료로서는, 그 반이 크림, 10%의 Irish · 위스키 외, 중성 스피리츠, 설탕에 초콜릿이나 바닐라 등이 사용된다.

- 산지 : 아일랜드
- 도수 : 17%
- 형태 : 리큐어

(7) 약초 · 향초류(herbs & spices)

샤르트뢰즈 Chartreuse

샤르트뢰즈는 "리큐르의 여왕"이라 불리며 17세기에는 불로장생약으로 알려져 있었다. 1764년 프랑스 샤르트뢰즈 수도원에서 양조되기 시작하였다.

- 산지 : 프랑스
- 도수 : 40%(옐로), 55%(그린)
- 형태 : 리큐어

베네딕틴 Benedictine

1501년 프랑스 베네딕트 수도원에서 만든 것으로 약 27여종의 약초와 향초를 주원료로 하여 만든 리큐어이다. Benedict 수도원의 승려 Pom Bernado Vincelli가 창제한 강장주로서 보틀 라벨에 있는 D.O.M 이라는 뜻은 "Deo Optimo Maximo : 최대 최선의 신에게" 의 의미를 담고 있다.

- 산지 : 프랑스
- 도수 : 40%
- 형태 : 리큐어

아니셋트 Anisette

1755년 마리 브리자드 회사에서 만든 것이 시초이며 아니스 씨앗을 주원료로 넛맥, 캐러웨이, 레몬껍질, 시나몬, 코리엔더 등을 사용하여 만든 리큐어이다.

- 산지 : 프랑스
- 도수 : 25%
- 형태 : 리큐어

페르노 Pernod

아니스 외에 15종류의 허브가 낳는 상쾌한 맛이 인상적인 아니스 리큐어이다. 페르노에 물을 섞어주면 뿌옇게 되는 것이 특징이다.

- 산지 : 프랑스
- 도수 : 40%
- 형태 : 리큐어

갈리아노 Galliano

이탈리아 원산의 리큐어로 1896년에 이탈리아인의 아르투로 바카리(Arturo Vaccari)가 제조한 것이 시작이다. 19세기 후반의 이탈리아 · 에티오피아 전쟁으로 활약한 갈리아노 장군의 이름으로부터 지어진 것이다. 아니스나 민트 등 40종 이상의 약초를 사용하며, 바닐라 향기와 긴 병모양의 특징을 가지고 있다.

- 산지 : 네널란드
- 도수 : 35%
- 형태 : 리큐어

비앤비 B & B

프랑스가 원산지이며 베네딕틴과 코냑을 혼합한 리큐어이다.

- 산지 : 프랑스
- 도수 : 40%
- 형태 : 리큐어

캄파리 Campari

에프리티프로 유명한 리큐어로 건위 강장, 식욕 증진 효과가 있고 쓴맛이 특징이다.

- 산지 : 이탈리아
- 도수 : 28.5%
- 형태 : 리큐어

예거마스터 Jagermeister

예거마스터(Jgermeister)는 독일 원산의 리큐어이다. 아니스나 감초 등 56종의 허브가 사용되고 있다. 독일의 마스트-예거마스터사(Mast-Jgermeister AG)가 1878년에 설립하여 1935년에 판매하기 시작했다.

- 산지 : 독일
- 도수 : 35%
- 형태 : 리큐어

압생트 Absinthe

녹색의 마주라고 불리우는 압생트의 특징은 물을 가하면 탁해지고 햇빛을 받으면 일곱색으로 변하는 것이다. 아니스씨와 감초, 쑥 외 여러종의 약초와 향료를 원료로 배합하여 만든 술이다. 프랑스 정부는 1915년에 정신장애와 알코올 중독을 막기 위해 그 제조와 판매를 금지하였다.

- 산지 : 독일
- 도수 : 66%
- 형태 : 리큐어

삼부카 Sambuca

엘더(elder, 허브의 일종)를 주원료로 아니스 등으로 침출하여 만든 무색, 투명하고 경쾌한 풍미의 리큐어이다.

- 산지 : 프랑스
- 도수 : 38%
- 형태 : 리큐어

리카드 Ricard

프랑스의 프로방스 지방에서 생산하고 있는 아니스, 감초 등 15가지 이상의 허브를 알코올에 침지하여 만든 리큐어이다.

- 산지 : 프랑스
- 도수 : 40%
- 형태 : 리큐어

(8) 봉밀류(Honey)

드람브이 Drambuie

수십 종류의 스카치 · 위스키를 브랜드 한 것을 베이스로 하며, 여기에 벌꿀, 허브, 스파이스 등을 배합하여 만든 영국 왕가의 술이다. Drambuie란 "사람을 만족시키는 음료" 라는 뜻이다.

산지 : 영국
도수 : 40%
형태 : 리큐어

아이리쉬 미스트 Irish Mist

1948년에 아일랜드의 증류업자 윌리암스가에 의해서 개발 되었다고 한다. 아이리쉬 위스키에다 10여 종류의 향료 엑기스와 클로브 그리고 히드의 꽃에서 얻은 꿀을 섞어서 만든다.

산지 : 아일랜드
도수 : 35%
형태 : 리큐어

(9) 종자류(seeds)

아마레토 Amaretto

에프리콧(살구)의 씨를 브랜디에 침지한 후 엑기스분을 추출하여 여러종의 향초를 블랜딩하여 숙성키켜 만든다. 아몬드의 풍미가 특징이며, 이탈리아의 디사로노 아마레토가 유명하다.

산지 : 네덜란드
도수 : 30%
형태 : 리큐어

크렘 드 카카오 Cream de Cacao

카카오 원두를 주정과 함께 증류하여 바닐라액을 블랜딩하여, 시럽과 색소를 첨가하여 만든다. 화이트(White)와 브라운(Brown) 두 가지가 있다.

산지 : 네덜란드
도수 : 24%
형태 : 리큐어

칼루아 Kahlua

테킬라에 커피원두와 카카오, 바닐라향을 첨가시켜 만든 커피 리큐어이다.

산지 : 멕시코
도수 : 20%
형태 : 리큐어

티아 마리아 Tia Maria

쟈마이카산 블루마운틴 커피로 만든다. 커피 리큐어로 최고급품이다.

산지 : 자메이카
도수 : 26.5%
형태 : 리큐어

큐멜 Kummel

회양풀(캐러웨이)이 주원료로 원산지는 홀랜드이다. 큐멜은 캐러웨이(caraway)의 독일어로, 그 향기를 가지는 무색의 리큐어이다. 처음은 러시아에서 만들어져 쓴 맛이었지만, 프랑스에 건너 단맛이 되었다. 제법은, 캐러웨이를 스피리츠에 침지한 후 증류하고 엣센스를 모아 거기에 당분을 더해 만든다.

산지 : 독일
도수 : 41%
형태 : 리큐어

아이리쉬 벨벳 Irish Velvet

아이리쉬 위스키에 커피 향미를 첨가한 것이다.

산지 : 아일랜드
도수 : 20%
형태 : 리큐어

크렘 드 카페 Cream de Cafe

프랑스가 원산지로 주정에 커피 향미를 첨가한 것이다.

산지 : 네덜란드
도수 : 30%
형태 : 리큐어

(10) 특수 종류(specialities)

아메르 피콘 Amer Picon

프랑스 육군의 군인으로서 알제리아에 파견된 가에탄 · 피콘이 만들어 낸 비터 리큐어이다. 오렌지의 껍질, 용담 뿌리, 키니네의 나무 껍질 등을 원료로 만들어진다. 아메르는 프랑스 어로 "쓴맛"이라는 뜻이다.

산지 : 프랑스
도수 : 21%
형태 : 리큐어

운더베르그 Underberg

독일에서 생산하고 있는 쓴맛의 리큐어이다. 40종 이상의 향료를 알코올로 추출하여 숙성시킨 것으로 작은 병에 들어 있으며 위를 보호해 준다하여 건강주로 마시고 있다.

산지 : 독일
도수 : 44%
형태 : 리큐어

앙고스트라 비터 Angostura Bitter

1824년 베네수엘라 보리바시(옛 명칭은 앙고스트라)에 주둔하던 영국 육군 병원 제이 지 비 시거트 박사가 도수가 높은 럼에 많은 약초와 향료를 배합하여 만든 쓴맛이 강한 술이다. 강장, 건위, 해열제로도 효과가 있다. 초기에는 약용이었으나 점차 쓴맛이 강한 도수 40도쯤인 앙고스트라 비터는 아주 소량을 사용한다.

산지 : 스페인
도수 : 44.7%
형태 : 리큐어

아드보카트 Advocaat

네덜란드 출산의 노란 농후한 크림 리큐어이다. 에그브랜디(Egg Brandy)라고도 하며 원료로는 스피릿에 계란 노른자, 벌꿀 등을 첨가하여 만든다. 아드보카트란 네덜란드어로 "변호사"란 뜻이다.

산지 : 폴란드
도수 : 20%
형태 : 리큐어

말리부 Malibu

자마이카산의 라이트 럼에 카리브해 지역에서 생산되는 코코넛과 당분을 넣어 만든 무색 투명한 리큐어이다.

산지 : 영국
도수 : 21%
형태 : 리큐어

chapter_05 민속주

1. 민속주의 정의

민속주의 정의(규정 제2조 21호)

「민속주」라 함은 다음 각목의 규정에 의하여 면허한 주류를 말한다.

① 전통문화의 전수, 보존에 필요하다고 인정하여 문화체육부장관이 요청하여 주류심의회 심의를 거친 주류를 말한다.

② 농수산물 가공 산업 육성 및 품질관리에 관한 법률 제6조의 규정에 의하여 농림부장관이 주류 부분의 전통식품 명인으로 지정하고 국세청장에게 요청하여 제조허가를 한 주류를 말한다.

③ "제주도 개발 특별법" 에 의거 제주도지사가 국세청장과 협의하여 제조면허를 한 주류를 말한다.

④ 관광 진흥을 위하여 '91. 6. 30 이전에 교통부장관이 요청하여 주류심의회 심의를 거친 주류를 말한다.

2. 민속주의 역사

술은 인류의 역사와 함께 시작된다. 최초의 술은 과실주로 추정되며 가축의 젖을 원료로 술을 만들던 유목시대를 거쳐 농경시대에 비로소 곡물을 원료로 하는 곡주가 탄생했다. 이후 증류기술의 발전으로 인해 소주와 같은 증류주가 만들어지기 시작했다.

(1) 상고시대

원시시대의 술은 취하기 쉬웠던 과실로 만든 과실주를 만들기 시작했을 것이다.

(2) 삼한시대

삼한시대에는 곡주를 바탕으로 민속주가 정착되었는데, 누룩을 사용하기 시작한 것과 위지 동이전, 삼국사기, 고구려 본기 대무신왕 11년편, 동해석사(東海釋史)와 지봉유설 등 다양한 문헌상의 민속주에 관한 자료를 통해 곡주가 성행하고 있었음을 알 수가 있다.

(3) 고려시대

고려시대에는 송 · 원대의 양조법이 도입되어 그 품종도 다양해지며 또한 사찰을 중심으로 다양한 술들이 발달하게 된다. 고려 후기에 접어들면서 몽고의 침입(1274년)으로 증류주가 유입되며 발전하게 되었다.

(4) 조선시대

조선시대에는 현재까지 유명주로 손꼽히는 술들이 전성기를 맞이하게 되는데, 제조 원료도 멥쌀 위주에서 찹쌀로 바뀌고 발효 기술도 바뀌면서 질 좋은 술들이 제조되기 시작 한다. 또한 증류주는 교통의 발달로 인해 일본, 중국 등에 수출되기 시작했고 기술이전이 병행되면서 한층 더 발전하게 된다.

(5) 일제시대

우리의 전통주는 1907년 일제 강점기를 거치면서 주세령(酒稅令)의 공포로 인해 술 제조에 대한 면허제가 실시되어 가정에서의 술 제조는 일체 금지되었고, 일제가 지정한 제조 방식으로의 약주, 탁주, 소주로 획일화되었다. 이로 인해 우리의 향토주는 그 자취를 감추게 된다.

(6) 현재

광복 이후 1960~70년대, 막걸리의 등장으로 술의 소비량은 급증하였다. 하지만 1965년 소주와 청주, 탁주를 포함한 모든 술을 쌀로 빚지 못하도록 한 양곡관리법이 시행되어 밀주(密酒)가 성행하게 되며, 그로 인해 희석식 소주가 등장하게 된다.

1980년대에 문화재 관리국에서 서울의 문배주, 충남 면천의 두견주, 경주의 교동법주를 중요 무형문화재로 지정하고 제조 기능 보유자를 인간문화재로 지정하면서 명맥이 거의 끊어졌던 전통술이 복원되기 시작하였다.

3. 민속주의 분류

민속주는 탁주, 약주, 청주, 소주, 가향주로 분류된다.

(1) 탁주(濁酒)

재주(滓酒) 또는 회주(灰酒)라고 불려왔던 탁주는 약주와 함께 가장 오랜 역사를 지니고 있으며 자가제조로 애용되었기 때문에 다양한 방법과 맛이 특징이다. 탁주는 지방방언으로 대포, 모주, 왕대포, 젓내기술(논산), 탁배기(제주), 탁주배기(부산), 탁쭈(경북)라는 이름으로 불리었다.

(2) 약주(藥酒)

약주는 탁주의 숙성이 거의 끝날 때 쯤, 술독 위에 맑게 뜨는 맑은 액체만 떠낸 것이다.

약주란 조선시대 학자 서유거(徐有渠)의 호가 약봉(藥峰)이고, 그가 약현동(藥峴洞)에 살았다 하여 '약봉이 만든 술', '약현에서 만든 술'이라는 의미에서 약주라고 부르게 되었다고 한다.

(3) 청주(清酒)

청주는 백미로 만드는 양조주로서 탁주와 비교하여 맑은 술이라고 해서 이름이 붙여졌다.

(4) 소주(燒酒)

소주는 장기보관이 어려운 양조주의 단점을 보완하기 위해서 발효 후 증류하여 만든 술이다. 고려시대 중국에서 전래된 소주는 약용으로 음용되다가 이후 조선시대에 '약소주'라는 이름으로 불리면서 술로서 음용되기 시작한다. 또한 증류하여 이슬처럼 받아 내는 술이라 하여 노주(露酒)라고도 하고 화주(火酒)라고도 한다.

소주고리(증류기)

(5) 가향주(加香酒)

꽃이나 식물의 잎 등을 넣어 만든 술로 가향재료를 넣어 함께 빚는 것과 곡주에 가향재료를 침지하여 빚는 가향 입주법이 있다.

4. 지역별 민속주의 종류

(1) 이북

① 벽향주(碧香酒)

푸르고 향기로운 술이란 뜻인 벽향주는 맑게 빚는 청주의 일종으로 쌀가루를 끓는 물과 섞어 죽을 만들고, 누룩을 섞는 과정을 3번 반복 숙성시킨 술이다. 특히 평안도 벽향주가 유명하다.

② 감홍로(甘紅露)

소주에 약재를 넣어 우려서 만드는 술로 평양을 중심으로 제조되어 왔다. 이 술은 빛이 붉고 감미가 돌아 감홍이라는 이름이 붙었다.

(2) 강원도

① 평창 감자술

강원도 평창 지역에서 백미와 감자를 쪄서 누룩으로 발효시켜 빚은 술로 여과 기술이 없었던 시절에 지금의 막걸리와 같은 탁주형태로 마셨다.

② 옥수수술

옥수수를 주원료로 하여 옥수수 죽을 거르고 끓여서 식힌 후 찐 찹쌀과 함께 항아리에 담아 발효시킨 술이다.

③ 율무주

저온에서 제조 기간을 길게 하여 빚는 술로서 최종 사입에 율무를 집어넣은 상용 약주로서 3번 사입하여 도수가 높아 장기저장이 가능하다. 건위제로서 효험도 있고 피부를 건강하게 하는데 도움을 준다. 또한 한방에서는 율무로 빚은 술을 자주 마시면 신경통과 각기병 예방에 도움이 된다고 전하고 있다.

(3) 서울, 경기

① 문배주

원래는 평양에서 전승되어 오던 술로 한국전쟁 이후 이기춘씨에 의해 서울에서 만들어지고 있다. 좁쌀과 수수가 원료로 사용되며 숙취가 없고 향이 좋으며 부드러운 맛을 자랑한다. 술의 향기가 문배나무의 과실에서 풍기는 향기와 같아 붙여진 이름으로 중요 무형문화재 제86-1호로 지정된 증류식 소주이다.

② 동동주

경기 화성군에서 만들어진다. 알코올 도수 13도로 술을 뜰 때 밥알을 띄운 것으로 마치 개미가 술에 동동 떠있는 것 같다 하여 지어진 이름이며 일명 부의주(浮蟻酒)라고도 한다. 현재 권오수씨가 만들고 있다.

③ 막걸리

찹쌀 · 멥쌀 · 보리 · 밀가루 등을 쪄서 누룩과 물을 섞어 발효시킨 술로 탁주(濁酒), 농주(農酒), 재주(滓酒), 회주(灰酒)라고도 한다. 막걸리는 활성효모가 많아 인체에 필요한 소화효소 및 무기물이 풍부한 것이 특징이다. 성인병 예방과 혈액순환에 좋으며 기미, 주근깨 예방과 순환기에 좋다.

④ 인천 칠선주(仁川七仙酒)

칠선주는 인주(인천의 옛이름)지역 궁중 진상품으로 멥쌀과 찹쌀, 누룩을 원료로 하여 더덕, 인삼, 모과, 당귀, 구기자, 칡, 감초를 달여 넣고 빚은 술이다. 칠선주는 일곱 가지의 한약재를 첨가한 데서 지어진 것이다. 두통, 구토 등에 효과가 탁월하며 마실 때 은은한 누룩향과 부드러운 맛이 장점이다. 이종희씨가 만들고 있다.

⑤ 계명주(鷄鳴酒)

경기도 남양주에서 생산되는 계명주는 여름철 황혼녘에 술을 빚어 새벽닭이 울면 먹는다 하여 붙여진 이름이다. 옥수수와 수수, 엿기름으로 죽을 쑤고 여기에 누룩과 솔잎을 넣어 만든다. 소화작용과 폐와 위를 보호하며 원기를 회복시켜준다. 최옥근씨가 만들고 있다.

⑥ 군포 당정 옥로주(軍浦堂井玉露酒)

옥로주는 조선조말 전북 남원에 살던 유행룡이란 사람이 제조를 시작(1860년), 서산 유씨 가문으로만 전수된 증류식 전통소주이다. 무색, 투명하며 숙취가 적은편이다. 종양제거, 소화기능 개선 및 피부미용에 효과가 있다. 유민자씨가 제조하고 있다.

⑦ 약산춘(藥山春, 약산주)

정월에 쌀과 누룩으로 빚어 만드는 술로 봄에 먹는 술을 관례상 춘주(春酒)라고도 한다. 약산춘을 빚는 날은 정월 첫 해일(亥日) 손이 없는 날로 한다. 이 술은 삼해주와 비슷하여 상류의 사회계층 사람들이 즐겨 마셨던 것으로 전해지고 있다.

⑧ 삼해주(三亥酒)

찹쌀을 발효시켜 두 번 덧술하여 빚는 약주(藥酒)로, 정월 첫 해일(亥日)에 시작하여 해일마다 세 번에 걸쳐 빚는다고 하여 붙여진 이름이다.

⑨ 사마주(四馬酒)

찹쌀과 누룩가루로 네 번의 오일(午日)을 이용하여 담그는 술로 "1년이 넘어도 부패하지 않는 술"을 사마주라 한다. 사마주를 만드는 법은 삼해주와 같으나 네 번 술밥을 만들기 때문에 더욱 강한 약주로 알려져 있다.

⑩ 송절주(松節酒)

송절(松節, 소나무 마디)을 삶은 물과 쌀로 빚는 약용주(藥用酒)로 풍담을 없애고 원기를 돋우며 팔다리를 못 쓰게 된 사람이 이 술을 마시고 신기한 효험을 보았다고 전해지고 있다.

(4) 충청북도

① 산성 대추술

충북 청주 산성동 상당산성의 한옥 마을에서 대대로 빚어오던 대추술은 멥쌀과 누룩, 물을 넣고 만든 밑술에 찹쌀과 멥쌀, 솔잎을 쪄서 대추물과 약수, 누룩을 섞어 발효시켜 빚은 술이다. 신진대사를 촉진시켜 위를 튼튼히 하고 피로 회복과 이뇨작용에 큰 효과가 있으며, 무더위와 피로 회복에 효험이 있다.

② 신선주(神仙酒)

능금과 신선초, 천궁, 구기자, 당귀, 솔잎, 대추, 인삼 등의 약초를 넣어 빚은 술로 맛은 부드럽고 향은 깊고 그윽한 게 특징이다. 대추, 솔잎, 약초가 들어 있어 감미와 약초 향기가 특징이다.

③ 한산 소곡주(韓山素穀酒)

과거를 보러가던 선비들이 술잔을 기울이다 과거 일자를 넘길 정도로 맛이 기이하다고 전해지는 술로 일명 '앉은뱅이술'이라 하기도 한다. 알콜도수는 18도이고, 누룩은 통밀을 재료로 한 달 정도 배양해야 완성된다.

(5) 충청남도

① 아산 연엽주(牙山蓮葉酒)

찹쌀에 연잎을 곁들어 쌀로 빚는 술로 연엽주라 불린 이 술은 독특한 향미로 은은한 감칠맛과 뒤끝이 좋다. 영조 때 궁중에서 제조했다고 전해진다. 예안 이씨 문중의 전통약주로 피를 걸러주며 혈관을 넓히고 남성의 양기보호에 효능이 있다고 전한다.

알코올 도수는 14도이고, 조황규씨가 제조하고 있다.

② 면천 두견주(沔川杜鵑酒)

두견주는 고려 때 알려진 술로 '안샘'으로 불리는 독특한 샘물로 빚어진다. 또한 진달래 꽃잎을 섞어 담아 두견주로 불리우며 진달래(두견화)의 향미가 특징이다. 알코올 도수는 19도이고, 박승규씨가 제조하고 있다. 중요 무형문화재 86-2호로 지정되었다.

③ 계룡백일주(鷄龍百日酒)

찹쌀을 주재료로 솔잎, 진달래꽃, 국화와 벌꿀을 넣어 만드는 술로 백일이 되어야 술을 맛볼 수 있다하여 백일주라 이름 지어졌다. 밑술을 30일간 발효시키고 본술을 빚어 술이 다 익기까지 70일이 걸린다.

(6) 전라북도

① 홍주(紅酒)

보리쌀에 누룩을 넣어 숙성시킨 후, 지초를 통과하여 홍옥과 같이 붉은 색이 나는 술로 진도 홍주는 일명 지초주(芝草酒)라고도 하며 400년 동안 진도에서만 제조되고 있는 한국 유일의 홍색을 띤 증류주이다.

② 과하주(過夏酒)

약주의 저장성을 높이기 위해 누룩과 찹쌀, 국화, 말린 쑥 등을 넣어 만든 양조주에 소주를 첨가해 도수를 높인 술이다. "무더운 여름을 잘 넘길 수 있다"는 의미로 과하주(過夏酒)란 이름이 붙었다.

③ 전주 이강주(全州梨薑酒)

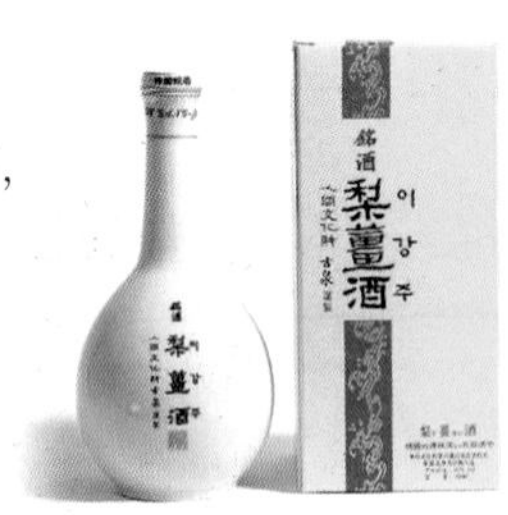

이강주는 '울금'을 바탕으로 전주에서 탄생한 술이다. 소주에 울금, 배, 생강, 계피, 꿀 등을 첨가한 다음 이를 숙성, 여과시키면 이강주가 만들어진다. 보관기간이 1년 이상이며 피로 회복에 좋은 술로 알려져 있다. 알코올 도수는 25도이다.

④ 송화백일주(松花百日酒)

송화가루를 비롯한 자행약초, 약수와 찹쌀, 멥쌀, 누룩을 혼합하여 100일간 발효 · 숙성시켜 증류한 소주로 알코올 도수 38도의 약소주이다. 숙취가 없고 신경통 등에 효험이 있는 술로 알려져 있다.

⑤ 호산춘(壺山春)

전라도 여삼(礪三)의 특주(特酒)로서 여산이 일명 호산(壺産)이라 불리어졌다는 데서 전래된 이름이다. 찹쌀과 멥쌀로 세 번 빚은 술이라 하여 삼양주(三釀酒)라고 한다.

(7) 전라남도

① 해남 진양주(海南眞釀酒)

조선조 말 철종때 임씨농가에 출가해 온 구림 최씨 할머니가 주로 어주만을 전담하여 오다가 출가해 오자 이곳의 좋은 샘물을 이용하여 어주를 담그는 솜씨를 그대로 전수시켜 왔는데 순하고 향기가 높다.

(8) 경상북도

① 경주 교동법주(慶州校洞法酒)

경북 경주시 교동에 있는 최부자 집에서 대대로 빚어 온 술이다. 경주법주를 처음 만든 사람은 최국준으로, 그는 조선 숙종(재위 1674~1720) 때 궁중음식을 관장하는 사옹원(司饔院)의 참봉을 지냈다고 한다. 중요 무형문화재 제86-3호로 지정되었다.

② 안동소주(安東燒酎)

고려시대부터 전승되어 온 700년 전통의 우리나라 3대 명주 중 하나로 전통식품명인(제6호 박재서)이 안동지방의 좋은 물과 쌀로 빚어 오랜 기간 숙성시킨 45도의 순곡 증류주이다. 은은한 향과 감칠맛이 일품이며 뒤끝이 깨끗한 것이 특징인 전통 명주이다. 쌀, 보리, 조, 수수, 콩 등 다섯가지 곡물을 물에 불린 후 시루에 쪄서 여기에다 누룩을 섞어 10일 가량 발효시켜 진술을 만든다. 한산 소곡주와 함께 증류식 순곡 소주로 유명하다. 안동소주를 상처, 배앓이, 식욕부진, 소화불량 등에 구급처방으로 활용하기도 했다고 한다.

(9) 경상남도

① 송화주(松花酒)

솔잎이 들어가는 까닭에 송엽주라 하는데 예로부터 솔잎은 위장에 좋다고 하여 솔잎을 먹으며 단식했으며 솔잎 자체에 발효성이 있고 향이 있어 솔잎을 넣어 송엽주를 빚어 왔다. 정인조씨가 만들고 있다.

② 엉컹퀴단술

엉겅퀴 뿌리 생즙을 엿기름물에 삭혀 낸 단술의 일종으로 엉컹퀴단술은 식혜의 일종으로 간에 좋다고 알려져 있다.

(10) 제주도

① 선인장 열매주

제주도 선인장 열매와 소주를 밀봉해 숙성시킨 술로 서늘한 곳에 보관해 2개월 정도 지난 후 액체만 따라내어 다른 병에 보관하면서 마신다. 예부터 민간요법으로 소염, 해열제로 이용되어 오고 있다.

② 고소리주

고려 때부터 전승되어 온 우리나라 삼대명주(제주소주 · 안동소주 · 개성소주) 중 하나인 고소리주 (증류식 소주 · 제주소주)는 순곡주이다. 좁쌀에 암반수를 가하여 발효시킨 후 전통적 증류기법을 토대로 한 현대식 증류공법으로 증류하여 6개월 이상 지하에서 숙성한 다음 정밀 여과를 거쳐 만들어 낸다.

(11) 기타

① 소흥주(사오싱주)

사오싱주는 중국 8대 명주 가운데 하나로, 중국의 황주(黃酒) 가운데 가장 오래된 술이다. 찹쌀을 보리누룩으로 발효시켜 만들며, 알코올 도수는 15~20도이다.

chapter_06 칵테일

1. 칵테일의 정의

칵테일(cocktail)이란 베이스(기주)가 되는 술에 다른 술 또는 고미제(苦味劑), 설탕, 향료, 주스 등을 혼합하여 만든 일종의 믹스드링크(mixed drink)다. 즉 ① 술+다른 술 또는 ② 그 외의 부재료로 두 가지 이상의 재료를 섞은 것을 칵테일이라고 정의할 수 있다.

2. 칵테일의 어원

칵테일(Cocktail)은 직역하면 수탉꼬리(Tail of cock)를 뜻하게 되는데, 칵테일의 어원은 정설이 없으며 다양한 유래로 전해진다. 그 중 가장 설득력이 있는 유래로는 국제 바텐더 협회가 칵테일의 어원으로서 채용하고 있는 설이다.

멕시코 유카탄(Yucatan)반도에 있는 칸페체라는 항구도시에 영국배가 입항을 하게 된다. 상륙한 영국 선원들이 갈증을 달래려 어느 술집에 들어가자 카운터 안에서 한 소년이 껍질을 벗긴 나뭇가지로 혼합음료를 만들고 있었다. 당시 이 지방에서는 브랜디와 럼 등의 알코올을 혼합해서 마시는 드락스(drace)라 하는 혼성음료가 유행하고 있었는데, 영국 사람들은 술을 스트레이트로(straight)만 마셨기 때문에 이 광경은 신기하게 보였을 것이다. 결국 선원은 소년이 만들고 있던 음료를 가리켜 묻자 이에 소년은 나무 가지가 닭 꼬리처럼 생겼으므로 "꼴라 데 가죠(Cola de Gallo)" 라고 대답했다. 이 말은 스페인어로 수탉꼬리를 의미하며 이것이 영어로 바뀌면서 칵테일(Cocktail)이라고 부르게 되었다고 전해진다.

3. 칵테일의 역사

최초의 칵테일이 만들어지기 시작한 것은 고대 로마나 그리스, 이집트로 볼 수 있다. 당시의 칵테일은 알코올 음료(와인이나 맥주)에 꿀이나 물을 섞어 음용했을 것이다. 이 후 중세시대에는 상온에서 마시던 칵테일이 추운 겨울에 부족한 영양분을 보충하기 위해 따뜻한 음료로 애음되기도 하며, 증류주가 연금술사들에 의해서 만들어 지면서 칵테일 또한 다양한 방식으로 탄생하게 된다. 현재 칵테일은 얼음을 이용한 콜드드링크(Cold drinks)가 주류인데 1876년에 칼-폰-린데(Carl-von-Linde)가 인공 제빙기를 개발한 후로 일 년 내내 얼음을 사용할 수 있게 된 것이다. 이 후 다양한 칵테일이 미국에서 발달되지만, 제1차 세계 대전과 미국의 금주법(1920~1933년)에 의해 실직한 바텐더가 유럽으로 이주하면서 전 세계에 알려지게 된다.

4. 칵테일의 분류

(1) 음용 방법에 의한 분류

스트레이트 드링크 (Straight Drink)	얼음을 넣지 않고 그대로 마시는 스트레이트(Straight)방식과 얼음을 넣어 차게 해서 마시는 온 더 록스(on the rocks)방식으로 나눈다.
믹스드 드링크 (Mixed Drink)	두 가지 이상의 재료를 혼합하여 마시는 것으로 통상적인 칵테일은 바로 이 믹스드 드링크(Mixed Drink)를 뜻한다.

(2) 용량에 의한 분류

칵테일은 넓은 의미에서 롱 드링크(long drinks)와 쇼트 드링크(short drinks)로 나뉜다.

롱 드링크(long drink)	용량이 많은 8oz(240mL) 이상의 글라스에 제공되는 칵테일을 말하는 것으로, 술에다 여러 가지 부재료를 혼합한 칵테일을 뜻한다. 비교적 오랜 시간에 걸쳐 마시는 것으로 얼음이 녹기 전에 마시는 것이 좋다. 대표적인 칵테일은 진피즈(gin fizz), 톰 콜린스(tom collins), 진 토닉(gin tonic) 등이 있다.
쇼트 드링크(short drink)	용량이 적은 6oz(180mL) 미만의 글라스에 제공되는 칵테일을 말하는 것으로, 두 세 번에 충분히 나누어 마실 수 있는 칵테일을 뜻한다. 대표적인 칵테일은 마티니(Martini), 맨하탄(manhattan), 핑크레이디(pink lady), 마가리타(margarita) 등이 있다.

(3) 맛에 의한 분류

드라이 칵테일 (Dry Cocktail)	당분을 함유하고 있지 않은 칵테일로 주로 식전주에 해당된다.
스윗 칵테일 (Sweet Cocktail)	단맛을 함유한 칵테일로 주로 식후주에 해당된다.
사워 칵테일 (Sour Cocktail)	신맛을 함유한 칵테일이다.

칵테일의 3대 맛 : 드라이(Dry), 스윗(Sweet), 사워(Sour)

(4) 온도에 의한 분류

콜드 드링크(Cold Drink)	얼음이 사용 또는 제공되는 칵테일로 차게 해서 마시는 음료를 뜻한다.
핫 드링크(Hot Drink)	뜨거운 물이나 커피 등을 사용하여 따뜻하게 해서 마시는 음료를 뜻한다.

(5) 알코올 유무에 의한 분류

알코올릭 칵테일 (Alcoholic Cocktail)	알코올을 함유한 칵테일로 대부분의 칵테일이 이에 속한다.
논 알코올릭 칵테일 (Non-Alcoholic Cocktail)	알코올을 함유하고 있지 않은 칵테일로 청량음료 또는 주스 등으로 만들어 진다.

(6) 용도에 의한 분류

식전 칵테일 (Aperitif Cocktail)	식사 전에 식욕증진을 위해 마시는 신맛과 쓴맛이 있는 칵테일을 말한다. 대표적인 것으로 드라이 마티니(dry martini), 맨하탄(manhattan), 캄파리 소다(cmpari soda) 등이 있다.
식후 칵테일 (After Dinner Cocktail)	식사 후에 소화촉진 또는 입가심으로 마시는 칵테일로서, 대부분 단맛이 있는 것이 특징이다. 대표적인 것으로 알렉산더(Alexander), 아이리쉬 커피(Irish coffee), 스팅거(Stinger) 등이 있다.
클럽 칵테일 (Club Cocktail)	정찬의 코스에서 오르되브르(hors d'oeuvre)나 수프(Soup) 대신으로 제공하는 칵테일로서, 식사와 조화를 이루고 자극성이 강한 것이 특징이다.
서퍼 칵테일 (Supper Cocktail)	만찬용의 식사 중에 드라이한 칵테일로서 제공되며, 압생트 칵테일(absinthe cocktail)과 같은 종류의 것이다.
나이트 캡 칵테일 (Night Cap Cocktail)	잠자리에 들기 전에 마시는 음료로서 아니세트(anisette)와 코인트로(cointreau), 계란 등 강장성(強壯性)의 것을 사용한 칵테일을 말한다.
샴페인 칵테일 (Champagne Cocktail)	축하연 때 마시는 칵테일로서 샴페인을 사용하여 상쾌한 맛을 풍기는 칵테일 등을 일컫는다.

(7) 형태의 의한 분류

하이볼(High-Ball)	하이볼(텀블러) 글라스에 증류주를 넣고 얼음과 청량음료를 넣어 혼합한 것이다. 대표적으로 진토닉(Gin Tonic), 위스키 콕(Whisky Coke), 위스키 소다(Whisky Soda) 등이 있다.
콜린스(Collins)	영국에서 시작된 음료로 연회에 초대된 고객에게 감사의 인사로 만들어 지기 시작했다. 처음 만든 사람(존 콜린스)의 이름을 따서 콜린스라 부른다. 대표적인 칵테일로 탐 콜린스(Tom Collins)가 있다.
온 더 락스(On the Rocks)	올드 패션드 글라스(Old Fashioned Glass)에 얼음을 제공하여 그 위에 술을 따라 마시는 것을 뜻한다.
스트레이트(Straight Up)	아무 것도 혼합하지 않고 그대로 마시는 것을 뜻한다.
피즈(Fizz)	탄산음료를 오픈 할 때 피-하는 소리에 의해 붙여진 이름으로 진 또는 리큐어를 베이스로 레몬주스, 설탕, 소다수를 혼합하고 과일을 장식한다. 대표적으로 카카오 피즈(Cacao Fizz), 슬로 진 피즈(Sloe Gin Fizz) 등이 있다.
사워(Sour)	신맛이라는 뜻으로 증류주에 레몬주스와 설탕을 넣어 만든 것이다. 대표적으로 위스키 사워(Whisky Sour), 브랜디 사워(Brandy Sour) 등이 있다.
펀치(Punch)	증류주에 술 또는 과일, 주스, 설탕 등을 첨가하여 만들며 펀치 보울에 대량으로 만들어 마신다. 펀치는 최초로 인도에서 시작되었으며 인도 말로 다섯을 의미하는데 5가지 재료를 사용하기 때문에 유래된 이름이다.

리키(Rickey)	증류주에다 라임주스 또는 레몬주스 그리고 소다수를 사용하여 만들어 내는 칵테일을 말한다. 대표적으로 진 리키(Gin Rickey), 스카치 리키(Scotch Rickey), 럼 리키(Rum Rickey) 등이 있다.
슬링(Sling)	독일어의 '마신다'는 말에서 온 말로 증류주에다 레몬주스와 설탕을 넣고 소다수를 사용하여 시원하게 만든 음료를 뜻하는 것으로 대표적인 칵테일은 싱가폴 슬링(Singapore Sling), 진 슬링(Gin Sling) 등이 있다.
토디(Toddy)	증류주에다 설탕, 향료, 뜨거운 물을 넣어 만든다. 대표적인 칵테일은 핫 토디(Hot Toddy), 브랜디 토디(Brandy Toddy) 등이 있다.
프라페(Frappe)	칵테일 글라스나 샴페인 글라스에 쉐이브드 아이스(Shaved Ice)를 가득 채워 제공하는 형태의 칵테일을 말하며, 프라페란 프랑스 어로 '잘 냉각된' 이란 뜻이다. 대표적인 칵테일로 민트 프라페(Mint Frappe)를 들 수가 있다.
에그노그(Eggnog)	브랜디나 럼에 우유, 계란을 사용한 음료로 미국에서는 크리스마스 때 널리 애용되고 있으며, 대표적으로 브랜디 에그 노그(Brandy Egg Nog)가 있다.
쿨러(Cooler)	증류주나 와인에 소다수, 진저엘 등 여러 가지 탄산음료를 사용하여 차갑게 제공되는 칵테일을 말한다. 대표적으로 와인 쿨러(Wine Cooler)가 있다.
코블러(Cobbler)	미국에서 시작된 음료로 텀블러 글라스에 얼음을 채우고 와인이나 증류주에 레몬이나 설탕을 첨가하여 만든 피로 회복을 위한 음료이다. 코블러란 '구두 수선공' 이란 뜻이다. 대표적으로 브랜디 코블러(Brandy Cobbler), 클라렛 코블러(Claret Cobbler) 등이 있다.
크러스터(Crusta)	크러스터(Crusta)는 껍질이라는 의미로 증류주에 레몬 껍질이나 오렌지 껍질을 넣어 만든 칵테일이다. 대표적인 칵테일로 브랜디 크러스터(Brandy Crusta)가 있다.
줄렙(Julep)	민트가 제공되는 칵테일로 줄렙(Julep) 이란 프랑스어로 '물약' 이란 뜻이다. 대표적인 칵테일로 민트 줄렙(Mint julep)이 있다.
에이드(Ade)	레몬 또는 오렌지의 과일즙에 설탕, 물 또는 탄산음료로 혼합한 칵테일로 알코올이 없는 것이 특징이다. 대표적으로 레몬에이드(Lemonade)가 있다.
푸스카페 (Pousse Cafe)	정찬(正餐)에서 식후에 제공되는 칵테일로 술의 비중을 이용하여 층층이 쌓아 섞이지 않도록 띄워서 제공하는 칵테일이다. 대표적인 칵테일은 레인보우(Rainbow), 푸스 카페(Pousse Cafe) 등이 있다.
트로피칼 칵테일 (Tropical Cocktail)	과일즙, 과일 등을 사용하여 달콤하고 시원하게 만든 열대성 칵테일이다.
스쿼시(Squash)	과일즙을 내서 설탕, 소다수를 혼합한 알코올성이 없는 칵테일이다.
플립(Flip)	증류주에 계란노른자, 향료, 설탕 등을 넣고 따뜻하게 제공하는 칵테일이다.
미스트(Mist)	프라페와 유사하나 크러쉬드 아이스(Crushed ice)를 제공한다.

스매시(Smash)	줄렙과 비슷하나 쉐이브드 아이스(Shaved Ice)를 사용하며 설탕, 물을 넣고 민트 줄기로 장식한다.
생거리(Sangaree)	와인 또는 증류주에 물을 타고 향료를 가미한 음료이다.
스위즐(Swizzle)	술에 라임주스를 혼합하여 가루얼음과 함께 제공하며, 셰이커를 사용하지 않고 휘젓기(Stir)로 저어서 만든 칵테일을 말한다.

5. 칵테일 만드는 기법

(1) 빌딩(Building)

글라스에 얼음과 함께 주, 부재료를 직접 넣어 만드는 방법으로 가장 손쉽게 만들 수가 있다.

(2) 스터링(Stirring)

믹싱 글라스(Mixing Glass)에 얼음을 채운 뒤 주·부재료를 넣고 바스푼(Barspoon)을 사용하여 가볍게 저은 후 스트레이너(Strainer)로 얼음을 걸러서 만드는 방법이다. 비교적 혼합하기 쉬운 재료를 ①혼합, ②냉각을 목적으로 만드는 방법으로 대표적인 칵테일은 마티니(Martini)를 들 수가 있다.

(3) 쉐이킹(Shaking)

리큐어 또는 크림, 계란, 설탕 등 다소 혼합하기가 어려운 재료를 ①용해, ②혼합, ③냉각을 목적으로 만드는 방법으로 쉐이커(Shaker)를 필요로 한다. 직진법 또는 상하법 등 다양한 방법이 있다.

(4) 플로팅(Floating)

술의 비중의 차이를 이용해 섞이지 않도록 바스푼(barspoon)을 사용하여 층층이 띄워서 만드는 방법이다. 엔젤스 키스(Angel's Kiss), 푸즈 카페(Pousse Cafe), 레인보우(Rain-bow) 등이 이에 속한다.

(5) 블렌딩(Blending)

쉐이킹 기법으로도 혼합하기 힘든 과실 등의 고체류를 쉽게 혼합하기 위해 사용되는 기법으로 프로즌 스타일 칵테일을 만들 때 사용하는 방법이다.

6. 칵테일 부재료

(1) 과실과 야채류(Fruit & Vegetable)

① 레몬(Lemon)

쥐손이풀목 산초과 상록과수로 감귤류의 일종이며 칵테일에 과즙과 장식으로 사용한다.

② **라임(Lime)**

쌍떡잎식물 쥐손이풀목 운향과의 상록관목으로 신맛과 쓴맛이 레몬보다 강하며, 칵테일에 과즙과 장식으로 사용한다.

③ **그레이프프루트(Grapefruit)**

감귤속(Citrus)에 속하는 그레이프프루트 나무의 열매이다. 독특한 신맛으로 인해 칵테일에 과즙과 장식으로 사용한다.

④ **파인애플(Pineapple)**

쌍떡잎식물 파인애플과의 상록 여러해살이풀로 칵테일에 과즙과 장식으로 사용한다.

⑤ **체리(Cherry)**

쌍떡잎식물 장미목 장미과 벚나무속 식물의 열매로 기본적으로 달콤한 칵테일에 장식으로 사용한다. 품종은 동양계와 유럽계가 있다.

⑥ **올리브(Olive)**

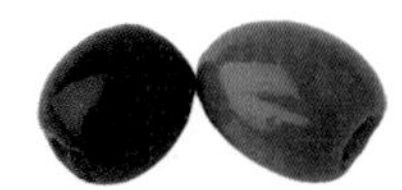

쌍떡잎식물 목서과에 속하는 상록교목으로 쓴맛을 내는 칵테일의 장식으로 사용한다. 칵테일용으로 사용되는 올리브는 씨를 제거하고 빨간 피망을 넣은 스태프드 올리브가 많이 쓰인다.

⑦ **어니언(Onion)**

외떡잎식물 백합목 백합과의 두해살이풀로 칵테일에는 펄 어니언(Pear Onion)이란 식초에 절인 양파를 칵테일 장식에 사용한다.

⑧ **샐러리(Celery)**

쌍떡잎식물 산형화목 미나리과에 속하며 칵테일에는 줄기 부분만 사용한다.

(2) 허브와 스파이스류(Herb & Spice)

① 너트메그(Nutmeg)

육두구(肉荳蔻)과의 열대 상록수의 열매를 말린 것으로 계란, 크림, 유제품 등의 비린맛을 제거할 때 사용한다. 칵테일에는 주로 파우더(Poweder Nutmeg) 타입이나 홀(Whole Nutmeg) 타입을 사용한다.

② 시나몬(Cinnamon)

시나몬은 '계피'의 그리스 명이다. 계피가 말라서 구부려지는 모양에서 유래된 것으로 쌍떡잎식물 미나리아재비목 녹나무과의 교목에 속한다. 줄기와 뿌리의 껍질은 매콤한 맛과 향을 지녀서 칵테일에 가장 많이 쓰이는 파우더 타입의 향신료이다. 스틱 타입은 머들러(muddler)의 역할도 한다.

③ 클로브(Clove)

정향은 정향나무의 '꽃봉오리'를 건조한 것으로 백리향(百里香)이라고 불린다. 핫 드링크에 사용하며 강한 향미가 특징이다.

④ 페퍼(Pepper)

매운 맛을 내는 향신료로 흑후추(black pepper)와 백후추(white pepper)가 있다. 흑후추는 쓴맛이 강하며, 백후추는 향이 강하다.

⑤ 민트(Mint)

박하를 뜻하는 것으로 페퍼민트(peppermint), 스페어민트(sparemint)로 분류할 수 있다. 칵테일에는 민트 잎의 끝부분을 주로 사용한다.

⑥ 우스터소스(Worcester Sauce)

채소, 향신료(고추, 육계, 후추, 육두구, 샐비어)를 소금, 설탕, 빙초산, 기타 조미료를 첨가하여 만든 액체를 말한다.

⑦ **타바스코 소스(Tobasco Sauce)**

고추를 사용한 매운 소스, 타바스코 소스(Tobasco Sauce)란 상품명이다.

⑧ **소금(Salt)**

나트륨과 염소의 화합물로서 칵테일의 프로스트(frost) 기법에 사용된다.

⑨ **설탕(Sugar)**

당류에 속하는 감미료로 모양과 형질에 따라 다양한 종류의 설탕이 있으나, 칵테일에서는 각설탕, 가루설탕, 슈가시럽을 많이 사용한다.

(3) 시럽류(SYRUP)

Grenadine Syrup

Maple Syrup

① **그레나딘 시럽(Grenadine Syrup)**

당밀에 석류를 원료로 해서 만든 붉은 색의 시럽으로 칵테일의 붉은색과 감미를 위해 많이 사용된다.

② **메이플 시럽(Maple Syrup)**

사탕 단풍나무인 메이플(maple, Acer saccharum)의 수액을 농축한 시럽이다. 독특한 풍미와 단맛을 가지고 있으나 칵테일에는 거의 사용되지 않는다.

③ **플레인 시럽(Plain Syrup)**

설탕과 물을 넣어 끓여 만든 시럽으로 심플 시럽(Simple Syrup), 캔 슈가 시럽(Can Sugar Syrup)으로도 불린다.

Plain Syrup

Gum Syrup

Raspberry Syrup

④ **검 시럽(Gum Syrup)**

플레인 시럽에 아라비아(Arabia)의 검 분말을 섞어서 만든 점성이 있는 시럽이다.

⑤ **라즈베리 시럽(Raspberry Syrup)**

당밀에 나무딸기의 풍미를 가한 시럽이다.

(4) 음료류(Carbonated Drink)

① 탄산수(Sparkling Water)

일명 소다수(soda water)로 향미가 없는 정제, 살균한 물에 이산화탄소를 함유시킨 탄산수이다. 탄산가스와 무기염료를 함유한 천연 광천수와 인공적인 제품이 있다.

② 사이다(Cider)

탄산가스가 함유된 무색의 비알콜성 탄산음료이다. 사이다란 원래 사과술을 말하는데, 프랑스어로 사이다를 시드르(Cidre)로 말한다.

③ 콜라(Cola)

아프리카 원산지의 벽오동과의 상록교목으로 콜라원두와 다양한 과실의 에센스 그리고 단맛을 더한 탄산음료로 미국에서 개발되었다. <u>카페인(caffeine)이 커피에 비해 2~3배 함유</u>되어 있어서 <u>피로회복과 이뇨작용에 효능</u>이 있으며 신경 자극성이 있는 음료이다.

④ 토닉워터(Tonic Water)

<u>영국에서 식욕증진과 피로회복을 목적</u>으로 처음 개발한 무색, 투명한 음료로서 레몬, 오렌지, 라임, <u>키니네 껍질</u> 등의 엑기스에다 당분을 배합하여 만든 것이다. 쌉쌀하고 상쾌한 맛을 지닌 탄산음료로 칵테일에 많이 사용된다.

⑤ 진저에일(Ginger Ale)

탄산수에 생강의 풍미를 가한 것으로 에일이란 원래 맥주의 일종인 음료를 말하지만, 진저 에일에는 알코올 성분이 함유되어 있지 않다. 천연 혹은 인공 향료를 탄산음료에 넣고 설탕과 구연산으로 맛을 낸다.

(5) 유제품류(Dairy Products)

① 우유(Milk)

젖소의 젖샘에서 분비되는 특유한 향미와 단맛을 지닌 흰색의 불투명한 액체를 말한다. 유지방

분이 많은 것을 칵테일용으로 사용한다.

② 크림(Cream)

우유에서 유지방분 이외의 성분을 분리한 생크림을 말하며, 18~20%인 것을 라이트 크림(light cream), 40~50%인 것을 헤비 크림(heavy cream)이라 하는데, 칵테일에는 주로 라이트 크림을 사용한다.

(6) 칵테일용 얼음

① 블럭 아이스(Block Ice)

펀치(Punch)류나 컵(Cup)류의 칵테일을 만들 때 사용하는 1kg 이상의 덩어리 얼음을 말한다.

② 럼프 아이스(Lump Ice)

덩어리 얼음을 뜻하는 것으로 온 더 록(On the rock) 스타일의 칵테일에 사용된다.

③ 크랙트 아이스(Cracked Ice)

아이스픽(Ice Pick)으로 깨서 만든 깨진 얼음을 뜻한다.

④ 큐브 아이스(Cube Ice)

정육면체의 네모 반듯한 각 얼음을 뜻한다. 칵테일에 가장 많이 사용되는 얼음이다.

⑤ 크러쉬드 아이스(Crushed Ice)

'두들겨 으깬다'라는 의미로 보통 콩알 크기 형태의 으깬 얼음을 뜻한다.

⑥ 쉐이브드 아이스(Shaved Ice)

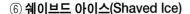

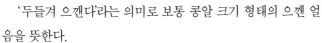

가루얼음을 뜻하는 것으로 프로즌 스타일(Frozen Style), 프라페 스타일

(Frappe Style)의 칵테일에 주로 사용한다.

· 칵테일용 얼음으로는 얼음 속에 공기가 들어가 있지 않은 냄새가 없고 투명하고 단단한 얼음이 좋다.

7. 칵테일 장식법

칵테일 장식(Garnish)은 칵테일의 맛을 한층 돋워줄 뿐 아니라 시각적으로 보기 좋게 만들어 주는 칵테일에 있어 매우 중요한 부분이다.

(1) 트위스트 레몬 필(Twist lemon peel)

가니쉬용 칼을 사용하여 과피와 과육사이를 돌려가며 껍질만을 벗겨내고, 글라스 위에서 양손의 엄지와 집게 손가락으로 비틀어 즙을 낸다.

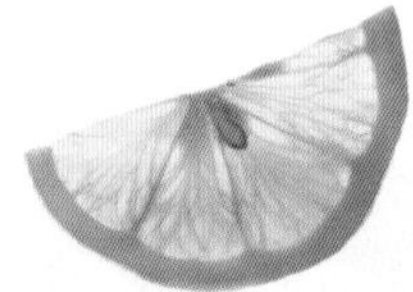

(2) 슬라이스 레몬(Slice lemon)

세로로 자른(1/2조각) 레몬을 양쪽 끝을 잘라내고 0.5cm 두께로 잘라내어 사용한다. 과육의 결은 부채꼴을 형상한다.

(3) 레몬 휠(Lemon wheal)

가로로 자른 레몬의 원형 모양으로 0.5cm 두께로 잘라 사용한다.

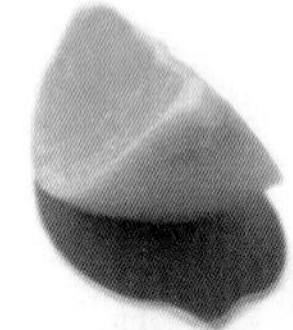

(4) 레몬 웨지(Wedge of lemon)

레몬의 전체 부분의 1/8조각 크기로 잘라 쓴다. 과육의 결이 수직이어야 한다.

(5) 슬라이스 오렌지(Slice orange)

가로로 자른 오렌지의 원형 모양으로 0.5cm 두께로 잘라 사용한다.

(6) 체리(Maraschino cherry)

칵테일에 사용하는 체리는 주로 버찌를 사용하며 꼭지가 붙어 있는 것은 칵테일에 바로 넣고, 그렇지 않은 것은 칵테일 픽에 꽂아 사용한다.

(7) 올리브(Olive)

칵테일용 올리브는 스터프드 올리브(Stuffed Olive)라 하여 올리브의 씨를

빼낸 뒤 그 자리에 피망을 끼워 넣는 것을 사용한다.

(8) 어니언(Pearl Onion)

작은 양파를 소금과 식초로 혼합하여 절인 것으로 흰색이며, 깁슨(Gibson)과 같은 드라이한 칵테일의 장식용으로 사용한다.

(9) 샐러리(Celery)

샐러리의 줄기 부분을 적당한 크기로 자른 후 사용한다.

(10) 소금 & 설탕 리밍(Salt & Sugar rimming)

라임 조각으로 잔의 림을 촉촉하게 적셔준 후, 설탕 또는 소금 접시 위에 잔의 림을 담그거나 돌린다. 라임 조각으로 잔의 림 내부에 있는 소금을 닦아내어 깨끗하게 해준다.

(11) 커피 빈(Coffee Bean)

로스팅 된 커피 원두를 사용한다.

(12) 넛 맥(Nut meg)

파우더 형태의 넛맥을 사용한다.

8. 칵테일 잔과 기구

(1) 글라스(Glass Ware)

① 샷 글라스(Shot Glass)

샷 글라스(Shot Glass), 또는 스트레이트 글라스(Straight Glass)라고도 하며 스트레이트로 마실 때 사용한다.

Shot Glass 용량 : 1온스(30mL), 1.5온스(45mL), 2온스(60mL)

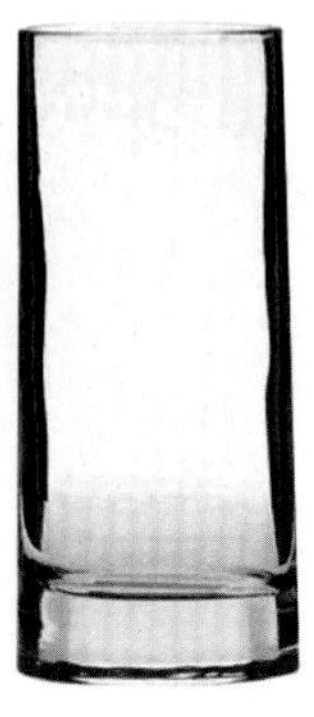

② **하이볼 글라스(Highball Glass)**

롱 드링크나 비알코올성의 음료에 사용되는 글라스로 보통 8온스의 원통형 글라스를 뜻한다.

Highball Glass/Sling Glass 용량 : 8온스(240mL)~12온스(360mL)

③ **올드 페션드 글라스(Old Fashioned Glass)**

온 더 록스(On the Rocks)로 마실 때에 사용되는 글라스다.

Old Fashioned Glass/Rock Glass 용량 : 6온스(180mL)~10온스(300mL)

Double old Fashioned Glass 용량 : 12온스(350mL)~16온스(440mL)

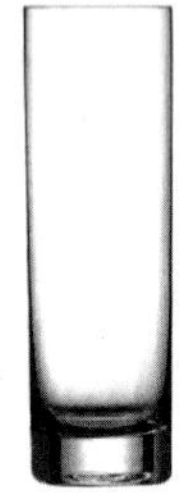

④ **콜린스 글라스(Collins Glass)**

원통형의 텀블러형 글라스로 하이볼 글라스보다 용량이 크다.

톨 콜린스 글라스, 보스턴 콜린스 글라스로 분류된다.

Collins Glass 용량 : 10온스(300mL)~14온스(410mL)

⑤ **마티니(칵테일) 글라스(Martini cocktail Glass)**

칵테일에 가장 많이 사용되는 글라스로 마티니(Martini)글라스로도 불린다.

Martini(cocktail) Glass 용량 : 6온스(180mL)~12온스(360mL)

⑥ **마가리타 글라스(Margarita Glass)**

프로즌 스타일의 마가리타를 만들때 사용하는 글라스다.

Margarita Glass 용량 : 6온스(180mL)~12온스(360mL)

⑦ **필스너 글라스(Pilsner Glass)**

체코 필스너 맥주를 마실 때 사용하던 라거 맥주용 글라스로 칵테일의 롱 드링크 조주시 사용된다.

Pilsner Glass 용량 : 14온스(420mL)~더 큰 용량

⑧ 아이리쉬 커피 글라스(Irish Coffee Glass)

아이리쉬 커피 칵테일을 조주시 사용되는 글라스로 손잡이가 달려 있는 것이 특징이다.

Irish Coffee Glass/Fizz Glass 용량 : 6온스(180mL)~더 큰 용량

⑨ 스니프터 글라스(Snifter Glass)

스니프터 글라스 또는 브랜디 글라스로 호칭하며, 브랜디를 마실 때 사용한다.

Brandy Snifter 용량 : 12온스(360mL)

⑩ 펀치 컵(Punch Cup)

파티에서 여러가지 과일주스와 과일, 리큐르를 혼합해 만든 펀치를 마실 때 사용한다.

Punch Cup 용량 : 6온스(180mL)~더 큰 용량

⑪ 코디얼 글라스(Cordial Glass)

리큐르 글라스라고 하며 코디얼 글라스라고도 불린다. 푸스카페나 레인보우 같은 플로팅 칵테일을 만들 때 사용한다.

Cordial Glass 용량 : 1온스(30mL)~더 큰 용량

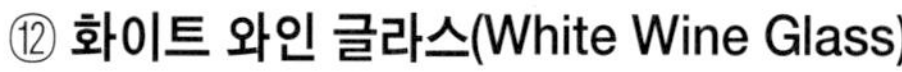

⑫ 화이트 와인 글라스(White Wine Glass)

화이트 와인을 마실 때 사용한다. 레드 와인 글라스에 비해 폭이 좁은 것이 특징이다.

White Wine Glass 용량 : 8온스(240mL)~더 큰 용량

⑬ 레드 와인 글라스(Red Wine Glass)

레드 와인을 마실 때 사용하는 글라스로 보울이 넓으며, 보르도 스타일과 버건디 스타일의 다양한 용량이 있다.

⑭ 셰리 글라스(Sherry Glass)

스페인 강화, 감미주인 셰리 와인(Sherry Wine)을 마실 때 사용한다.

Sherry Glass 용량 : 3온스(90mL)

⑮ 샴페인 글라스(Champagne Flute & Saucer Glass)

주로 발포성이 있는 스파클링 와인 글라스를 뜻하며, 통상적으로 입구가 가늘고 좁은 것과 입구가 넓은 소서형 샴페인 글라스로 분류된다.

Champagne(Flute &Saucer) 용량 : 6온스(180mL)~더 큰 용량

⑯ 사워 글라스(Sour Glass)

신맛의 레몬주스가 들어가는 칵테일에 사용되는 글라스다.

Sour Glass 용량 : 4.5온스(135mL)

⑰ 고블렛(Goblet)

맥주나 논알코올 칵테일, 얼음을 많이 넣는 칵테일 등에 사용한다.

Goblet Glass 용량 : 10온스(300mL)

글라스 손질법

글라스는 중성세제를 사용하여 스펀지로 닦고 세척 후 더운물로 다시 세척하여 겹치지 않도록 엎어놓는다. 물기 및 얼룩을 제거하여 광을 낸다.

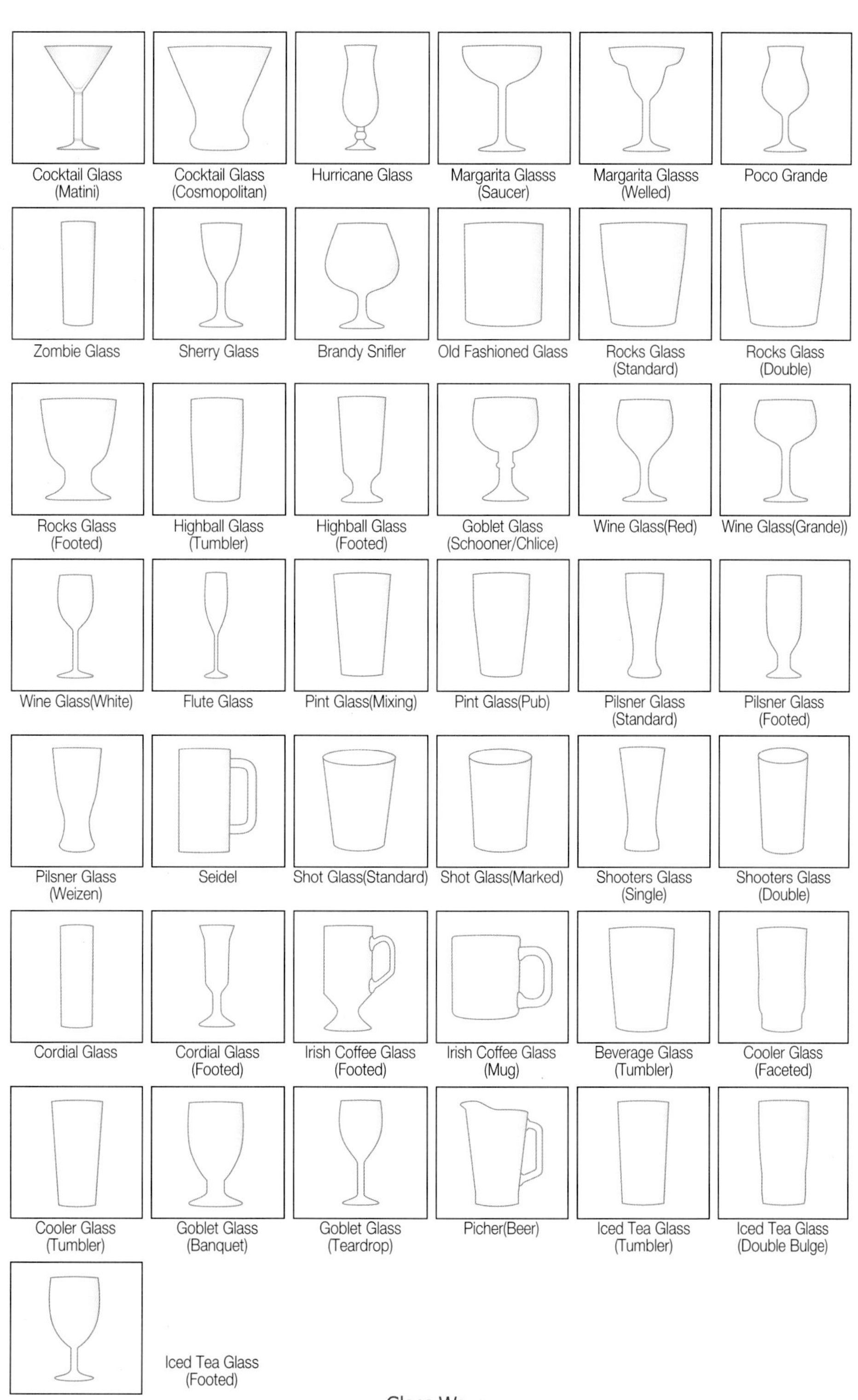
Cocktail Glass (Matini)
Cocktail Glass (Cosmopolitan)
Hurricane Glass
Margarita Glasss (Saucer)
Margarita Glasss (Welled)
Poco Grande
Zombie Glass
Sherry Glass
Brandy Snifler
Old Fashioned Glass
Rocks Glass (Standard)
Rocks Glass (Double)
Rocks Glass (Footed)
Highball Glass (Tumbler)
Highball Glass (Footed)
Goblet Glass (Schooner/Chlice)
Wine Glass(Red)
Wine Glass(Grande))
Wine Glass(White)
Flute Glass
Pint Glass(Mixing)
Pint Glass(Pub)
Pilsner Glass (Standard)
Pilsner Glass (Footed)
Pilsner Glass (Weizen)
Seidel
Shot Glass(Standard)
Shot Glass(Marked)
Shooters Glass (Single)
Shooters Glass (Double)
Cordial Glass
Cordial Glass (Footed)
Irish Coffee Glass (Footed)
Irish Coffee Glass (Mug)
Beverage Glass (Tumbler)
Cooler Glass (Faceted)
Cooler Glass (Tumbler)
Goblet Glass (Banquet)
Goblet Glass (Teardrop)
Picher(Beer)
Iced Tea Glass (Tumbler)
Iced Tea Glass (Double Bulge)
Iced Tea Glass (Footed)

Glass Ware

(2) 칵테일 기구(Bar Tool)

① 쉐이커(Shaker)

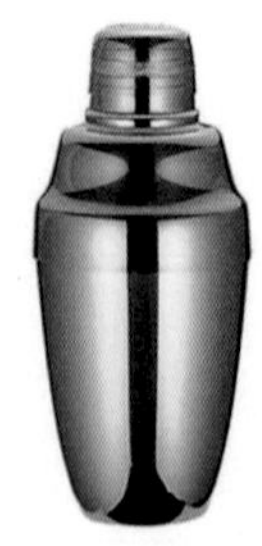

리큐르나 계란, 설탕, 꿀, 시럽, 크림 등 용해가 다소 어려운 재료들을 잘 섞이게 함과 동시에 차갑게 하는 기구로 ①캡(Cap), ②스트레이너(Strainer), ③바디(Body) 세 부분으로 구성되어 있다. 스텐다드 쉐이커(Standard shaker)라고도 한다.

② 보스턴 쉐이커(Boston Shaker)

열대성 과일이나 주스 등을 사용한 열대성 칵테일을 만들 때 쉐이크하는 기구로 스트레이너 없이 두 부분으로 나누어진다.

③ 믹싱 글라스(Mixing glass)

셰이커를 사용하지 않아도 잘 혼합될 수 있는 재료를 섞을 때에 사용된다. 칵테일 잔에 따르거나 걸러내기 전에 가볍게 저어주는 칵테일을 만들 때 사용한다. 금속성이나 유리제품 등이 있으며 스트레이너가 함께 사용된다.

④ 스트레이너(Strainer)

믹싱 글라스에 만든 칵테일을 글라스로 따를 때 얼음이 글라스에 들어가지 않도록 하는 기구이며, 원형 철판에 용수철이 붙어있고 부채 형태로 되어있다.

⑤ 지거(Jigger)

각종 액상의 주·부재료를 계량하는 표준 계량컵으로 보통 윗부분은 1온스(약 30mL)와 아랫부분은 $1\frac{1}{2}$온스(약 45mL)인 스탠다드 지거(Standard jigger)를 사용한다.

⑥ 바스푼(Barspoon)

바스푼 또는 믹싱스푼이라고도 하며 한쪽 부분은 스푼으로 다른 한쪽은 포크 형태로 되어있다. 주로 믹싱글라스에 재료를 섞거나 소량을 계량할 때 사용되고 띄우기 기법을 조주할 때 사용된다.

⑦ 아이스 버켓 & 통(Ice Bucket & Tongs)

아이스 페일(Ice Pail)이라고도 하며, 얼음을 넣어 두는 용기를 뜻한다. 아이스 통(Ice Tong)은 얼음을 집기 쉽도록 끝이 톱니 모양으로 된 얼음용 집게이다.

⑧ 아이스 픽(Ice Pick)

얼음을 잘게 부술 때 사용하는 얼음 송곳이다.

⑨ 스퀴저(squeezer)

레몬이나 오렌지, 라임 등 과일류의 즙을 짜기 위한 도구로서 가운데가 돌출된 용기이다. 유리제, 스텐인레스제, 도자기제, 플라스틱제 등이 있다.

⑩ 블렌더(Blender)

혼합하기 어려운 재료들을 섞거나 프로즌 스타일의 칵테일을 만들 때 사용한다. 미국에서는 블렌더(Blender)라 부르며, 믹서라고 하면 전동식 쉐이커, 스핀들 믹서(Spindle Mixer)를 지칭한다.

⑪ 아이스 크러셔(Ice Crusher)

칵테일용 얼음을 제조하는 기계이다. 잘게 갈아낸 얼음를 만들기 위한 수동형, 전동형의 얼음 분쇄기를 지칭한다.

⑫ 아이스 스쿱(Ice Scoop)

얼음을 떠내기 위한 도구이다. 스테인레스 제품과 플라스틱 제품 등이 있다.

⑬ 림머(Rimmer)

프로즌 스타일의 칵테일을 만들 때 쓰이는 도구로 3개의 층에 소금, 설탕 등을 따로 보관할 수 있다.

⑭ 프티 나이프(Petit Knife)

레몬이나 오렌지 등의 과일을 자르거나 깎을 때 사용하는 소형의 칼이다.

⑮ 커팅 보드(Cutting board)

도마와 같은 것으로 과일의 장식이나 커팅 시 사용된다.

⑯ 포우러(Pourer)

술의 손실 및 커팅을 용이하게 하기 위해 병 입구에 부착시키는 보조 병마개로 병에 끼워서 사용한다.

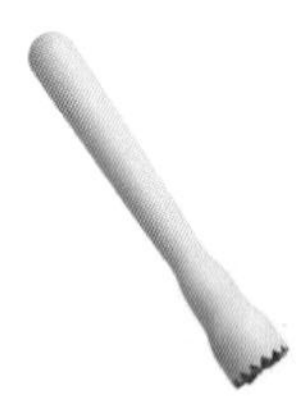

⑰ 머들러/스위즐 스틱(Muddler/Swizzle Stick)

레몬 또는 라임 등을 눌러 즙을 내거나 민트 등을 으깨거나 글라스의 내용물을 저을 때 사용한다.

⑱ 칵테일 픽(Cocktail pick)

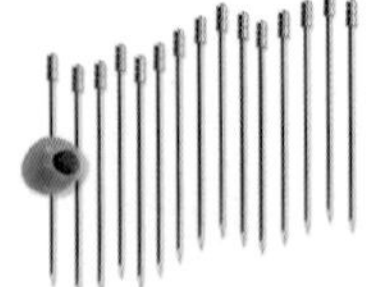

체리나 올리브 등의 과실의 장식을 할 때 사용하며, 칵테일 핀(Cocktail Pin) 이라고도 한다.

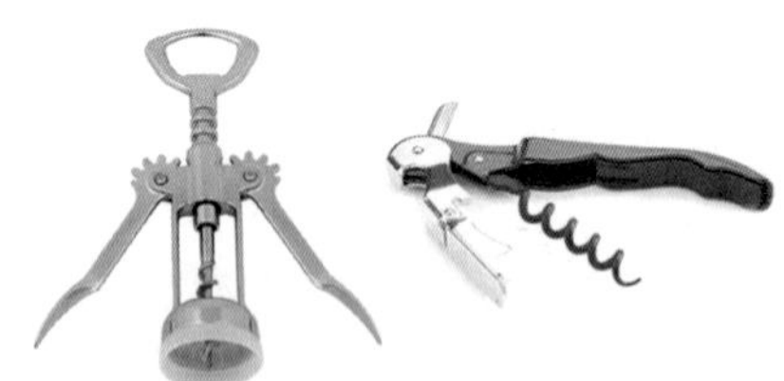

⑲ 코르크 스크루(Corkscrew)

와인의 코르크 마개를 뽑기 위해 사용하는 와인 오프너, 버터플라이(butterfly) 형식과 소믈리에 나이프(Sommelier knife) 두 가지로 분류된다.

⑳ 스트로(Straw)

빨대를 뜻하는 것으로 드링킹 스트로(Drinking Straw)와 칵테일을 혼합시키기 위한 것으로 스터링 스트로(Stirring Straw) 두 가지로 분류된다.

㉑ 스토퍼(Stopper)

콜라나 사이다, 샴페인 같이 탄산가스가 들어 있는 병에 마개를 개봉한 후 탄산 가스가 날아가지 않게 막아 놓는 기구이다.

㉒ 오프너(Opener)

병마개를 오픈할 때 사용되는 도구로 통조림류의 캔류를 딸 때 사용하는 캔 오프너도 있다.

㉓ 코스터(Coaster)

글라스의 받침으로 칵테일을 손님에게 내놓기 전에 먼저 깔아 두는 것으로 글라스 메트(Mat) 혹은 텀블러 매트(Tumbler Mat) 라고도 한다.

㉔ 바 타월(Bar Towel)

글라스에 물기나 얼룩을 제거할 때 사용하는 린넨 천류이다.

9. 칵테일 계량 및 단위

표준 계량단위

구분단위	용량	비고
1 Drop(드롭)	약 1/5mL	1 방울(약 1/32oz)
1 Dash(대쉬)	약 1mL	5~6 방울
1 tsp(Tea Spoon, 티스푼)	약 4mL	1/8 oz
1 tbsp(Table Spoon, 테이블 스푼)	약 15mL	1/2 oz
1 oz(Ounce 온스)	약 30mL	1 oz
1 Pony(포니)	약 30mL	1 oz
1 Jigger(지거)	약 45mL	1.1/2 oz
1 Split(스프릿)	180mL	6 oz, 1 홉
1 Cup(컵)	240mL	8 oz
1 Pound(파운드)	480mL	16 oz
1 Pint(파인트)	480mL	16 oz, 0.5 쿼터
1 Fifth(휘프스)	750mL	25.5 oz
1 Quart(쿼터)	960mL	32 oz
1 Litter(리터)	1,000mL	33 oz
1 Gallon(갤런)	4,000mL	133 oz

10. 칵테일 용어

① 드라이(dry) : 단맛이 적고 쓴맛이 나는 것에 사용되는 용어

② 레시피(recipe) : 음식의 조리법을 뜻하는 용어로 칵테일에 사용되는 주·부재료의 용량을 뜻하기도 한다.

③ 베이스(base) : 칵테일을 만들 때 사용 되는 기주(베이스)를 말한다. 칵테일을 만들 때 기본이 되는(분량이 많은) 양주를 말한다.

④ 스피리츠(spirits) : 주정제(酒精製)의 뜻을 포함한 증류주의 총칭

⑤ 싱글(single) : 술의 용량을 나타내는 것으로 30mL를 말하며 더블은 그 2배이다.

⑥ 스노 스타일(snow style) : 글라스 가장자리에 레몬즙을 묻히고 그 위에 설탕을 묻혀 장식하는 가니쉬 방법

⑦ 슬라이스(slice) : 레몬이나 오렌지 등의 과실을 얇게 커팅한 것이다.

⑧ 체이서(chaser) : 독한 술을 마신 후 입가심으로 마시는 물이나 탄산수이다.

⑨ 푸어링(pouring) : 계량 후 글라스 술을 붓는 방법이다.

⑩ 필(peel) : 과일 껍질을 이르는 말인데, 여기서는 레몬이나 오렌지의 작은 조각을 강하게 움켜쥐어 칵테일에 즙을 짜 넣어 향을 내는 것을 말한다.

칵테일의 알코올 도수 계산법

· 칵테일의 알코올 도수={(재료알코올 도수×사용량)+(재료알코올도수×사용량)/총 사용량}

알코올 도수 표기법

1. Proof

미국이나 영국에서 생산한 술의 일부는 proof 라 적혀있는데, proof의 표기법은 과거 주세법과 관련이 있다. 1700년대에 스코틀랜드에서 증류주에 대해서 주세를 부과하게 되었는데 양조업자과 분쟁이 일어났다. 알코올 도수에 따라 부과하는 종량제 세금의 기준이 되는 알코올 농도의 측정 여부를 신뢰하지 못해서이다. 당시 알코올 농도 측정방식은 아래와 같다.

(1) 기름이 알코올에 가라앉는 형태를 보고 측정하는 방식
(알코올 비중은 0.79로 물보다 가벼우므로 알코올 농도가 높은 술에는 기름이 가라앉는 원리를 이용)

(2) 알코올의 인화성을 이용하는 방법

① 화약을 술에 부어서 불을 붙힌 후 불이 붙지 않으면 언더 푸르프(Under Proof)

② 불꽃이 붙어 있으면 푸르프(Proof)

③ 화약이 폭발하면 오버 푸르프(Over Proof)

결국 화약에 불이 붙는 여부로 proof(증명)라는 단어가 생겼다.

2. %

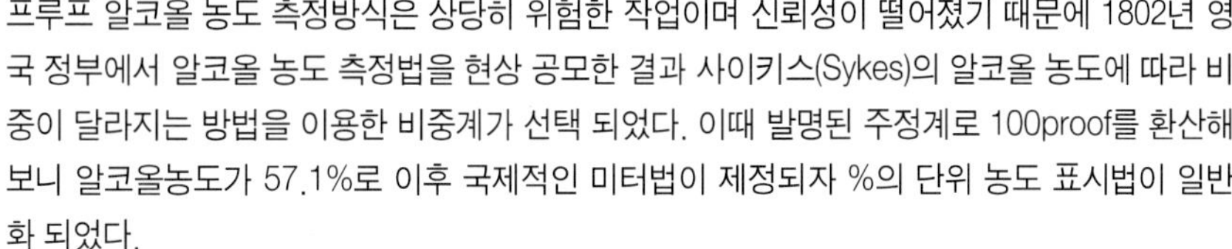

프루프 알코올 농도 측정방식은 상당히 위험한 작업이며 신뢰성이 떨어졌기 때문에 1802년 영국 정부에서 알코올 농도 측정법을 현상 공모한 결과 사이키스(Sykes)의 알코올 농도에 따라 비중이 달라지는 방법을 이용한 비중계가 선택 되었다. 이때 발명된 주정계로 100proof를 환산해 보니 알코올농도가 57.1%로 이후 국제적인 미터법이 제정되자 %의 단위 농도 표시법이 일반화 되었다.

(1) 미국에서는 알코올 농도 50%를 100 proof라 정했다. 결국 100proof는 50%를 의미한다.

(2) 현재 우리나라는 술 100mL에 들어 있는 알코올의 mL를 알코올 농도로 표시한다. 주세법에는 주정도라 하여 도 단위를 사용하는데 이는 부피의 %와 같은 의미다. 결국 40도는 40%의 알코올인 셈이다.

chapter_07 비알코올성 음료

I. 다류 Tea

1. 차의 정의

차(茶)는 차나뭇과에 속하는 다년생 상록식물인 차나무(학명=Camellia sinensis L.)의 어린잎이나 순을 재료로 하여 만든 기호음료이다.

2. 차의 역사

차의 역사는 대략 5,000년 전 신농씨(神農氏)가 처음 차를 마신 것에 기원을 두고 있다. 이는 여러 음료 중에서 가장 오랜 역사를 가지고 있는데, 처음에는 음료보다는 약용으로 사용되다가 6세기

이후 당나라 시대부터 음료로 이용되었다. 유럽에는 포르투갈과 네덜란드 상인이 중국에서 수입하여 17세기에 이르러 차가 전해졌다. 오늘날 전 세계 음료의 60% 이상을 차지하고 있는 차는 세계 3대 기호음료가 되었다.

3. 차의 분류와 종류

(1) 침출차(Leached Tea)

침출차는 식물의 어린 싹이나 씨앗, 잎, 꽃, 줄기, 뿌리, 열매 또는 곡류 등을 주원료로 하여 가공한 것으로서 물에 침출하여 차 고유의 성분을 우려내서 음용하는 기호성 식품으로 정의하고 있다. 침출차는 단일침출차와 혼합침출차로 분류되며 단일침출차로는 녹차, 우롱차, 홍차, 가공 곡류차 등이 있다.

① 녹차(Green Tea)

동백나무과(Theaceae) 카멜리아 시넨시스(Camellia sinensis)의 싹이나 잎을 제조 공정 중에 발효시킨 불발효차(不醱酵茶)로서 찻잎을 채취해 바로 가열함으로써 차 잎에 존재하는 효소를 불활성화하여 제조하는 차를 말한다.

② 우롱차(Oolong Tea)

동백나무과(Theaceae) 카멜리아 시넨시스(Camellia sinensis)의 싹이나 잎을 산화효소로 반 발효시킨 반 발효차를 말한다.

③ 홍차(Black Tea)

동백나무과(Theaceae) 카멜리아 시넨시스(Camellia sinensis)의 싹이나 잎을 제조 과정 중 잎의 산화효소에 의하여 발효시킨 후 건조한 것을 말한다.

④ **가공 곡류차(Process Cereals Tea)**

단일 또는 여러 종의 곡류를 가공한 것을 말한다.

(2) 추출차(Extracted Tea)

추출차는 고형추출차와 액상추출차로 나뉘며, 식물성 물질을 주원료로 하여 그대로 착즙하거나 추출한 것을 가공한 것 또는 이에 다른 식품이나 식품첨가물을 가하여 고형 또는 액상 등으로 가공한 기호성 식품을 말한다.

(3) 과실차(Fruits Tea)

과실의 즙, 과피, 과육 등에 다른 식품이나 식품첨가물을 가하여 분말 또는 액상으로 가공한 것을 물에 희석하여 음용하는 것을 말한다. 모과차, 유자차, 석류차, 오과차, 사과차 등이 있다.

II. 커피 Coffee

1. 커피의 정의

커피나무에서 생두를 수확하여, 가공공정을 거쳐 볶은 후 한 가지 혹은 두 가지 이상의 원두를 섞어 추출하여 음용하는 기호음료이다.

2. 커피의 어원

어원은 아랍어인 카파(Caffa)로서 '힘'을 뜻하며, 에티오피아에서는 커피나무가 야생하는 곳을 가리키기도 한다.

3. 커피의 역사

커피의 기원에 대한 정확한 기록이나 자료는 없다. 다만, 커피에 대한 설이 있을 뿐이다. 기원전 6~7세기경 아프리카 에티오피아(Ethiopia)의 험준한 산맥에서 염소를 기르던 목동 칼디(Kaldi)는 방목해둔 염소가 붉은 열매를 먹고 흥분하여 밤이 되어도 날뛰고 달리는 것을 보게 된다. 이에 칼디는 염소가 먹었던 붉은 열매를 먹고 온몸에 활기가 넘치는 것을 경험하게 되는데 이를 수도승에게 고하자 이것을 섭취한 수도승은 잠을 쫓고 머리를 맑게 해주는 약으로 이슬람 사원에서 수행의 묘약으로 사용하게 된다.

역사 문헌 속 커피에 관한 내용 중 이란의 의학자인 라제스(Rhazes, 865~922)는 자신의 저서 "의학집성"에서 커피를 약으로 기술한다. 이어서 이슬람의 의학자 아비세나(Avicenna, 980~1037)도 그의 저서 "의학법전"에서 커피에 대한 효능을 서술했다. 이 두개의 문헌은 12~13세기에 라틴어로 번역되어 17세기까지 의학서로 활용된다.

커피는 13세기 아라비아 반도의 예멘(Yemen)지역에서부터 처음 재배 되었으며, 15세기 무렵 전 아랍세계로 전해진다. 그 당시 커피의 재배는 아라비아의 예멘에서만 제한적으로 이루어졌고, 다른 지역으로 반출이 제한되어 커피 재배는 쉽게 전파되지 않았다. 하지만, 16세기 유럽의 식물학자와 여행가들이 지중해 동부로부터 밀반출한 커피를 전하기 시작하였고 네덜란드에 전해진 인도의 커피 묘목은 전 유럽에 전파된다.

초기의 커피음료는 커피콩을 둘러싸고 있는 껍질과 과육으로 제조해내는 방식과 커피 콩 그 자체만으로 만들어 내는 방식이었는데, 지금과 같이 커피를 볶아서 마시게 된 것은 1450년경 페르시아(Persia)로 추측된다. 한국에서는 1895년 러시아 공사관에 머물던 고종황제가 처음 커피를 마셨다고 전해진다.

4. 커피의 제조과정

(1) 수확(Harvest)

커피 열매의 수확기는 지리적 위치에 따라 다르다. 수확하는 방법은 크게 두 가지로 따내기와 훑기가 있다.

(2) 건조, 발효(Drying, Fermentation)

건조 방법에는 습식법과 건식법이 있다. 습식법은 열매를 물속에서 발효하여 각질과 과육을 없앤 뒤 다시 말려서 껍질을 벗겨내는 과정을 거친다. 건식법은 열매를 말린 뒤 기계로 껍질을 벗겨내는 방법이다. 커피의 발효는 숙성시키는 과정으로 짧게는 6시간, 길게는 3일 정도로 한다.

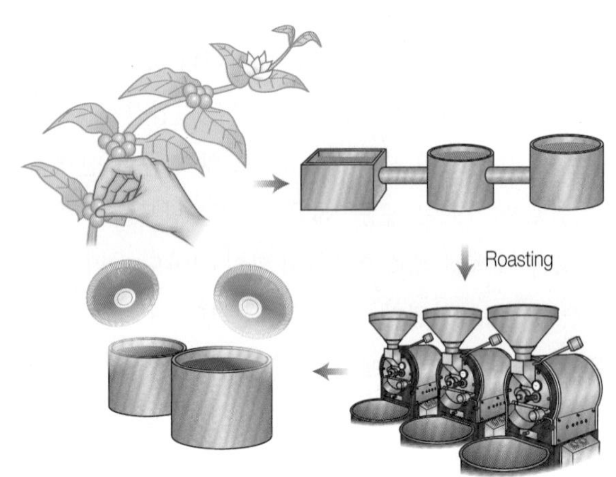

(3) 볶기(Roasting)

로스팅(Roasting)은 원두에 열을 가해 맛과 향을 내는 과정이다. 보통 12~20분 동안 180~200℃에서 볶으며 바로 냉각한다.

(4) 배합(Blending)

블랜딩(Blending)은 볶기 전 또는 볶은 뒤에 서로 다른 원두를 섞어 좋은 맛과 향을 얻기 위한 과정이다. 보통 중성의 원두를 기본으로 해서 2종에서 5종의 원두를 섞으며 너무 많은 종류를 섞는 것은 좋지 않다.

(5) 분쇄(Grinding)

볶은 원두를 갈아서 가루로 만드는 과정이다. 볶은 원두는 빠른 속도로 산화하여 질이 떨어지므로 추출하기 바로 전에 갈아야 고유의 맛과 향을 느낄 수 있다.

(6) 포장(Packing)

커피의 포장 방법에는 밸브포장, 진공포장, 질소포장의 3가지 방법이 대표적으로 쓰이고 있다. 주로 장기 보관을 위해 진공포장을 한다. 또한 산소의 함유량을 낮추기 위해 불활성 가스의 주입과 함께 사용된다.

5. 커피의 분류

(1) 커피 원종에 따른 분류

커피나무 열매가 붉게 익으면 과육이 벌어지면서 푸른빛을 띤 생두가 나오는데, 이것을 말려서 볶은 뒤 가루를 내어 사용한다. 오늘날 상업적으로 재배하는 품종은 아라비카종(Arabica)과 로부스타종(Robusta) 및 리베리카종(Liberica)의 3대 원종이 있다.

① 아라비카종(Arabica)

에티오피아 원산으로서 해발 500~1,000m의 높은 지대와 15~25℃의 온도에서 잘 자란다. 병충해에 약한 단점이 있으나 향미가 뛰어나고 다른 종에 비해 카페인이 적다. 브라질, 콜롬비아, 멕시코, 과테말라, 에티오피아 등지에서 생산하며 전 세계 커피 생산량의 약 70~80%를 차지한다.

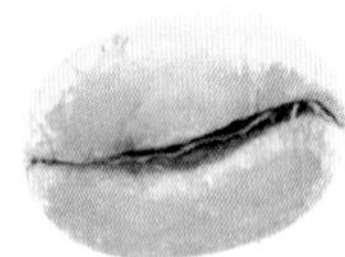

② 로부스타종(Robusta)

콩고 원산으로서 평지와 해발 600m 사이의 낮은 지대에서 잘 자란다. 아라비카종에 비해 병충해에 강하지만 산미가 약한 특징으로 인스턴트 커피로 이용된다. 전 세계 생산량의 25%를 차지하며 인도네시아, 우간다, 콩고, 가나, 필리핀 등지에서 생산한다.

③ 리베리카종(Liberica)

낮은 온도와 병충해에 강하고 100~200m의 낮은 지대에서도 잘 자란다. 스리남, 리베리카아에서 생산하며 생산량은 다소 적다. 주로 배합용으로 쓰인다.

(2) 생산지에 따른 분류

① **콜롬비아 :** 커피의 대표생산지로 부드러운 향미가 특징이다.

② **예멘 모카 :** 독특하고 달콤한 향에 부드러운 신맛이 특징으로 스트레이트용이나 배합용으로 사용된다.

③ **브라질 :** 부드러운 풍미에 적당한 쓴맛이 균형 잡힌 조화가 특징이다.

④ **블루마운틴 :** 자메이카 생산지로 부드러운 향미가 특징이다.

⑤ **과테말라 :** 풍부한 향과 단맛과 신맛을 지닌 품종으로 부드러우면서도 톡 쏘는 맛이 특징이다.

⑥ **수마트라 :** 인도네시아 원산지로 쓴맛을 줄이고 맛을 풍부하게 하기 위하여 여러 해 동안 숙성하기도 한다.

⑦ **코스타리카 :** 부드러운 향미와 균형 잡힌 밸런스가 특징인 고산지대의 커피이다.

⑧ **하와이 코나 :** 하와이 원산지로 희귀한 고급원두이다. 풍미가 부드럽고 신맛과 매콤한 맛이 특징이다.

⑨ **탄자니아 :** 아프리카 동부가 원산지로 과일맛과 신맛이 특징이다.

(3) 제품 형태에 따른 분류

① **혼합커피(Blended Coffee) :** 2종 이상의 커피를 혼합하여 만든 커피이다.

② **향커피(Flavored Coffee) :** 인공향을 커피원두 자체에 부착시키는 방법으로 만든 커피이다.

③ **디카페인 커피(Decaffeinated Coffee) :** 정제 과정에서 카페인을 제거한 커피이다.

④ **레귤러 커피(Straight, Origin Coffee) :** 원두커피를 본래 그대로 음용한 커피이다.

(4) 로스팅(Roasting)에 따른 분류

① **그린 빈(Green Bean) :** 볶기 전의 생두 초기의 상태

② **라이트 로스팅(Light Roasting) :** 생두를 로스팅한 초기 단계

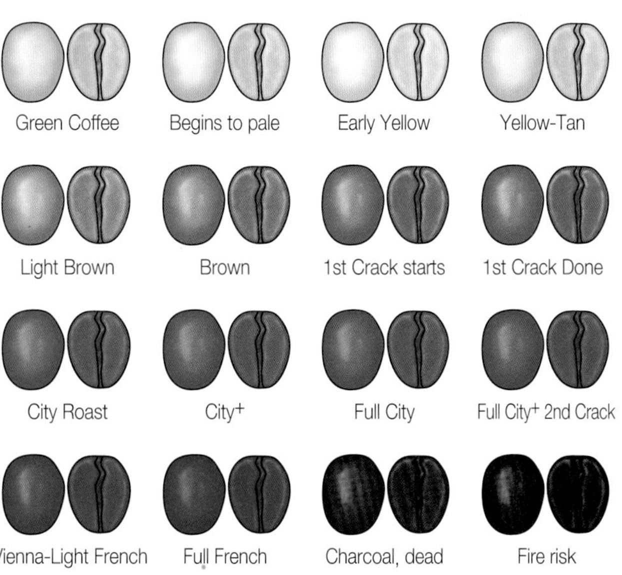

③ **시나몬 로스팅(Cinnamon Roasting) :** 중간까지의 볶음상태로 커피생두의 외피가 제거되는 단계

④ **미디엄 로스팅(Midium Roasting) :** 볶음상태로 추출해서 마실 수 있는 기초단계

⑤ **하이 로스팅(High Roasting) :** 향이 변화하기 바로 앞까지의 볶음상태로 일반적인 커피의 단계

⑥ **시티 로스팅(City Roasting) :** 향이 풍부한 갈색을 띠는 볶음상태

⑦ **풀 시티 로스팅(Full City Roasting) :** 향이 정점에 달하는 단계로 짙은 갈색의 볶음상태

⑧ **프렌치 로스팅(French Roasting) :** 검은 갈색이 되는 볶음상태

⑨ **이탈리안 로스팅(Italian Roasting) :** 에스프레소용으로 많이 사용되는 진한 맛의 볶음상태

(5) 커피 메뉴에 따른 분류

① 에스프레소(Espresso)

이탈리아어로 '빠르다'는 뜻으로 30초 안에 빠르게 추출하는 커피이다. 모든 커피 메뉴의 기본으로 설탕이나 크림 등의 다른 첨가물을 넣지 않고 음용한다.

② 마키아토(Macchiato)

'에스프레소에 우유 거품을 얹어 점을 찍는다(Marking)'는 의미로 에스프레소와 우유 거품이 조화된 커피다.

③ 콘파냐(Con panna)

에스프레소 위에 휘핑크림(생크림)을 얹은 것으로 달콤한 맛이 특징이다. 추출한 에스프레소에 설탕을 넣은 뒤 생크림을 올리면 완성된다.

④ 카페라테(Caffe latte)

라테는 '우유'를 의미한다. 우유를 이용해서 만드는 대표적인 커피로 프랑스에서는 카페오레로

불린다. 따뜻한 우유를 잔에 부은 다음 커피를 붓고 섞으면 완성된다.

⑤ 아메리카노(Americano)

에스프레소에 뜨거운 물을 넣어서 진하고 쓴맛을 줄인 커피이다. 에스프레소를 추출한 다음 뜨거운 물을 넣으면 완성된다. 기호에 따라 설탕이나 시럽을 넣어 마신다.

⑥ 카푸치노(Cappuccino)

전통 이탈리아 커피로서 진한 에스프레소 커피에 우유를 더하고 증기를 쐬어 거품을 일으킨 것이다. 에스프레소를 추출한 다음 우유를 붓고 그 위에 우유거품을 올려 주면 완성된다.

⑦ 카페모카(Cafe Mocha)

에스프레소(Espresso)에 우유와 생크림, 초콜릿을 첨가하여 만든 커피이다. 초콜릿 시럽을 잔에 넣은 다음 추출한 에스프레소를 부어 준다. 그 다음 데운 우유를 넣고 저어주고, 그 위에 생크림을 얹으면 완성된다.

커피 벨트(Coffee Belt)

전 세계 적도를 중심으로 북위와 남위(25도~25도)사이에서만 재배가 가능한 지역을 말한다.

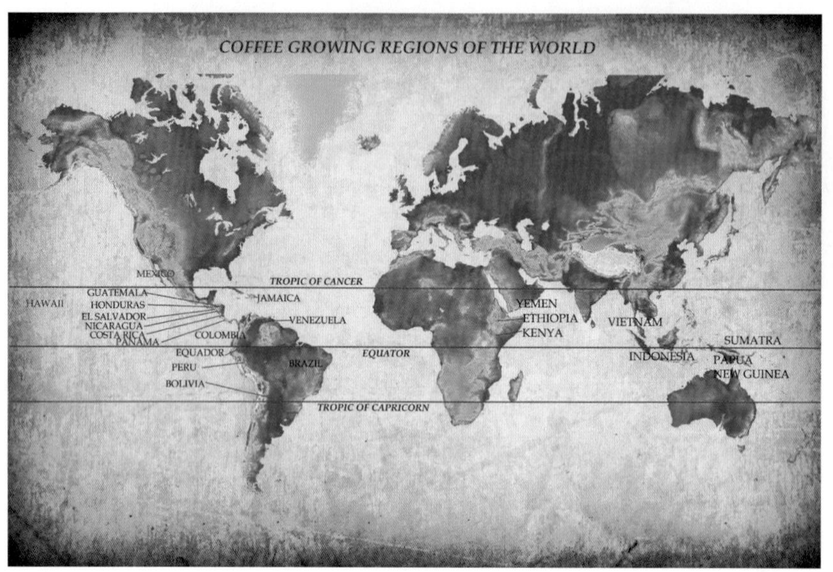

Ⅲ. 음료류

1. 과실 · 채소음료(Fruit and Vegetable Drink)

(1) 과실 · 채소음료의 정의

과실 또는 채소를 주원료로 하여 가공한 것으로서 직접 또는 희석하여 음용하는 농축과실즙, 농축채소즙, 농축과 · 채즙, 과실주스, 채소주스, 과 · 채주스, 과실음료, 채소음료, 과 · 채음료를 뜻한다.

(2) 과실 · 채소음료의 종류

칵테일 조주 시 많이 사용하는 주스류는 다음과 같다.

㉠ 레몬 주스(Lemon Juice)
㉡ 라임 주스(Lime Juice)
㉢ 오렌지 주스(Orange Juice)
㉣ 파인애플 주스(Pineapple Juice)
㉤ 그레프룻 주스(Grapefruit Juice)
㉥ 토마토 주스(Tomato Juice)
㉦ 크렌베리 주스(Cranberry Juice)
㉧ 애플 주스(Apple Juice)
㉨ 그레이프 주스(Grape Juice)
㉩ 체리 주스(Cherry Juice)

2. 탄산음료(Carbonated drink)

(1) 탄산음료의 정의

탄산음료란 탄산가스를 함유한 약초나 향초를 넣은 음료를 총칭한다.

(2) 탄산음료의 역사

탄산음료는 1772년 조셉 프리스틀리(Joseph Pristry)에 의해 인공탄산수를 제조하는데 성공한 후 스위스 쥬네브에서 상업적인 생산이 시작되었고, 미국 하이램 콘라드(Hiram Conrad)가 병목을 막는 방법을 개발한 후 윌리엄 페인터(William Painter)가 병마개를 만들면서 수월한 유통과 함께 발전하게되었다.

(3) 탄산음료의 종류

① 소다수(soda water)

소다수는 탄산가스와 무기염류를 함유한 물이며, 천연의 광천수와 인공적으로 제조된 것이 있다. 소다수의 이름은 탄산가스를 만들 때 중탄산소다를 사용한데서 붙여진 이름이다.

② 토닉워터(Tonic Water)

영국에서 만든 무색투명한 탄산음료 소다수에 키니네 나무껍질에서 얻어낸 엑기스인 키니네(Quinine)와 기타 향료를 섞어 약간의 당분을 포함하여 만든 음료이다. 식욕증진과 피로회복을 목적으로 만든 보건음료이다.

③ 진저엘(Ginger ale)

적도 아프리카에서 생산되며, 생강엑기스에 구연산, 기타향료를 섞어 카라멜로 착색한 청량음료이다. 식용증진의 효과가 있다.

④ 콜라(Cola)

미국에서 발명한 콜라는 원료가 콜라의 열매(Cola nut)이다. 이는 서아프리카, 서인도제도 및 열대지방에서 널리 재배되고 있다. 콜라의 원두를 볶아서 알코올에 첨가한 후 콜라 엑기스를 레몬, 라임, 오렌지, 너트맥, 카시아, 시나몬, 세로리, 코리엔더 및 바닐라 등을 함유하고 탄산가스를 넣어준다. 콜라는 커피에 비해 카페인이 2~3배 되는데, 식용증진과 피로회복, 이뇨작용에 효과가 있다.

⑤ 카린스 믹서(Collins Mixer)

소다수에 레몬과 설탕, 액상과당, 구연산 등 성분을 혼합한 탄산음료이다.

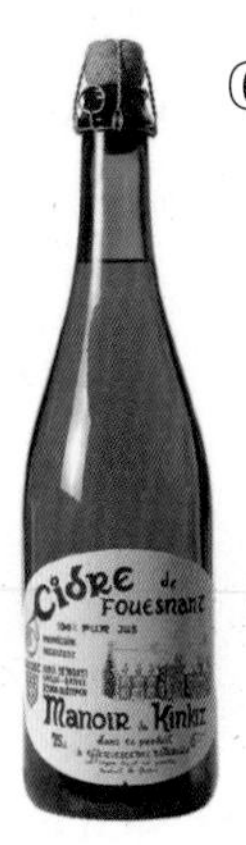

⑥ 사이다(Cider, Cidre)

사이다(Cider, Cidre)는 사과를 발효시켜 만든 일종의 과실주로 알코올 함유량은 1~6% 정도가 되는 양조주이다.

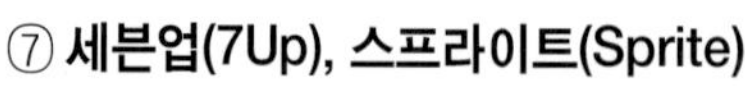

⑦ 세븐업(7Up), 스프라이트(Sprite)

소다수에 액상과당, 설탕, 탄산가스, 구연산, 구연산 나트륨, 레몬, 라임향 등을 원료로 만든 무색 · 투명한 청량음료이다.

3. 기타 음료류

(1) 비탄산음료(Non-Carbonated Drink)

① 물(Water)

무색, 무취의 물로 우리가 흔히 마시는 깨끗한 물을 뜻한다.

② 광천수(Mineral Water)

천연광천수(Natural Mineral Water)는 생수라 불리는 것으로 광물질(무기질)이 다량 함유된 천연수를 말한다.

세계 3대 광천수

① 비시 워터(Vichy Water) : 프랑스 중부의 알리에(Allier)지방 산
② 에비앙 워터(Evian Water) : 프랑스와 스위스 국경지대 산
③ 독일 셀처(Seltzer) : 독일의 비스바덴 지역 산

4. 유제품 음료(Milk Products)

(1) 유제품 음료의 정의

우유 또는 그 일부를 원료로 해서 얻어진 가공제품의 총칭이다. 분유류(전분유, 탈지분유, 조제분유 등), 농축연유, 아이스크림유, 크림, 버터, 치즈, 발효유, 락트산균음료 등이 있다.

(2) 유제품 음료의 종류

① 우유(Milk)

기원전 6,000~3,000년에 이미 우유와 그 가공기술을 터득하였으며, 기원전 2,000년에 젖소를 사육하여 생산된 우유로 버터를 제조하였음을 알 수 있다. 또한 문헌상으로는 바빌로니아, 그리스 등지에서 우유를 마시는 습관이 있었다는 기록도 있다. 종류로는 생유, 양유, 탈지유, 가공유 등이 있다.

② **유제품(Milk Products)**

몽고인들이 우유를 건조시켜 분유를 만들었다고 한다. 공업적으로 분유가 생산되기 시작한 것은 영국에서 분유제조방법에 관한 특허를 받고 1855년 처음으로 상품화되면서이다. 종류로는 크림, 버터, 치즈, 전분유, 탈지분유, 발효유 등이 있다.

③ **크림(Cream)**

우유는 가공을 해서 시유, 연유, 분유, 조제유, 크림, 요구르트, 아이스크림, 버터, 치즈를 만든다. 우유를 그대로 두면 층이 생기는데 그것이 지방분이다. 생크림은 그 크림층을 모은 것이므로 보통 우유보다 지방이 훨씬 많다. 종류로는 생크림(Fresh Cream), 휘핑크림(Whipping Cream), 버터(Butter) 등이 있다.

④ **요구르트(Yogurt)**

요구르트는 우유 및 유제품을 열처리한 배합물에 유산균인 락토바실러스 불가리커스(Lactobacillus bulgaricus) 및 스트렙토고커스 더모필러스(Streptococcus thermaphilus) 등을 배양해 산을 발생시킨 유제품이라고 정의 할 수 있다.

Part 01. 주류학개론

출제예상문제

| chapter 01 | 음료론

1. 소주의 농도가 25%라고 한다. 어떤 의미인가?

가. 소주 한병에 25%의 알콜이 들어 있다.

나. 100cc속에 25cc의 알콜이 들어 있다.

다. 100cc속에 50g의 알콜이 들어 있다.

라. 소주 한 병에 25g의 알콜이 들어 있다.

정답 나

알코올 농도는 100cc속에 포함되어 있는 알코올의 양을 말한다.

2. 양조주가 아닌 술은?

가. 소주　　나. 적포도주

다. 맥주　　라. 청주

정답 가

소주는 증류주이다.

3. 다음 중 양조주에 속하는 것은?

가. augier　　나. canadian club

다. martell　　라. chablis

정답 라

프랑스 부르고뉴 지방의 화이트 와인이다.

4. 우리나라 주세법에 의한 술은 알코올분 몇 도 이상인가?

가. 1도　　나. 3도

다. 5도　　라. 10도

정답 가

주세법상 주류는 알코올분이 1도 이상 함유된 음료를 뜻한다.

5. 술을 제조방법에 따라 분류한 것으로 옳은 것은?

가. 발효주, 증류주, 추출주　　나. 양조주, 증류주, 혼성주
다. 발효주, 칵테일, 에센스주　　라. 양조주, 칵테일, 여과주

정답 나

제조 방법에 따라 크게 세 가지로 구분할 수 있다.

6. 우리나라 주세법에 의한 정의 및 규격이 잘못 설명된 것은?

가. 알코올분의 도수 : 15℃에서 원 용량 100분 중에 포함되어 있는 알코올분의 용량

나. 불휘발분의 도수 : 15℃에서 원 용량 $100cm^3$ 중에 포함되어 있는 불휘발분의 그램 수

다. 밑술 : 전분물질에 곰팡이를 번식시킨 것

라. 주조연도 : 매년 1월 1일부터 12월 31일까지의 기간

정답 다

"밑술" 이라 함은 효모를 배양 · 증식한 것으로서 당분이 포함되어 있는 물질을 알콜발효시킬 수 있는 물료를 말한다.

7. 양조주에 대한 설명으로 옳은 것은?

가. 당질 원료 또는 당분 질 원료에 효모를 첨가하여 발효시켜 만든 술이다.

나. 발효주에 열을 가하여 증류하여 만든다.

다. Amaretto, Drambuie, Cointreau 등은 양조주에 속한다.

라. 증류주 등에 초근, 목피, 향료, 과즙, 당분을 첨가하여 만든 술이다.

정답 가

8. 다음 ( )안에 알맞은 것은?

( ) is the chemical process in which yeast breaks down sugar in solution into carbon dioxide and alcohol.

가. Distillation　　나. Fermentation
다. Classification　　라. Evaporation

정답 나

당분을 발효시켜 만드는 양조주에 대한 설명이다.

9. 다음 중 병행복발효주는?

가. 와인　　나. 맥주
다. 사과주　　라. 청주

정답 라

당화와 발효가 동시에 진행되는 발효를 병행복발효주라 하고 대표적으로 청주를 들 수 있다.

10. 다음 중 ( ) 안에 알맞은 것은?

> ( ) is the chemical interaction of grape sugar and yeast cells to produce alcohol, carbon dioxide and heat.

가. Distillation

나. Maturation

다. Blending

라. Fermentation

정답 라

당분이 발효되는 과정에서 알코올과 이산화탄소, 열이 발생한다.

11. Fermented Liquor에 속하는 술은?

가. Chartreuse　　나. Gin

다. Campari　　라. Wine

정답 라

Wine은 대표적인 양조주이다.

12. 알코올분의 도수의 정의는?

가. 섭씨 4도에서 원용량 100분 중에 포함되어 있는 알코올분의 용량

나. 섭씨 15도에서 원용량 100분 중에 포함되어 있는 알코올분의 용량

다. 섭씨 4도에서 원용량 100분 중에 포함되어 있는 알코올분의 질량

라. 섭씨 20도에서 원용량 100분 중에 포함되어 있는 알코올분의 용량

정답 나

13. 음료의 분류상 나머지 셋과 다른 하나는?

가. 맥주　　나. 브랜디

다. 청주　　라. 막걸리

정답 나

브랜디는 증류주이고 나머지는 양조주이다.

14. 다음 중 소프트 드링크(Soft drink)에 해당하는 것은?

가. 콜라　　나. 위스키

다. 와인　　라. 맥주

정답 가

콜라는 소프트 드링크의 청량음료에 속한다.

15. 주세법상 알콜분의 정의는?

가. 원 용량에 포함되어 있는 에틸알콜(섭씨 15도에서 0.7947의 비중을 가진 것)

나. 원 용량에 포함되어 있는 에틸알콜(섭씨 15도에서 1의 비중을 가진 것)

다. 원 용량에 포함되어 있는 메틸알콜(섭씨 15도에서 0.7947의 비중을 가진 것)

라. 원 용량에 포함되어 있는 메틸알콜(섭씨 15도에서 1의 비중을 가진 것)

정답 가

사람이 음용할 수 있는 에틸 알코올이 섭씨 15도에서 0.7947의 비중을 가진 것이다.

16. 다음 중 증류주는?

가. bourbon　　나. champagne

다. beer　　라. wine

정답 가

Bourbon whisky는 증류주이다.

17. 다음 ( )에 알맞은 단어는?

> If you carry the process of fermentation one step further and separate the alcohol from the fermented liquid, you create what is essence or the spirit of the liquid. The process of separation is called ( ).

가. intoxication　　나. evaporation

다. liquidization　　라. distillation

정답 라

발효된 술에서 에센스나 스피릿을 만들어 내는 것을 증류(Distillation)라 한다.

18. 주세법상 주류에 대한 설명으로 괄호 안에 알맞게 연결된 것은?

> 알코올분 (①)도 이상의 음료를 말한다. 단 약사법에 따른 의약품으로서 알코올분이 (②)도 미만의 것을 제외한다.

가. ① - 1%, ② - 6%　　나. ① - 2%, ② - 4%

다. ① - 1%, ② - 3%　　라. ① - 2%, ② - 5%

정답 가

주류는 알코올분 1도 이상의 음료를 말하며 약사법에 의해 6도 미만의 의약품은 제외한다.

19. 다음 중 1oz당 칼로리가 가장 높은 것은?
(단, 각 주류의 도수는 일반적인 경우를 따른다)

가. Red Wine

나. Champagne

다. Liqueurs

라. White Wine

정답 다

Liqueurs는 당분이 포함되어 있기 때문에 칼로리가 높다.

20. 음료류와 주류에 대한 설명으로 틀린 것은 ?

가. 맥주에서는 메탄올이 전혀 검출되어서는 안된다.

나. 탄산음료는 탄산가스압이 0.5kg/cm^3인 것을 말한다.

다. 탁주는 전분질 원료와 국을 주원료로 하여 술덧을 혼탁하게 제성한 것을 말한다.

라. 과일, 채소류 음료에는 보존료로 안식향산을 사용할 수 있다.

정답 가

맥주에서는 0.5mg/mL 이하의 메탄올이 허용된다.

21. 증류주를 설명한 것 중 알맞은 것은?

가. 과실이나 곡류 등을 발효시킨 후 열을 가하여 분리하는 것을 말한다.

나. 과실의 향료를 혼합하여 향기와 감미를 첨가한 것을 말한다.

다. 주로 맥주, 와인, 양주 등을 말한다.

라. 탄산성 음료를 증류주라고 한다.

정답 가

발효주에 열을 가해 알코올을 분리한 것을 증류주라 한다.

| chapter 02 | I. 맥주

1. 에일(Ale)은 어느 종류에 속하는가?

가. 와인(Wine) 나. 럼(Rum)

다. 리큐어(Liqueur) 라. 맥주(Beer)

정답 라

에일은 영국에서 생산되는 상면 발효 맥주이다.

2. 다음 중 하면 발효 맥주에 해당 되는 것은?

가. Stout Beer 나. Porter Beer

다. Pilsen 라. Ale Beer

정답 다

Pilsen은 체코에서 만들어진 하면 발효 맥주이다.

3. 맥주 제조 과정에서 비살균 상태로 저장 되는 맥주는?

가. Black Beer 나. Draft Beer

다. Porter Beer 라. Lager Beer

정답 나

생맥주(Draft Beer)는 살균하지 않는다.

4. 맥주(beer) 양조용 보리로 부적합한 것은?

가. 껍질이 얇고 담황색을 띠며 윤택이 있는 것

나. 알맹이가 고르고 95% 이상의 발아율이 있는 것

다. 수분 함유량은 10% 내외로 잘 건조된 것

라. 단백질이 많은 것

정답 라

단백질이 많으면 맥주가 탁해진다.

5. 다음 중 국가에 따른 맥주의 명칭이 잘못 연결된 것은?

가. 이태리 - Birra

나. 러시아 - Pivo

다. 독일 - Ollet

라. 프랑스 - Biere

정답 다

독일 - Bier

6. 맥주의 저장 시 숙성기간 동안 단백질은 무엇과 결합하여 침전하는가?

가. 맥아 나. 세균

다. 탄닌 라. 효모

정답 다

탄닌 성분은 맥주 특유의 향에 영향을 주기도 하지만 단백질과 결합해 침전해서 맥주를 맑게 해준다.

7. 맥주의 원료 중 홉(hop)의 역할이 아닌 것은?

가. 맥주 특유의 상큼한 쓴맛과 향을 낸다.

나. 알코올의 농도를 증가시킨다.

다. 맥아즙의 단백질을 제거한다.

라. 잡균을 제거하여 보존성을 증가시킨다.

정답 나

알코올 농도는 전분의 양과 관련된다.

8. 각 맥주에 대한 설명이 옳은 것은?

가. Stout : 발효시켜 밀의 함량이 많고 호프를 조금 첨가한 맥주이다.

나. Root Beer : 엿기름으로 발효한 달콤한 맥주이다.

다. Lambics : 자연효모와 젖산류를 첨가하여 자연 발효 시킨 맥주이다.

라. Malt Beer : 샤르샤 나무뿌리로 만든 생맥주이다.

정답 다

벨기에의 대표적인 자연 발효 맥주

9. 다음 중 흑맥주가 아닌 것은?

가. Irish stout 맥주 나. Poter 맥주

다. Dortmunt 맥주 라. Munchen 맥주

정답 다

독일의 하면 발효 맥주

10. Hop에 대한 설명 중 틀린 것은?

가. 자웅이주의 숙근 식물로서 수정이 안 된 암꽃을 사용한다.

나. 맥주의 쓴맛과 향을 부여한다.

다. 거품의 지속성과 항균성을 부여한다.

라. 맥아즙 속의 당분을 분해하여 알코올과 탄산가스를 만드는 작용을 한다.

정답 라

효모의 역할이다.

11. Bock beer는 어떤 종류의 술인가?

가. 알코올 도수가 높은 흑맥주

나. 알코올 도수가 낮은 담색 맥주

다. 이탈리아산 고급 흑맥주

라. 제조 12시간 내의 생맥주

정답 가

Bock Beer : 6~11도의 흑맥주

12. 아래는 무엇에 대한 설명인가?

> An alcoholic beverage fermented from cereals and malt and flavored with hops.

가. Wine　　나. Beer

다. Spirit　　라. Whisky

정답 나

곡물을 발효시키고 호프로 향을 낸 술은 맥주이다.

13. 다음 중 흑맥주가 아닌 것은?

가. stout beer　　나. munchener beer

다. dortumund beer　　라. porter beer

정답 다

Dortumund Beer는 독일에서 생산되는 담색 맥주이다.

14. Heineken은 어느 나라 맥주인가?

가. 스위스　　나. 네덜란드

다. 벨기에　　라. 덴마크

정답 나

네덜란드의 대표적인 맥주

15. 맥주의 종류가 아닌 것은?

가. Ale　　나. Porter

다. Hock　　라. Bock

정답 다

Hock는 독일의 White Wine을 말한다.

16. 맥주를 5~10℃에서 보관할 때 가장 상하기 쉬운 맥주는?

가. 캔맥주　　나. 살균된 맥주

다. 병맥주　　라. 생맥주

정답 라

생맥주는 살균하지 않아 상하기 쉽다.

17. 맥주 제조에 필요한 중요한 원료가 아닌 것은?

가. 맥아　　나. 포도당
다. 물　　라. 효모

정답 나

맥주의 4대 원료 : 보리, 호프, 물, 효모

18. Draft(of Draught) beer란?

가. 미살균 생맥주
나. 살균 생맥주
다. 살균 병맥주
라. 장기 저장 가능 맥주

정답 가

Draft Beer : 미살균 생맥주

19. 맥주용 보리의 조건이 아닌 것은?

가. 껍질이 얇아야 한다.
나. 담황색을 띠고 윤택이 있어야 한다.
다. 전분 함유량이 적어야 한다.
라. 수분 함유량 13% 이하로 잘 건조되어야 한다.

정답 다

전분 함유량은 많고, 단백질 함유량은 적어야한다.

20. 일반적으로 국내 병맥주의 유통 기한은 얼마동안인가?

가. 6개월　　나. 9개월
다. 12개월　　라. 18개월

정답 다

우리나라 맥주의 권장 음용 기간은 12개월이다.

21. 다음 중 유효기간이 있는 것은?

가. Rum　　나. Liqueur
다. Guiness Beer　　라. Brandy

정답 다

증류주는 유효기간이 없으나 맥주는 12개월의 권장 음용 기간이 있다.

22. 곡류를 원료로 만드는 술의 제조 시 당화과정에 필요한 것은?

가. Ethyl alcohol　　나. CO_2
다. Yeast　　라. Diastase

정답 라

Diastase를 이용해 곡물의 전분을 당화시켜 발효한다.

| chapter 02 | II. 와인

1. 클라렛(Claret)이란?

가. 독일산의 유명한 백포도주(White Wine)

나. 프랑스산 적포도주(Red Wine)

다. 스페인산 포트 와인(Port Wine)

라. 이태리산 스위트 버므스(Sweet Vermouth)

정답 나

Claret : 프랑스 보르도의 적포도주로 "적포도주의 여왕" 이라 불린다.

2. 육류와 함께 마실 수 있는 것 중 가장 적당한 것은?

가. 백포도주(White Wine)　　나. 적포도주(Red Wine)

다. 로제와인(Rose Wine)　　라. 포트와인(Port Wine)

정답 나

Red wine은 주로 육류와 함께 마신다.

3. 키안티(Chianti)는 어느 나라 포도주인가?

가. 불란서　　나. 이태리

다. 미국　　라. 독일

정답 나

이탈리아 토스카나 지방에서 생산되는 적포도주를 뜻한다.

4. 호크(Hock)와인이란?

가. 독일 라인 지역산 백포도주

나. 불란서 버건디 지방산

다. 스페인 호크하임엘(Hockheimerle) 지방산 백포도주

라. 이탈리아 피에몬테 지방산 백포도주

정답 가

Hock wine이란 독일 라인지구에서 생산되는 White wine이다.

5. 다음 보기는 와인에 관한 법률이다. 어느 나라 법률인가?

(보기) AOC, VDQS, Vins De Pays, Vins De Table

가. 이태리　　나. 스페인

다. 독일　　라. 불란서

정답 라

프랑스의 와인 등급으로 AOC 〉 VDQS 〉 Vins De Pays 〉 Vins De Table 순이다.

6. 주정 강화주(Fortified)에 속하는 음료는?

가. 위스키(Whisky) 나. 데킬라(Tequila)
다. 브랜디(Brandy) 라. 쉐리와인(Sherry Wine)

정답 라

Sherry wine은 스페인에서 생산되는 주정 강화주로 다른 종류로는 포르투갈의 Port wine이 있다.

7. 영와인(Young Wine)은 몇 년간 저장하여 숙성 시킨 것인가?

가. 5년 이하 나. 7~10년
다. 10~15년 라. 15년 이상

정답 가

Young wine : 5년 이하,
Aged wine : 5~10년,
Great wine : 15~20년

8. 적색 포도주(Red Wine)병의 바닥이 요철로 된 이유는?

가. 보기 좋게 하기 위하여
나. 안전하게 세우기 위하여
다. 용량표시를 쉽게 하기 위하여
라. 찌꺼기가 이동하는 것을 방지하기 위하여

정답 라

Red wine은 침전물의 움직임을 막기 위하여 요철 형태로 이루어져있다.

9. 포도주(Wine)의 분류 중 색에 따른 분류에 포함되지 않는 것은?

가. 레드 와인(Red Wine) 나. 화이트 와인(White Wine)
다. 블루 와인(Blue Wine) 라. 로제 와인(Rose Wine)

정답 다

Wine의 색에 따른 분류: Red wine, White wine, Rose wine, Yellow wine

10. 와인의 빈티지(Vintage)이란?

가. 숙성기간 나. 발효기간
다. 포도의 수확년도 라. 효모의 배합

정답 다

Vintage는 포도의 수확 년도를 의미한다.

11. 샴페인에 관한 설명 중 틀린 것은?

가. 샴페인은 포말성(Sparkling) 와인의 일종이다.
나. 샴페인 원료는 피노 느와, 피노 뫼니에, 샤르도네이다.
다. 동 페리뇽(Dom Peringon)에 의해 만들어졌다.
라. 샴페인 산지인 샹파뉴 지방은 이탈리아 북부에 위치하고 있다.

정답 라

샹파뉴 지방은 프랑스 북동부 지방에 위치하고 있다.

12. 독일 포도주의 최상급 표시는?

가. AOC　　나. VDQS

다. Varietal Wine　　라. Qmp

정답 라

독일 와인의 등급 : Q.m.p > Q.b.a > Landwein > Deutscher taflwein

13. 백포도주는 주로 어느 식사에 많이 제공되는가?

가. 육류　　나. 생선류

다. 과일류　　라. 후식류

정답 나

White wine은 주로 생선 요리에 제공된다.

14. 스틸와인(Still Wine)을 바르게 설명한 것은?

가. 발포성 와인　　나. 식사 전 와인

다. 비발포성 와인　　라. 식사 후 와인

정답 다

Still wine은 비발포성 와인을 의미한다.

15. Port Wine을 옳게 표현한 것은?

가. 항구에서 막노동을 하는 선원들이 즐겨 찾는 적포도주

나. 적포도주의 총칭

다. 스페인에서 생산 되는 식탁용 드라이(Dry)포도주

라. 포르투갈에서 생산되는 감미(Sweet)포도주

정답 라

Port wine은 포르투갈에서 생산되는 대표적인 주정 강화 와인이다.

16. 쉐리와인(Sherry Wine)이 주로 생산되는 나라는?

가. 스페인　　나. 포르투갈

다. 스위스　　라. 독일

정답 가

주정 강화 와인의 생산국 : 스페인(Sherry wine), 포르투갈(Port wine)

17. 부르고뉴(bourgogne) 지방과 함께 세계 2대 포도주 산지로서 medoc, graves 등이 유명한 지방은?

가. pilsner　　나. bordeaux

다. stout　　라. mousseux

정답 나

Bordeaux와 Bourgogne는 프랑스에 위치한 세계 2대 포도주 산지이다.

18. Where is the place not to produce wine in france?

가. bordeaux　　나. bourgogne
다. alsace　　라. mosel

정답 라

Mosel지구는 독일의 대표적인 와인 생산 지구이다.

19. 용어의 설명이 틀린 것은?

가. Clos : 최상급의 원산지 관리 증명 와인
나. Vintage : 원료 포도의 수확 년도
다. Fortified Wine : 브랜디를 첨가하여 알코올 농도를 강화한 와인
라. Riserva : 최저 숙성기간을 초과한 이태리 와인

정답 가

Clos는 포도원을 의미하는 프랑스어이다.

20. 다음 중 Red Wine 용 포도 품종은?

가. Cabernet Sauvignon　　나. Chardonnay
다. Pino Blanc　　라. Sauvignon Blanc

정답 가

Cabernet Sauvignon은 대표적인 적포도 품종이다.

21. Which is not the name of sherry?

가. Fino　　나. Olorso
다. Tio pepe　　라. Tawny Port

정답 라

Tawny Port : Port wine(Tio pepe는 Sherry wine의 브랜드 중 하나이다)

22. Dry wine이 당분이 거의 남아있지 않은 상태가 되는 주된 이유는?

가. 발효 중에 생성되는 호박산, 젖산 등의 산 성분 때문
나. 포도속의 천연 포도당을 거의 완전 발효시키기 때문
다. 페노릭 성분의 함량이 많기 때문
라. 가당 공정을 거치기 때문

정답 나

wine이 발효되는 과정에서 효모가 포도당을 알코올로 발효시킨다.

23. French Vermouth에 대한 설명으로 옳은 것은?

가. 와인을 인위적으로 착향시킨 담색 무감미주
나. 와인을 인위적으로 착향시킨 담색 감미주

정답 가

French Vermouth는 Dry Vermouth를 말한다.

다. 와인을 인위적으로 착향시킨 적색 감미주

라. 와인을 인위적으로 착향시킨 적색 무감미주

24. 화이트 포도 품종인 샤르도네만을 사용하여 만드는 샴페인은?

가. Bland de Noirs　　나. Blanc de blancs

다. Asti Spumante　　라. Beaujolais

정답 나

Blanc de Blancs : White 포도 품종으로 만든 샴페인, Blanc de Noirs : Red 포도 품종으로 만든 샴페인

25. 요리와 와인의 조화에 대한 일반적인 설명으로 틀린 것은?

가. 단맛이 나는 요리는 탄닌(tannin)성분이 많은 와인이 어울린다.

나. 신선한 흰살 생선 요리는 레드와인이 어울린다.

다. 양념을 많이 사용한 흰색 육류 요리는 레드와인이 어울린다.

라. 새콤한 소스를 사용한 요리는 화이트와인이 어울린다.

정답 나

일반적으로 흰살 생선 요리는 White wine이 어울린다.

26. 아래는 무엇에 대한 설명인가?

> A fortified yellow or brown wine of Spanish origin with a distinctive nutty flavor.

가. Sherry　　나. Rum

다. Vodka　　라. Bloody marry

정답 가

스페인의 주정 강화 와인은 Sherry wine이다.

27. 프랑스와인의 원산지 통제 증명법으로 가장 엄격한 기준은?

가. D.O.C　　나. A.O.C

다. V.D.Q.S　　라. Q.M.P

정답 나

A.O.C는 프랑스 와인 등급 중 가장 엄격한 기준을 가진 최고 등급의 와인이다.

28. 이탈리아 와인에 대한 설명으로 틀린 것은?

가. 거의 전 지역에서 와인이 생산된다.

나. 지명도가 높은 와인산지로는 피에몬테, 토스카나, 베네토 등이 있다.

정답 다

이탈리아 와인 등급은 크게 D.O.C.G, D.O.C, V.D.T로 구분된다.

다. 이탈리아의 와인등급체계는 5등급이다.

라. 네비올로, 산지오베제, 바르베라, 독체토 포도 품종은 레드와인용으로 사용된다.

29. 로제와인에 대한 설명으로 틀린 것은?

가. 대체로 붉은 포도로 만든다.

나. 제조시 포도껍질을 같이 넣고 발효시킨다.

다. 오래 숙성시키지 않고 마시는 것이 좋다.

라. 일반적으로 상온(17~18℃) 정도로 해서 마신다.

정답 라

일반적으로 로제 와인은 11~12℃로 서브한다.

30. 프랑스에서 스파클링 와인 명칭은?

가. Vin Mousseux　　나. Sekt

다. Spumante　　라. Perlwein

정답 가

Sekt : 독일, Spumante : 이탈리아, Perlwein : 독일의 약발포성 와인

31. 다음 중 Fortified Wine이 아닌 것은?

가. Sherry Wine　　나. Vermouth

다. Port Wine　　라. Blush Wine

정답 라

Blush wine : Rose wine

32. Terroir의 의미는?

가. 포도재배에 있어서 영향을 미치는 자연적인 환경요소

나. 영양분이 풍부한 땅

다. 와인을 저장할 때 영향을 미치는 온도, 습도, 시간의 변화

라. 물이 잘 빠지는 토양

정답 가

Terroir : 포도 생육에 영향을 미치는 지리, 기후 등 자연적인 요소를 이르는 말이다.

33. 프랑스 와인제조에 대한 설명 중 틀린 것은?

가. 프로방스에서는 주로 로제와인을 많이 생산한다.

나. 포도당이 에틸알코올과 탄산가스로 변한다.

정답 다

포도 발효상태에서 브랜디를 첨가하는 것을 주정강화 와인이라고 한다. 주정 강화 와인을 만드는 대표적인 나라는 스페인과 포르투갈이다.

다. 포도 발효 상태에서 브랜디를 첨가한다.

라. 포도 껍질에 있는 천연효모의 작용으로 발효가 된다.

34. 와인의 tasting 방법으로 옳은 것은?

가. 와인을 오픈한 후 공기와 접촉되는 시간을 최소화하여 바로 따른 후 마신다.

나. 와인에 얼음을 넣어 냉각시킨 후 마신다.

다. 와인잔을 흔든 뒤 아로마나 부케의 향을 맡는다.

라. 검은 종이를 테이블에 깔아 투명도 및 색을 확인한다.

정답 다

와인 잔을 흔들어 와인을 공기와 충분히 접촉시켜 아로마나 부케를 이끌어내는 것을 핸들링이라 한다.

35. Which is the correct one as a base of Port Sangaree in the following?

가. Rum　　나. Vodka

다. Gin　　라. Wine

정답 라

Sangaree는 Red wine에 여러 가지 과일을 넣어 차게 해서 먹는 칵테일의 일종이다.

36. 주로 화이트와인을 양조할 때 쓰이는 품종은?

가. Syrah

나. Pinot Noir

다. Cabernet Sauvignon

라. Muscadet

정답 라

Muscadet는 프랑스의 White wine을 의미한다.

37. 와인의 산지별 특징에 대한 설명으로 틀린 것은?

가. 프랑스 Provence : 프랑스에서 가장 오래된 포도재배지로 주로 rose wine을 많이 생산한다.

나. 프랑스 Bourgogne : 프랑스 동부지역으로 Claret wine으로 알려져 있다.

다. 독일 Mosel-Saar-Ruwer : 세계에서 가장 북쪽에 위치한 포도주 생산지역이다.

라. 이탈리아 Toscana : white wine과 red wine을 섞어 양조한 chianti가 생산된다.

정답 나

Claret wine은 Bordeaux에서 나는 적포도주이다.

38. 다음 중 와인의 정화(fining)에 사용되지 않는 것은?

가. 규조토 나. 계란의 흰자
다. 카제인 라. 아황산용액

정답 라

와인의 정제과정에 사용되는 것은 과거에는 황소의 피, 달걀 흰자위, 생선부레, 카제인, 규조토가 사용된다.

39. 세계 10대 와인 생산국이 아닌 국가는?

가. 영국 나. 아르헨티나
다. 미국 라. 프랑스

정답 가

영국은 세계 4대 Whisky 생산국 중 하나이다.

40. 와인 제조용 포도 재배 시 일조량이 부족한 경우의 해결책은?

가. 알코올분 제거 나. 황산구리 살포
다. 물 첨가하기 라. 발효 시 포도즙에 설탕을 첨가

정답 라

일조량이 부족하면 당분을 보충하기 위해 발효 시 포도즙에 설탕을 첨가한다.

41. 보르도에서 재배되는 레드 와인용 포도 품종이 아닌 것은?

가. 메를로 나. 뮈스까델
다. 까베르네 쇼비뇽 라. 까베르네 프랑

정답 나

뮈스까델은 화이트 와인용 포도 품종이다.

42. Dom perignon과 관계가 있는 것은?

가. Champagne 나. Bordeaux
다. Martini Rossi 라. Menu

정답 가

Dom perignon은 Champagne과 Cork를 발명한 사람이다.

43. 매년 보졸레 누보의 출시일은?

가. 11월 1째 주 목요일 나. 11월 3째 주 목요일
다. 11월 1째 주 금요일 라. 11월 3째 주 금요일

정답 나

보졸레 누보는 세계적으로 11월 3째 주 목요일에 동시 출시된다.

44. 화이트와인용 포도품종이 아닌 것은?

가. 샤르도네 나. 시라
다. 소비뇽 블랑 라. 삐노 블랑

정답 나

시라는 적포도 품종이다.

45. 포도품종에 대한 설명으로 틀린 것은?

가. Syrah : 최근 호주의 대표품종으로 자리 잡고 있으며, 호주에서는 Shiraz라고 부른다.

나. Gamay : 주로 레드 와인으로 사용되며, 과일향이 풍부한 와인이 된다.

다. Merlot : 보르도, 캘리포니아, 칠레 등에서 재배되며, 부드러운 맛이 난다.

라. Pinot Noir : 보졸레에서 이 품종으로 정상급 레드와인을 만들고 있으며, 보졸레 누보에 사용된다.

정답 라

보졸레 누보는 Gamey종을 사용한다.

46. 프랑스 와인에 대한 설명으로 틀린 것은?

가. 풍부하고 다양한 식생활 문화의 발달과 더불어 와인이 성장하게 되었다.

나. 상파뉴 지역은 연평균 기온이 높아 포도가 빨리 시어진다는 점을 이용하여 샴페인을 만든다.

다. 일찍부터 품질 관리 체제를 확립하여 와인을 생산해오고 있다.

라. 보르도 지역은 토양이 비옥하지 않지만, 거칠고 돌이 많아 배수가 잘 된다.

정답 나

상파뉴 지방의 연평균 기온은 10도 안팎으로 낮은 편이다.

47. Table wine에 대한 설명으로 틀린 것은?

가. It is a wine term which is used in two different meanings in different countries: to signify a wine syle and as a quality level within wine cassification.

나. In the United States, it is primarily used as a designation of a wine style, and refers to "ordinary wine", which is neither fortified nor sparkling.

다. In the EU wine regulations, it is used for the higher of two overalll quality categories for wine.

라. It is fairly cheap wine that is drunk with meals.

정답 다

'다'항은 EU의 와인규정에 관한 설명이다.

48. "a glossary of basic wine terms"의 연결로 틀린 것은?

가. Balance : the portion of the wine's odor derived from the grape variety and fermentation.

정답 가

와인의 기본용어집에 관한 설명으로 Balance에 대한 설명이 올바르지 않다.

나. Nose : the total odor of wine composed of aroma, bouquet, and other factors.

다. Body : the weight or fullness of wine on palate.

라. Dry : a tasting term to denote the absence of sweetness in wine.

49. 프랑스인들이 고지방 식이를 하고도 심장병에 덜 걸리는 현상인 French Paradox의 원인물질로 알려진 것은?

가. Red Wine - tannin, chlorophyll

나. Red Wine - Resveratrol, polyphenols

다. White Wine - Vit.A, Vit.C

라. White Wine - folic acid, niacin

정답 나

Resveratrol : 포도, 오디, 땅콩 등의 식물에 포함되어 있는 항산화물질
polyphenols : 활성산소(유해산소)를 해가 없는 물질로 바꿔주는 항(抗)산화물질

50. 론, 프로방스 지방의 기후 특성은?

가. 서늘한 내륙성 기후이다.

나. 온화한 지중해성 기후이다.

다. 강수가 연중 고른 대서양 기후이다.

라. 습윤 대륙성 기후이다.

정답 나

두 지역의 공통점은 온화한 지중해성 기후를 나타낸다.

51. 와인의 마개로 사용되는 코르크 마개의 특성이 아닌 것은?

가. 온도변화에 민감하다.

나. 코르크 참나무의 외피로 만든다.

다. 신축성이 뛰어나다.

라. 밀폐성이 있다.

정답 가

온도 변화에 크게 영향을 받지 않는다.

52. 샴페인 품종이 아닌 것은?

가. 삐노 느와르 나. 삐노 뮈니에

다. 샤르도네 라. 쎄미용

정답 라

Pinot Noir, Pinot Meunier, Chardonnay가 샴페인의 포도 품종이다.

53. 주정 강화로 제조된 시칠리아산 와인은?

가. champagne　　나. grappa

다. marsala　　라. absenthe

정답 다

Marsala는 이탈리아 시칠리아산 주정강화 와인이다.

54. 독일의 와인 생산지가 아닌 것은?

가. Ahr 지역　　나. Mosel 지역

다. Rheingau 지역　　라. Penedes 지역

정답 라

Penedes는 스페인의 와인 생산지 중 한곳이다.

55. 이탈리아 와인 중 지명이 아닌 것은 ?

가. 키안티　　나. 바르바레스코

다. 바롤로　　라. 바르베라

정답 라

바르베라는 이탈리아산 적포도 품종 중 하나이다.

56. 와인 제조 시 이산화황(SO_2)을 사용하는 이유가 아닌 것은 ?

가. 항산화제 역할　　나. 부패균 생성 방지

다. 갈변 방지　　라. 효모 분리

정답 라

이산화황의 역할 : 산화 방지, 부패균 생육 억제, 갈변 방지

57. 부르고뉴지역의 주요 포도품종은 ?

가. 샤르도네와 메를로

나. 샤르도네와 삐노 느와르

다. 슈냉블랑과 삐노 느와르

라. 삐노 블랑과 까베르네소비뇽

정답 나

Chardonnay, Pinot noir는 부르고뉴의 대표적인 포도 품종이다.

58. 호크(Hock) 와인이란 ?

가. 독일 라인산 화이트와인

나. 프랑스 버건디산 화이트와인

다. 스페인 호크하임엘산 레드와인

라. 이탈리아 피에몬테산 레드와인

정답 가

독일 라인산 화이트와인을 지칭한다.

59. 다음 중 발포성 포도주가 아닌 것은 ?

가. Vin Mousseux　　나. Vin Rouge

다. Sekt　　라. Spumante

정답 나

Vin Rouge는 프랑스산 적포도주를 말한다.

60. 포도주(wine)의 용도별 분류가 바르게 된 것은 ?

가. 백(white)포도주, 적(red)포도주, 녹색(green)포도주

나. 감미(sweet)포도주, 산미(dry)포도주

다. 식전포도주(aperitif wine), 식탁포도주(table wine), 식후포도주(dessert wine)

라. 발포성 포도주(sparkling wine), 비발포성포도주(still wine)

정답 다

가 : 색에 의한 분류, 나 : 맛에 의한 분류, 라: 탄산의 유무에 의한 분류

61. 다음 중 포트와인(Port Wine)을 가장 잘 설명한 사항은?

가. 붉은 포도주를 총칭한다.

나. 포르투갈의 도우루(Douro) 지방산 포도주를 말한다.

다. 항구에서 노역을 일삼는 서민들의 포도주를 일컫는다.

라. 백포도주로서 식사 전에 흔히 마신다.

정답 나

Port wine은 포르투갈 도우루 지방산 주정 강화 와인이다.

62. 각 나라의 발포성 와인(Sparkling Wine)의 명칭이 잘못 연결 된 것은?

가. 프랑스 - Cremant

나. 스페인 - Vin Mousseux

다. 독일 - Sekt

라. 이탈리아 - Spumante

정답 나

Vin Mousseux는 프랑스 지방에서 불리운다.

63. 주정 강화 와인(fortified wine)의 종류가 아닌 것은?

가. 이태리의 아마로네(Amarone)

나. 프랑스의 뱅 드 리퀘르(Vin doux Liquere)

다. 포르투갈의 포트와인(Port Wine)

라. 스페인의 셰리와인(Sherry wine)

정답 가

Amarone는 이탈리아산 레드 와인 중 하나이다.

64. 다음은 어떤 포도품종에 관하여 설명한 것인가?

> 작은 포도알, 깊은 적갈색, 두꺼운 껍질, 많은 씨앗이 특징이며 씨앗은 타닌함량을 풍부하게 하고, 두꺼운 껍질은 색깔을 깊이 있게 나타낸다. 블랙커런트, 체리, 자두 향을 지니고 있으며, 대표적인 생산지역은 프랑스 보르도 지방이다.

가. 메를로(Merlot)

나. 삐노 느와르(Pinot Noir)

다. 까베르네 쇼비뇽(Carbernet Sauvignon)

라. 샤르도네(Chardonnay)

정답 다

Carbernet Sauvignon은 보르도 지방의 대표적인 품종으로 풍부한 타닌이 특징이다.

65. 와인 제조 과정 중 말로라틱 발효(malolactic fermentation)란?

가. 알콜발효　　나. 1차발효

다. 젖산발효　　라. 탄닌발효

정답 다

malolactic fermentation는 사과산을 젖산으로 변환시키는 2차 발효를 말한다.

66. 프랑스의 위니 블랑을 이탈리아에서는 무엇이라 일컫는가?

가. 트레비아노　　나. 산조베제

다. 바르베라　　라. 네비올로

정답 가

트레비아노는 이탈리아의 청포도 품종이다.

67. Select one of the Dessert Wine in the following?

가. Rose Wine

나. Red Wine

다. White Wine

라. Sweet White Wine

정답 라

dessert용 와인은 sweet한 와인을 주로 마신다.

68. 「단 맛」이라는 프랑스 어는?

가. Trocken　　나. Blanc

다. Cru　　라. Doux

정답 라

Extra dry : brut, Dry : sec, Sweet : doux

69. 샴페인의 당분이 6g/L이하 일 때 당도의 표기 방법은?

가. Extra Brut

나. Doux

다. Demi Sec

라. Brut

정답 가

Doux : 50g 이상, Sec : 17~35g, Brut : 15g

70. 다음 중 얼음을 넣어서 마실 수 있는 것은?

가. Champagne

나. Vermouth

다. White Wine

라. Red Wine

정답 나

Vermouth는 얼음을 넣어 Rock style로 마시기도 하지만 Wine은 얼음을 넣지 않는다.

71. Grappa에 대한 설명으로 옳은 것은?

가. 포도주를 만들고 난 포도의 찌꺼기를 원료로 만든 술

나. 노르망디의 칼바도스에서 생산되는 사과브랜디

다. 과일과 작은 열매를 증류해서 만든 증류주

라. 북유럽 스칸디나비아 지방의 특산주

정답 가

Grappa는 이탈리아에서 포도주를 만들고 난 찌꺼기를 발효시켜 만드는 양조주이다.

72. 빈(Bin)이 의미하는 것은?

가. 프랑스산 적포도주

나. 주류저장소에 술병을 넣어 놓는 장소

다. 칵테일 조주시 가장 기본이 되는 주재료

라. 글라스를 세척하여 담아 놓는 기구

정답 나

주류저장소에 술병을 넣어 놓는 장소 : Bin

73. White Wine을 차게 제공하는 주된 이유는?

가. 탄닌의 맛이 강하게 느껴진다.

나. 차가울수록 색이 하얗다.

다. 유산은 차가울 때 맛이 좋다.

라. 차가울 때 더 Fruity한 맛을 준다.

정답 라

White wine의 Fruity한 맛을 최대한 살리기 위해 5~9℃로 제공된다.

| chapter 03 | I. 위스키

1. 위스키(Whisky)의 종류가 아닌 것은?

가. 스카치(Scotch)

나. 아이리쉬(Irish)

다. 버번(Bourbon)

라. 스페니쉬(Spanish)

정답 라

세계 4대 위스키 : Scotch whisky, Irish whisky, Bourbon whisky, Canadian whisky

2. 다음은 어떤 위스키에 대한 설명인가?

「옥수수를 51%이상 사용하고 연속식 증류기로 알콜 농도 40%이상 80%미만으로 증류하는 위스키」

가. 스카치 위스키(Scotch Whisky)

나. 버번 위스키(Bourbon Whisky)

다. 아이리쉬 위스키(Irish Whisky)

라. 카나디언 위스키(Canadian Whisky)

정답 나

옥수수를 주원료로 한 위스키는 버번 위스키이다.

3. 위스키(Whisky)의 설명 중 틀린 것은?

가. 생명의 물이란 의미를 가지고 있다.

나. 보리, 밀, 옥수수 등의 곡류가 주원료이다.

다. 주정을 이용한 혼성주이다.

라. 원료 및 제법에 의하여 몰트 위스키, 그레인 위스키, 블렌디드 위스키로 분류한다.

정답 다

위스키는 증류주이다.

4. 일반적으로 Bourbon Whisky를 주조할 때 약 몇 %의 어떠한 곡물이 사용되는가?

가. 50% 이상의 호밀

나. 40% 이상의 감자

다. 50% 이상의 옥수수

라. 40% 이상의 보리

정답 다

버번 위스키는 51% 이상의 옥수수를 주원료로 사용한다.

5. Canadian Whisky가 아닌 것은?

가. Canadian Club　　나. Seagram's V.O
다. Seagram's 7 Crown　　라. Crown Royal

정답 다

Seagram's 7 Crown은 Bourbon Whisky이다.

6. 다음 물음에 가장 적당한 것은?

"What kind of Bourbon whisky do you have?"

가. Ballantine's　　나. J&B
다. Jim Beam　　라. Cutty Sark

정답 다

대표적인 버번 위스키 브랜드는 Jim Beam이다.

7. 다음 중 American Whisky가 아닌 것은?

가. jim beam　　나. jack daniel's
다. old grand dad　　라. old bushmills

정답 라

Old bushmills은 Irish whisky이다.

8. Malt Scotch Whisky를 제조할 때 숙성 단계에서 무색의 증류액이 착색되어 나타내는 색은?

가. 호박색　　나. 가지색
다. 수박색　　라. 바다색

정답 가

위스키는 Oak통에서 숙성시키기 때문에 호박색을 띈다.

9. Which of the following is made mainly from barley grain?

가. Bourbon Whisky
나. Scotch Whisky
다. Rye Whisky
라. Straight Whisky

정답 나

보리를 원료로 만든 위스키는 Scotch Whisky이다.

10. 다음 중 연속식 증류법으로 증류하는 위스키는?

가. Irish Whisky　　나. Blended Whisky
다. Malt Whisky　　라. Grain Whisky

정답 라

Grain Whisky는 Patent still(연속식 증류법)을 이용한다.

11. 다음 중 Irish Whisky는?

가. JohnnieWalker Blue

나. Jonh Jameson

다. Wild Turkey

라. Crown Royal

정답 나

Jonh Jameson은 대표적인 Irish Whisky이다.

12. Straight Whisky에 대한 설명으로 틀린 것은?

가. 스코틀랜드에서 생산되는 위스키이다.

나. 버번 위스키, 콘 위스키 등이 이에 속한다.

다. 원료곡물 중 한 가지를 51%이상 사용해야 한다.

라. 오크통에서 2년 이상 숙성시켜야 한다.

정답 가

Straight Whisky는 American Whisky의 분류에 속한다.

13. Malt Whisky를 바르게 설명한 것은?

가. 대량의 양조주를 연속식으로 증류해서 만든 위스키

나. 단식 증류기를 사용하여 2회의 증류과정을 거쳐 만든 위스키

다. 이탄으로 건조한 맥아의 당액을 발효해서 증류한 스코틀랜드의 위스키

라. 옥수수를 원료로 대맥의 맥아를 사용하여 당화시켜 개량 솥으로 증류한 위스키

정답 다

Malt Whisky를 생산하는 대표적인 국가는 스코틀랜드이다.

14. 다음 중 American Whisky가 아닌 것은?

가. Johnnie Walker

나. I.W.Harper

다. Jack Danniel's

라. Wild Turkey

정답 가

Johnnie Walker는 Scotch Whisky이다.

15. 스카치 위스키가 아닌 것은?

가. Glenfiddich　　나. Cutty Sark

다. Jack Daniel's　　라. Ballantine

정답 다

Jack Daniel's은 대표적인 American whisky이다.

16. "Straight Bourbon Whisky"의 기준으로 틀린 것은?

가. Produced in the USA

나. Distilled at less than 106 proof(80% ABV)

다. No addirives allowed(except water to duceproof where necessary)

라. Made of a grain mix of at maximum 51%

정답 라

Straight Bourbon Whisky의 기준은 옥수수가 최소 51% 이상 함유되어야 한다.

17. Whisky의 유래가 된 어원은?

가. Usque baugh 나. Aqua bitae

다. Eau-de-Vie 라. Voda

정답 가

생명의 물이란 뜻의 게일어인 Usque baugh가 Whisky의 어원이다.

18. Whisky의 재료가 아닌 것은?

가. 맥아 나. 보리

다. 호밀 라. 감자

정답 라

감자는 보드카의 원료이다.

19. American Whisky가 아닌 것은?

가. Jim Beam

나. Wild Turkey

다. Suntory

라. Jack Daniel's

정답 다

Suntory는 Japanese Whisky의 생산회사이다.

20. Scotch whisky의 legal definition으로 틀린 것은?

가. Must not be bottled at less than 40% alcohol by volume.

나. Must be matured in Scotland in oak casks for no less than three years and a day.

다. Must be distilled to an alcoholic strength of more than 94.8% by volume.

라. Must not contain any added substance other than water and caramel colouring.

정답 다

94.8% 미만으로 증류한다.

21. Irish Whisky에 대한 설명으로 틀린 것은?

가. 깊고 진한 맛과 향을 지닌 몰트 위스키이다.

나. 피트훈연을 하지 않아 향이 깨끗하고 맛이 부드럽다.

다. 스카치 위스키와 제조과정이 동일하다.

라. John Jameson, old Bushmills가 대표적이다.

정답 다

Irish Whisky는 Scotch Whisky와 달리 피트 훈연을 하지 않는다.

22. 블렌디드(Blended) 위스키가 아닌 것은?

가. Chivas Regal 18년 　나. Glenfiddich 15년

다. Royal Salute 21년 　라. Dimple 12년

정답 나

Glenfiddich은 Single Malt Whisky이다.

23. 아래의 ( ) 안에 적합한 것은?

( ) whisky is a whisky which is distilled and produced at just one particular distillery.
( ) s are made entirely from one type of malted grain, traditionally barley, which is cultivated in the region of the distillery.

가. grain 　나. blended

다. single malt 　라. bourbon

정답 다

Single malt whisky는 한 증류소에서 만든 Malt whisky로 만든다.

24. 위스키의 종류 중 증류방법에 의한 분류는?

가. malt whisky 　나. grain whisky

다. blended whisky 　라. patent whisky

정답 라

증류 방법에 의한 분류 : 단식 증류(Pot still), 연속식 증류(Patent still)

25. Jack Daniel's와 버번 위스키의 차이점은?

가. 옥수수의 사용 여부

나. 단풍나무 숯을 이용한 여과 과정의 유무

다. 내부를 불로 그을린 오크통에서 숙성시키는지의 여부

라. 미국에서 생산되는지의 여부

정답 나

Jack Daniel's는 단풍나무 숯을 이용해 여과하는 점이 다르다.

26. 원료와 주류의 연결이 잘못된 것은?

가. grain - Canadian whisky
나. malt - Scotch whisky
다. corn - Canadian whisky
라. rye - Canadian whisky

정답 다

Corn은 Bourbon Whisky에 쓰인다.

27. 위스키의 원료가 아닌 것은?

가. Grape 나. Barley
다. Wheat 라. Oat

정답 가

포도는 브랜디의 원료이다.

28. 세계 4대 위스키산지가 아닌 것은?

가. American Whisky 나. Japanese Whisky
다. Scotch Whisky 라. Canadian Whisky

정답 나

Japanese Whisky는 최근 세계 5대 위스키 안에 포함되지만 4대 위스키에는 포함되지 않는다.

29. 스카치 위스키(Scotch Whisky)의 주 원료는?

가. 호밀 나. 옥수수
다. 보리 라. 감자

정답 다

스카치 위스키의 주 원료는 보리이다.

30. 다음 중 버번 위스키(Bourbon Whisky)는?

가. Ballantine 나. I.W.Harper
다. Lord Calvert 라. Old Bushmills

정답 나

I.W.Harper 가 버번 위스키이다.

31. Whisky를 만드는 과정이 순서대로 나열된 것은?

가. Fermentation - Mashing - Distillation - Aging
나. Distillation - Mashing - Fermentation - Aging
다. Mashing - Fermentation - Distillation - Aging
라. Mashing - Distillation - Fermentation - Aging

정답 다

Whisky의 제조 과정 : 당화 → 발효 → 증류 → 숙성

32. 단식증류기의 일반적인 특징이 아닌 것은?

가. 원료 고유의 향을 잘 얻을 수 있다.

나. 고급 증류주의 제조에 이용한다.

다. 적은 양을 빠른 시간에 증류하여 시간이 적게 걸린다.

라. 증류 시 알코올 도수를 80도 이하로 낮게 증류한다.

정답 다

연속식 증류기에 대한 설명이다.

33. 단식 증류법(pot still)의 장점이 아닌 것은?

가. 대량생산이 가능하다.

나. 원료의 맛을 잘 살릴 수 있다.

다. 좋은 향을 잘 살릴 수 있다.

라. 시설비가 적게 든다.

정답 가

연속식 증류법에 대한 설명이다.

34. 다음 중 연속식 증류주에 해당하는 것은?

가. Pot still Whisky

나. Malt Whisky

다. Cognac

라. Patent still Whisky

정답 라

Pot still Whisky, Malt Whisky, Cognac는 모두 단식 증류주이다.

| chapter 03 | II. 브랜디

1. 사과를 주원료로 해서 만들어지는 브랜디는?

가. Kirsch

나. Calvados

다. Campari

라. Framboise

정답 나

Calvados는 프랑스에서 사과를 원료로 만든 브랜디이다.

2. 꼬냑은 무엇으로 만든 술인가?

가. 보리　　나. 옥수수

다. 포도　　라. 감자

정답 다

꼬냑은 프랑스 꼬냑 지방에서 포도를 원료로 만든 브랜디이다.

3. 꼬냑의 등급 중에서 최고품은?

가. V.S.O.P　　나. Napoleon

다. X.O　　라. Extra

정답 라

Extra : 50~75년간 숙성시킨 최고 등급의 꼬냑이다.

4. 브랜디(Brandy) 숙성도의 고급화 순서가 옳은 것은?

가. 3Star - V.S.O - V.S.O.P - X.O

나. 3Star - V.S.O.P - V.S.O - X.O

다. 3Star - X.O - V.S.O - V.S.O.P

라. 3Star - V.S.O - X.O - V.S.O.P

정답 가

3star : 7~10, V.S.O : 15~20, V.S.O.P : 25~30, X.O : 40~45

5. 다음 설명 중 잘못된 것은?

가. 모든 꼬냑(Cognac)은 브랜디에 속한다.

나. 모든 브랜디는 꼬냑에 속한다.

다. 꼬냑지방에서 생산되는 브랜디만이 꼬냑이다.

라. 꼬냑은 포도를 주재로 한 증류주의 일종이다.

정답 나

꼬냑은 프랑스 꼬냑 지방에서 만들어진 브랜디이다.

6. 브랜디의 숙성기간에 따른 표기와 그 약자의 연결이 틀린 것은?

가. v - very
나. p - pale
다. s - special
라. x - extra

정답 다

S : Superior

7. Brandy의 생산지구인 Grand Champagne에 대한 설명으로 틀린 것은?

가. 석회질의 토질 특성을 가진다.
나. 코냑시의 남쪽에 위치하고 있다.
다. 숙성이 빨리 진행되는 지구이다.
라. 중후한 맛의 최고급품으로 유명하다.

정답 다

Grand Champagne는 숙성이 빨리 진행되는 기후에 맞지 않다.

8. 다음 ( ) 안에 알맞은 것은?

( ) is distilled from fermented fruit, sometimes aged in oak casks, and usually bottled at 80 proof

가. Vodka
나. Brandy
다. Whisky
라. Dry gin

정답 나

많은 브랜디들이 포도를 원료로 만들어지지만 사과, 체리 등 다른 과일로 만들기도 한다.

9. 오드비(eau-de-vie)와 관련 있는 것은?

가. Tequila
나. Grappa
다. Gin
라. Brandy

정답 라

브랜디는 프랑스어로 eau-de-vie(생명의 물)이다.

10. 브랜디의 제조순서로 옳은 것은?

가. 양조작업 - 저장 - 혼합 - 증류 - 숙성 - 병입
나. 양조작업 - 증류 - 저장 - 혼합 - 숙성 - 병입
다. 양조작업 - 숙성 - 저장 - 혼합 - 증류 - 병입
라. 양조작업 - 증류 - 숙성 - 저장 - 혼합 - 병입

정답 나

브랜디는 양조 - 증류 - 저장 - 혼합 - 숙성 - 병입의 과정을 거친다.

11. Brandy와 Cognac의 구분에 대한 설명으로 옳은 것은?

가. 재료의 성질이 다른 것이다.

나. 같은 술의 종류이지만 생산지가 다르다.

다. 보관 연도별로 구분한 것이다.

라. 내용물이 알코올 함량이 크게 차이가 난다.

정답 나

꼬냑은 프랑스 꼬냑 지방에서 생산되는 브랜디를 뜻한다.

12. 브랜디의 제조공정에서 증류한 브랜디를 열탕소독 한 White Oak Barrel에 담기 전에 무엇을 채워 유해한 색소나 이물질을 제거 하는가?

가. Beer

나. Gin

다. Red Wine

라. White Wine

정답 라

브랜디는 제조공정중 화이트와인으로 oak barrel의 유해색소와 이물질을 제거한다.

13. 꼬냑의 세계 5대 메이커에 해당하지 않는 것은?

가. Hennessy

나. Remy Martin

다. Camus

라. Tanqueray

정답 라

Tanqueray는 Gin의 상표이다.

14. 다음 중 식사 전의 음료로서 적합하지 못한 것은?

가. Sherry

나. Vermouth

다. Martini

라. Brandy

정답 라

Brandy는 대표적인 식후주이다.

| chapter 03 | Ⅲ. 진

1. 진(Gin)에 대한 설명 중 틀린 것은?

가. 진의 원료는 대맥, 호밀, 옥수수 등 곡물을 주원료로 한다.

나. 무색, 투명한 증류주이다.

다. 증류 후 1~2년간 저장(Age)한다.

라. 두송자(Juniper berry)를 사용하여 착향시킨다.

정답 다

진의 특징은 저장하지 않는다.

2. 곡물(Grain)을 원료로 만든 무색, 투명한 증류주에 두송자(Juniper berry)의 향을 착미시킨 술은?

가. 데킬라(Tequila)

나. 럼(Rum)

다. 보드카(Vodka)

라. 진(Gin)

정답 라

진의 원료는 쥬니퍼 베리(두송자 나무 열매)이다.

3. Gin에 대한 설명으로 틀린 것은?

가. 저장, 숙성을 하지 않는다.

나. 생명의 물이라는 뜻이다.

다. 무색, 투명하고 산뜻한 맛이다.

라. 알코올 농도는 40~50% 정도이다.

정답 나

Gin의 어원은 Genever이다.

4. 두송자를 첨가하여 풍미를 나게 하는 술은?

가. Gin

나. Rum

다. Vodka

라. Tequila

정답 가

Gin은 곡물로 만든 주정에 두송자 향을 첨가해 풍미를 낸다.

5. Gin에 대한 설명으로 틀린 것은?

가. 진의 원료는 대맥, 호밀, 옥수수 등 곡물을 주원료로 한다.

나. 무색, 투명한 증류주이다.

다. 활성탄 여과법으로 맛을 낸다.

라. Juniper berry를 사용하여 착향시킨다.

정답 다

자작나무 활성탄으로 여과하는 술은 보드카이다.

6. 다음에서 설명하는 것은?

> It is a lightly sweetened Gin popular 18th-century England that now is rarely available. It is slightly sweeter than London Dry, but slightly drier than Douch/Holland Gin/Jenever.

가. Golden Gin

나. Old Tom Gin

다. Flavored Gin

라. Schnaps Dry Gin

정답 나

당분을 첨가해 단맛이 나는 진은 Old Tom Gin이다.

7. 다음 ( ) 안에 알맞은 것은?

> ( ) must have juniper berry flavor and can be made either by distillation or re-distillation.

가. Whisky

나. Rum

다. Tequila

라. Gin

정답 라

진은 Juniper berry로 향을 낸다.

| chapter 03 | IV. 보드카

1. 다음은 어떤 증류주에 대한 설명인가?

> 곡류와 감자 등을 원료로 하여 당화시킨 후 발효하고 증류한다. 증류액을 희석하여 자작나무 숯으로 만든 활성탄에 여과하여 정제하기 때문에 무색, 무취에 가까운 특성을 가진다.

가. Gin

나. Vodka

다. Rum

라. Tequila

정답 나

감자를 원료로 하고 자작나무 활성탄으로 여과하는 술은 러시아의 Vodka이다.

2. 다음 중 ( ) 안에 알맞은 것은?

> Main ingredient of ( ) is potato. ( ) is characterized by no color, no smell and no taste. It is usually used by base of cocktail.

가. Brandy

나. Gin

다. Vodka

라. Whisky

정답 다

무색, 무미, 무취의 특성을 지녀 칵테일의 베이스로 많이 쓰이는 술은 Vodka이다.

3. 보드카와 관련이 없는 것은?

가. Colorless, Odorless, Tasteless

나. Voda, 러시아

다. 감자, 고구마

라. 이탄, 사탕수수

정답 라

이탄은 Scotch Whisky, 사탕수수는 Rum과 관련이 있다.

4. 보드카의 생산 국가가 나머지 셋과 다른 하나는?

가. Smirnoff

나. Samovar

다. Monarch

라. Finlandia

정답 라

Finlandia는 핀란드에서 만들어진 보드카이다.

5. 다음 중 저장, 숙성(aging)시키지 않는 증류주는?

가. Scotch Whisky

나. Brandy

다. Vodka

라. Bourbon Whisky

정답 다

보드카는 숙성시키지 않는다.

6. 다음 ( ) 안에 알맞은 것은?

( ) is mostly made from grain or potatoes but can also be produced using a wide variety of ingredients including beetroot, carrots or even chocolate.

가. Gin

나. Rum

다. Vodka

라. Tequila

정답 다

Vodka의 주원료는 감자와 곡류이다.

| chapter 03 | V. 럼

1. 다음 증류주에 대한 설명으로 틀린 것은?

   가. Gin은 곡물을 발효 증류한 주정에 두송나무 열매를 첨가한 것이다.

   나. Tequila는 멕시코 원주민들이 즐겨 마시는 풀케(Pulque)를 증류한 것이다.

   다. Vodka는 무색, 무취, 무미하며 러시아인들이 즐겨 마신다.

   라. Rum의 주원료는 서인도제도에서 생산되는 자몽(grapefruit)이다.

정답 라

Rum의 원료는 사탕수수이다.

2. 다음 증류주 중에서 곡류의 전분을 원료로 하지 않는 것은?

   가. 진(gin)　　나. 럼(Rum)

   다. 보드카(Vodka)　　라. 위스키(Whisky)

정답 나

럼은 사탕수수의 당분을 원료로 한다.

| chapter 03 | VI. 테킬라

1. 풀케(Pulque)를 증류해서 만든 술은?

가. 럼　　나. 보드카
다. 데킬라　　라. 아쿠아비트

정답 다

Pulque는 agave를 숙성시켜 만든 양조주로 Tequila의 원료가 된다.

2. 다음 중 멕시코산 증류주는?

가. Cognac　　나. Johnnie walker
다. Tequila　　라. Cutty Sark

정답 다

Tequila는 Mexico의 Jalisco주에서 생산된다.

3. 다음 중 데킬라(tequila)가 아닌 것은?

가. cuervo　　나. el Toro
다. sambuca　　라. sauza

정답 다

Sambuca는 이탈리아의 Anis류 리큐어이다.

4. 숙성하지 않은 화이트 데킬라의 표시 방법은?

가. anejo　　나. joven
다. old　　라. mujanejo

정답 나

숙성하지 않은 데킬라는 Joven, Silver, White라고 한다.

5. 다음 중 Tequila와 관계가 없는 것은?

가. 용설란　　나. 풀케
다. 멕시코　　라. 사탕수수

정답 라

사탕수수는 럼의 원료이다.

6. "It is distilled from the fermented juice or sap of a type of agave plant." 에서 It의 종류는?

가. aquavit　　나. tequila
다. gin　　라. eaux de vie

정답 나

Tequila는 Agave 수액을 발효 후 증류해서 만든다.

7. 프리미엄 데킬라의 원료는 ?

가. 아가베 아메리카나　　나. 아가베 아즐 데킬라
다. 아가베 아트로비렌스　　라. 아가베 시럽

정답 나

프리미엄 데킬라는 많은 Agave 종 중 Agave azul종만을 사용한다.

8. 데킬라에 대한 설명으로 알맞게 연결된 것은?

최초의 원산지는 (①)로서 이 나라의 특산주이다.
원료는 백합과의 (②)인데 이 식물에는 (③)이라는 전분과 비슷한 물질이 함유되어 있다.

가. ① 멕시코, ② 풀케(Pulque), ③ 루플린
나. ① 멕시코, ② 아가베(Agave), ③ 이눌린
다. ① 스페인, ② 아가베(Agave), ③ 루플린
라. ① 스페인, ② 풀케(Pulque), ③ 이눌린

정답 나

데킬라는 멕시코에서 아가베에 들어 있는 이눌린 성분을 발효해 증류한 증류주이다.

| chapter 03 | VII. 아쿠아비트

1. 아쿠아비트(Aquavit)에 대한 설명 중 틀린 것은?
   가. 감자를 당화시켜 연속 증류법으로 증류한다.
   나. 마실 때는 차게 하여 식후주에 적합하다.
   다. 맥주와 곁들여 마시기도 한다.
   라. 진(Gin)의 제조 방법과 비슷하다.

정답 나
식후주로는 주로 달콤한 술을 마신다.

2. Aquavit에 대한 설명으로 틀린 것은?
   가. 감자를 맥아로 당화시켜 발효하여 만든다.
   나. 알코올 농도는 40~45%이다.
   다. 엷은 노란색이다.
   라. 북유럽에서 만드는 증류주이다.

정답 다
Aquavit는 투명한 증류주이다.

3. 감자를 주원료로 해서 만드는 북유럽의 스칸디나비아 술로 유명한 것은?
   가. Apuavit
   나. Calvados
   다. Steinhager
   라. Grappa

정답 가
Aquavit는 감자를 원료로 한 증류주로 스칸디나비아 술로 유명하다.

| chapter 04 | 혼성주

1. 슬로우 진(Sloe Gin)의 설명 중 옳은 것은?

가. 리큐어의 일종이며 진(Gin)의 종류이다.

나. 보드카에 그레나딘 시럽을 첨가한 것이다.

다. 아주 천천히 분위기 있게 먹는 칵테일이다.

라. 오얏나무 열매 성분을 진에 첨가한 것이다.

정답 라

진에 오얏나무 열매를 첨가한 리큐어이다.

2. 다음 중 혼성주가 아닌 것은?

가. Apricot brandy

나. Amaretto

다. Rusty nail

라. Anisette

정답 다

Rusty nail는 혼합주이다. Scotch Whisky+Drambuie

3. What is the most famous orange flavored cognac liqueur?

가. Grand Marnier

나. Drambuie

다. Cherry Heeriing

라. Galliano

정답 가

꼬냑을 베이스로한 오렌지 리큐어는 Grand Marnier이다.

4. 살구의 냄새가 나는 달콤한 증류주는 어느 것인가?

가. Apricot Brandy　　나. Anisette

다. Cherry Brandy　　라. Amer

정답 가

Apricot Brandy는 브랜디에 살구를 첨가한 리큐어이다.

5. 오렌지를 주원료로 만든 술이 아닌 것은?

가. Triple Sec　　나. Tequila

다. Cointreau　　라. Grand Marnier

정답 나

대표적인 오렌지 리큐어는 Triple Sec, Cointreau, Grand Marnier 등이 있다.

6. 다음 리큐어(Liqueur) 중 그 용도가 다른 것은?

가. 드람뷔이(Drambuie)

나. 갈리아노(Galliano)

다. 시나(Cynar)

라. 꼬인트루(Cointreau)

정답 다

시나는 이탈리아에서 만들어진 비터로 식전주로 이용한다.

7. 혼성주에 대한 설명으로 오렌지 껍질을 원료로 만들어지는 술의 이름은?

가. 깔루아(Kahlua)

나. 크림 드 카카오(Cream de Cacao)

다. 큐라소(Curacao)

라. 드람뷔이(Drambuie)

정답 다

서인도제도 큐라소 섬에서 오렌지 껍질을 이용해 처음 만들어진 리큐어이다.

8. 리큐어(Liqueur)의 제조법과 가장 거리가 먼 것은?

가. 블렌딩법(Blending)　　나. 침출법(Infusion)

다. 증류법(Distillation)　　라. 에센스법(Essence process)

정답 가

리큐어 제조법 : 침출법, 증류법, 에센스법이 있다.

9. 다음 중 혼성주에 해당하는 것은?

가. Armagnac　　나. Corn Whisky

다. Cointreau　　라. Jamaican rum

정답 다

Cointreau는 대표적인 오렌지 계열 리큐어이다.

10. 다음은 어떤 리큐어에 대한 설명인가?

> 스카치산 위스키에 히스꽃에서 딴 봉밀과 그 밖에 허브를 넣어 만든 감미 짙은 리큐어로 러스티 네일을 만들 때 사용된다.

가. Cointreau　　나. Galliano

다. Chartreuse　　라. Drambuie

정답 라

Drambuie에 대한 설명이다.

11. Benedictine의 Bottle에 적힌 D.O.M의 의미는?

가. 완전한 사랑 　　나. 최선 최대의 신에게
다. 쓴맛 　　라. 순록의 머리

정답 나

D.O.M은 Deo Optimo Meximo(최선 최대의 신에게)의 약어이다.

12. 오렌지 과피, 회향초 등을 주원료로 만들며 알코올 농도가 23% 정도가 되는 붉은 색의 혼성주는?

가. Beer 　　나. Drambuie
다. Campari Bitters 　　라. Cognac

정답 다

오렌지 껍질과 회향초를 원료로한 붉은 색의 혼성주는 Campari bitters이다.

13. Liqueur에 대한 설명으로 틀린 것은?

가. 코르디알(Cordial)이라고도 부른다.
나. 술 분류상 혼성주 범주에 속한다.
다. 주정(Base liqueur)에다 약초, 과일, 씨 뿌리의 즙을 넣어서 만든다.
라. 위스키(Whisky)가 대표적이다.

정답 라

위스키는 증류주이다.

14. 다음에서 설명하는 Bitters는?

It is made from a Trinidadian secret recipe.

가. Peychaud's Bitters 　　나. Abbott's Aged Bitters
다. Orange Bitters 　　라. Angostra Bitters

정답 라

Angostra Bitters는 베네주엘라의 트리니다드에서 생산하며 만드는 처방은 비밀로 되어 있다.

15. What is the liqueur on apricot pits base?

가. Benedictine 　　나. Chartreuse
다. Kalhua 　　라. Amaretto

정답 라

Amaretto는 살구 씨를 원료로 만들어진 리큐어이다.

16. 다음 중 원산지가 프랑스인 술은?

가. Absinthe 　　나. Curacao
다. Kahlua 　　라. Drambuie

정답 가

Absinthe는 프랑스에서 만들어진 Anis계열 리큐어이다.

17. 오렌지나 레몬을 사용한 혼성주가 아닌 것은?

가. Sambuca

나. Cointreau

다. Grand Marnier

라. Lemon Gin

정답 가

이탈리아의 Anis계열 리큐어이다.

18. 다음 중 혼성주에 속하는 것은?

가. Whisky　　나. Tequila

다. Rum　　라. Benedictine

정답 라

Benedictine은 리큐어이다.

19. 다음 중 Bitters란?

가. 박하냄새가 나는 녹색의 색소

나. 칵테일이나 기타 드링크류에 사용하는 향미제용 술

다. 야생체리로 착색한 무색 투명한 술

라. 초코렛 맛이 나는 시럽

정답 나

칵테일에 주로 사용되는 향미제용 술로 Manhattan, Robroy 등에 쓰인다.

20. 다음 주류 중 Bitter가 아닌 것은?

가. Campari　　나. Underberg

다. Jagermeister　　라. Kirsch

정답 라

Kirsch는 체리를 원료로 만든 증류주이다.

21. 아래의 설명에 해당하는 음료는?

> This complex, aromatic concoction containing some 56 herbs, roots, and fruits has been popular in Germany since its introduction in 1878.

가. Kummel

나. Sloe Gin

다. Maraschino

라. Jagermeister

정답 라

Jagermeister는 독일에서 56가지의 허브, 뿌리, 과일들을 원료로 해서 만들어졌다.

22. 증류법에 의해 만들어지는 달고 색이 없는 리큐어로 캐러웨이씨, 쿠민, 회향 등을 첨가하여 맛을 내는 것은?

가. Kummel　　나. Orange curacao
다. Campari　　라. Parfait amour

정답 가
Kummel에 관한 설명이다.

23. 다음 중 Liqueur와 관계가 없는 것은?

가. Cordials　　나. Arnaud de Villeneuve
다. Benedictine　　라. Dom Perignon

정답 라
Dom Perignon은 샴페인과 코르크를 발명했다.

24. 프랑스어로 수도원, 승원 이라는 뜻으로 리큐어의 여왕이라고 불리는 것은?

가. Chartreuse　　나. Benedictine D.O.M.
다. Campari　　라. Cynar

정답 가
Chartreuse는 프랑스의 Chartreuse수도원에서 만들어진 리큐어로 Yellow와 Green이 있다.

25. 종자를 이용한 리큐어가 아닌 것은?

가. Sabra　　나. Drambuie
다. Amaretto　　라. Creme de Cacao

정답 나
Drambuie는 벌꿀계 리큐어이다.

26. 이탈리아 밀라노 지방에서 생산되며 오렌지와 바닐라 향이 강하고 길쭉한 병에 담긴 리큐어는?

가. Galliano　　나. Kmmel
다. Kahlua　　라. Drambuie

정답 가
Galliano는 이탈리아에서 생산되는 바닐라 리큐어로 긴 병이 특징이다.

27. 혼성주(Compounded Liquor)에 대한 설명 중 틀린 것은?

가. 칵테일 제조나 식후주로 사용된다.
나. 발효주에 초근목피의 침출물을 혼합하여 만든다.
다. 색채, 향기, 감미, 알코올의 조화가 잘 된 술이다.
라. 혼성주는 고대 그리스 시대에 약용으로 사용되었다.

정답 나
혼성주는 주정(증류주)에 초근목피 등을 혼합하여 만든다.

28. 커피를 주원료로 만든 리큐어는?

가. Grand Marnier

나. Benedictine

다. Kahlua

라. Sloe Gin

정답 다

Kahlua는 대표적인 커피 리큐어이다.

29. 포도주에 아티초크를 배합한 리큐어로 약간 진한 커피색을 띠는 것은?

가. Chartreuse
나. Cynar
다. Dubonnet
라. Campari

정답 나

Cynar는 이탈리아에서 만든 비터로 아티초크를 비롯한 13가지 허브와 식물을 사용한다.

30. 다음 중 리큐어는?

가. Burgundy

나. Bacardi rum

다. Cherry brandy

라. Canadian club

정답 다

Cherry brandy는 브랜디에 체리를 혼합해 만든 리큐어이다.

31. 다음 리큐어(liqueur) 중 베일리스가 생산되는 곳은?

가. 스코틀랜드

나. 아일랜드

다. 잉글랜드

라. 뉴질랜드

정답 나

Bailey's Irish Cream으로 Irish whisky와 크림을 원료로 만들었다.

32. 다음 리큐어 중 부드러운 민트 향을 가진 것은?

가. Absente

나. Curacao

다. Chartreuse

라. Creme de Menthe

정답 라

Creme de Menth는 Mint 리큐어이다.

33. 다음 ( ) 안에 적당한 단어는?

( ) is a generic cordial invented in Italy and made from apricot pits and herbs, yielding a pleasant almond flavor.

가. Anisette

나. Amaretto

다. Advocaat

라. Amontillado

정답 나

Amaretto는 살구 씨를 원료로 만든 리큐어로 아몬드 향이 나는 것이 특징이다.

34. This is produced in Germany and Switzerland alcohol degree 44 also is effective for hangover and digest, which is this?

가. Unicum

나. Orange bitter

다. Underberg

라. Peach bitte

정답 다

Underberg는 구토, 소화에 효과가 있는 독일 허브계 리큐어이다.

35. 다음 중 증류주가 아닌 것은?

가. Whisky

나. Eau-de-vie

다. Aguavit

라. Grand Marnier

정답 라

Grand Marnier는 혼성주에 속한다.

| chapter 05 | 민속주

1. 우리나라 과실주의 종류에 속하지 않는 것은?

가. 송자주　　나. 백자주

다. 호도주　　라. 계명주

정답 라

계명주는 찹쌀과 엿기름 등 곡류로 만든 전통주이다.

2. 다음에 해당되는 한국 전통 술은 무엇인가?

> 재료는 좁쌀, 수수, 누룩 등이고 술이 익으면 배꽃 향이 난다고 하여 이름이 붙여진 술로서 남북 장관급 회담 행사시 주로 사용되어 지는 술이다.

가. 안동소주

나. 전주 이강주

다. 문배주

라. 교동 법주

정답 다

문배주는 술이 익으면 배꽃 향이 난다. 이강주는 배와 생강을 원료로 하여 만든 전통주이다.

3. 성춘향과 이몽룡의 애절한 사랑 무대가 되었던 남원의 민속주로서 여성들이 부담 없이 즐길 수 있는 은은한 국화 향이 특징이며, 지리산의 야생 국화와 지리산 뱀사골의 지하 암반수로 빚어진 것은?

가. 두견주

나. 송순주

다. 춘향주

라. 매실주

정답 다

남원의 민속주인 춘향주에 대한 설명이다.

4. 다음 중 조선시대의 대표적인 술이 아닌 것은?

가. 오가피주

나. 백하주

다. 죽통주

라. 도화주

정답 가

오가피주는 중국의 전통주이다.

5. 경북 안동의 전통주로 한가위 차례상에서 빼 놓을 수 없는 제수품이며 조상께 올리는 술로 오랜 세월을 이어오며 조상의 숨결이 스며 있는 전통 민속주는?

가. 백세주

나. 과하주

다. 안동소주

라. 연엽주

정답 다

안동 소주는 안동 지방의 전통 증류식 순곡 소주이다.

6. 다음에서 설명되는 약용주는 무엇인가?

> 충남 서북부 해안 지방의 전통 민속주로 고려 개국공신 복지겸이 백약이 무효인 병을 앓고 있을 때 백일기도 끝에 터득한 비법에 따라 찹쌀, 아미산의 진달래, 안샘물로 빚은 술을 마심으로 질병을 고쳤다는 신비의 전설과 함께 전해 내려온다.

가. 두견주

나. 송순주

다. 문배주

라. 백세주

정답 가

두견주는 진달래(두견화)로 만든 전통주이다.

7. 다음에서 설명되는 우리나라 고유의 술은?

> 엄격한 법도에 의해 술을 담근다는 전통주로 신라시대부터 전해오는 유상곡수(流觴曲水)라 하여 주로 상류계급에서 즐기던 술이다. 중국 남방 술인 사오싱주(소홍주)보다 빛깔은 좀 희고 그 순수한 맛과 도수가 가히 일품이다.

가. 두견주

나. 인삼주

다. 감홍로주

라. 경주 교동법주

정답 라

교동법주는 신라시대의 수도였던 경주의 대표적인 민속주이다.

8. 다음에서 설명하는 전통주는?

- 원료는 쌀이며 혼성주에 속한다.
- 약주에 소주를 섞어 빚는다.
- 무더운 여름을 탈 없이 날 수 있는 술이라는 뜻에서 그 이름이 유래 되었다.

가. 과하주
나. 백세주
다. 두견주
라. 문배주

정답 가

과하주는 過(지날 과), 夏(여름 하)를 써서 여름을 지날 수 있는 술이라는 뜻에서 이름이 붙여졌다.

9. 다음 중 우리나라의 전통주가 아닌 것은?

가. 소흥주 나. 소곡주
다. 문배주 라. 경주법주

정답 가

소흥주(사오싱주)는 중국의 전통주이다.

10. 다음 중 청주의 주재료는?

가. 옥수수 나. 감자
다. 보리 라. 쌀

정답 라

청주는 쌀, 누룩, 물을 원료로 만들어지는 맑은 술이다.

11. 전통 민속주 중 모주(母酒)에 대한 설명으로 틀린 것은?

가. 조선 광해군 때 인목대비의 어머니가 빚었던 술이라고 알려져 있다.
나. 증류해서 만든 제주도의 대표적인 민속주다.
다. 막걸리에 한약재를 넣고 끓인 해장술이다.
라. 계피가루를 넣어 만든다.

정답 나

모주는 막걸리에 생강, 대추, 계피, 배 등을 넣고 하루 동안 끓인 탁주이다. 대비모주(大妃母酒)라 부르다가 지금의 모주(母酒)가 되었다.

12. 우리나라 고유의 술로 liqueur에 해당하는 것은?

가. 삼해주 나. 안동소주
다. 인삼주 라. 동동주

정답 다

인삼주는 주정에 인삼을 첨가한 우리나라 고유의 Infusion 방식의 Liqueur이다.

13. 안동소주에 대한 설명으로 틀린 것은?

가. 제조시 소주를 내릴 때 소주고리를 사용한다.

나. 곡식을 물에 불린 후 시루에 쪄 고두밥을 만들고 누룩을 섞어 발효시켜 빚는다.

다. 경상북도무형문화재로 지정되어 있다.

라. 희석식 소주로써 알코올 농도는 20도이다.

정답 라

안동 소주는 대표적인 증류식 순곡 소주로 도수는 45도이다.

14. 조선시대에 유입된 외래주가 아닌 것은?

가. 천축주　　나. 섬라주

다. 금화주　　라. 두견주

정답 라

두견주는 우리나라의 전통주이다.

15. 부드러우며 뒤끝이 깨끗한 약주로서 쌀로 빚으며 소주에 배, 생강, 울금 등 한약재를 넣어 숙성시킨 전북 전주의 전통주는?

가. 두견주　　나. 국화주

다. 이강주　　라. 춘향주

정답 다

이강주는 배와 생강을 원료로 한 전주의 전통주이다.

16. 민속주 도량형 중 "되"에 대한 설명으로 틀린 것은 ?

가. 곡식이나 액체, 가루 등의 분량을 재는 것이다.

나. 보통 정육면체 또는 직육면체로써 나무나 쇠로 만든다.

다. 분량(1되)을 부피의 기준으로 하여 2분의 1을 1홉이라고 한다.

라. 1되는 약 1.8리터 정도이다.

정답 다

홉은 되의 10분의 1이다.

17. 우리나라의 전통 소주류에 해당 되지 않는 것은?

가. 안동소주

나. 청송불로주

다. 문배주

라. 산수유주

정답 라

산수유주는 주정에 산수유를 첨가해 만든 리큐어이다.

18. 우리나라 민속주에 대한 설명으로 틀린 것은?

가. 증류주 제조기술은 고려시대 때 몽고에 의해 전래되었다.

나. 탁주는 쌀 등 곡식을 주로 이용하였다.

다. 탁주, 양주, 소주의 순서로 개발되었다.

라. 청주는 쌀의 향을 얻기 위해 현미를 주로 사용한다.

정답 라

청주는 백미를 주로 사용한다.

19. 다음에서 설명하는 전통주는?

> 고구려의 도읍지인 서경(평양)을 중심으로 제조법이 널리 알려진 술로서 붉은 빛이 나도록 하는 수수를 주원료로 사용했다. 이 술은 밤에 술을 담가 다음날 새벽에 닭이 울 때 먹는 술이라 하여 한자의 뜻으로 이름 붙여졌다 한다.

가. 백세주　　나. 두견주

다. 문배주　　라. 계명주

정답 라

밤에 담가 새벽에 닭이 울때 마실 수 있는 술이라 하여 계명주(鷄鳴酒)라 하였다.

20. 지방의 특산 전통주가 잘못 연결된 것은?

가. 금산 - 인삼주

나. 홍천 - 옥선주

다. 안동 - 송화주

라. 전주 - 오곡주

정답 라

전주의 특산 전통주는 이강주이다.

21. 다음 민속주 중 증류식 소주가 아닌 것은?

가. 문배주　　나. 이강주

다. 옥로주　　라. 안동소주

정답 나

이강주는 소주에 배와 생강을 넣어 증류시켜 만든 약소주이다.

22. 조선시대 정약용의 지봉유설에 전해오는 것으로 이것을 마시면 불로장생한다 하여 장수주로 유명하며, 주로 찹쌀과 구기자, 고유 약초로 만들어진 우리나라 고유의 술은?

가. 두견주　　나. 백세주

다. 문배주　　라. 이강주

정답 나

백세까지 살 수 있다 하여 백세주라는 이름이 붙었다.

23. 쌀, 보리, 조, 수수, 콩 등 5가지 곡식을 물에 불린 후 시루에 쪄 고두밥을 만들고, 누룩을 섞고 발효시켜 전술을 빚는 것은?

가. 백세주
나. 과하주
다. 안동소주
라. 연엽주

정답 다

안동소주에 대한 설명이다.

24. 우리나라의 고유한 술 중에서 증류주에 속하는 것은?

가. 경주법주
나. 동동주
다. 문배주
라. 백세주

정답 다

대표적인 증류주 : 문배주, 안동 소주, 소곡주

25. 고려시대의 술로 누룩, 좁쌀, 수수로 빚어 술이 익으면 소주고리에서 증류하여 받은 술로 6개월 내지 1년간 숙성시킨 알코올 도수 40도 정도의 민속주는?

가. 문배주
나. 한산 소곡주
다. 금산 인삼주
라. 이강주

정답 가

문배주는 고려 왕건 시대부터 제조되어 내려온 평양 일대의 증류식 소주이다.

26. 소주의 특성 중 틀린 것은?

가. 초기에는 약용으로 음용되기 시작하였다.
나. 희석식 소주가 가장 일반적이다.
다. 자작나무 숯으로 여과하기에 맑고 투명하다.
라. 저장과 숙성과정을 거치면 고급화된다.

정답 다

자작나무 숯으로 여과하는 술은 러시아의 Vodka이다.

| chapter 06 | 칵테일

1. 다음 중 Shaker의 부분이 아닌 것은?
   가. Cap
   나. Screw
   다. Strainer
   라. Body

정답 나
와인 오프너이다.

2. 주로 블렌더(Blender)를 많이 사용하여 만드는 칵테일은?
   가. 마이타이(Mai-Tai)
   나. 세븐엔드세븐(Seven and Seven)
   다. 러스티네일(Rusty Nail)
   라. 엔젤스키스(Angel's Kiss)

정답 가
주로 트로피컬 칵테일은 블렌더를 사용해 만든다.

3. 피나콜라다 칵테일(Pina Colada)을 만들때 필요하지 않은 것은?
   가. 럼(Rum)
   나. 파인애플 주스(Pineapple Juice)
   다. 우유(Milk)
   라. Pina Colada Mix

정답 다
피나콜라다에 우유는 들어가지 않는다.

4. 비중이 가볍고 잘 섞이는 술이나 부재료를 유리제품인 믹싱글라스에 아이스큐브와 함께 넣어 바 스푼을 사용하여 재빨리 잘 휘저어 조주하는 방법은?
   가. 스터링(Stirring)
   나. 쉐이킹(Shaking)
   다. 블렌딩(Blending)
   라. 플로팅(Floating)

정답 가
스터 기법에 대한 설명이다.

5. 싱글(Single)이라 하면 술 30mL분의 양을 기준으로 한다. 그러면 2배인 60mL의 분량을 의미하는 것은?

가. 핑거(Finger) 나. 대시(Dash)

다. 드랍(Drop) 라. 더블(Double)

정답 라

싱글 : 1oz, 더블 : 2oz가 제공된다.

6. 칵테일은 차게 해서 조주되어야 한다. 만들어진 칵테일이 손에서 체온이 전달되지 않도록 사용되어야 할 글라스(Glass)는?

가. stemmed glass 나. tumbler

다. highball glass 라. collins

정답 가

스템드 글라스는 사람의 체온이 전달되는 것을 막기 위해 보울 밑에 스템이 있다.

7. 1quart는 몇 mL에 해당되는가?

가. 약 60mL 나. 약 240mL

다. 약 760mL 라. 약 950mL

정답 라

0.95L이다.

8. 다음에서 글래스(Glass) 가장 자리의 스노 우스타일(Snow Style) 장식 칵테일로 어울리지 않는 것은?

가. Kiss of Fire 나. Margarita

다. Chicago 라. Grasshopper

정답 라

Grasshopper는 Rimming을 하지 않는다.

9. Zombie cocktail의 조주에서 주재료로 사용되는 것은?

가. Vodka 나. Gin

다. Scotch 라. Rum

정답 라

Zombie cocktail의 주재료는 럼이다.

10. Stinger를 조주할 때 사용되는 술은?

가. Brandy

나. Creme de Menthe Blue

다. Cacao

라. Sloe Gin

정답 가

스팅거는 Brandy와 Creme de Menthe white를 사용한다.

11. 쿨러(Cooler)의 종류에 해당되지 않는 것은?

가. Jigger Cooler

나. Cup Cooler

다. Beer Cooler

라. Wine Cooler

정답 가

계량컵은 차갑게 보관하지 않아도 된다.

12. 목재 머들러(wood muddler)의 용도는?

가. 스파이스나 향료를 으깰 때 사용한다.

나. 레몬을 스퀴즈할 때 사용한다.

다. 칵테일을 휘저을 때 사용한다.

라. 브랜디를 띄울 때 쓴다.

정답 가

목재 머들러는 과일이나 향료 등을 으깰 때 사용한다.

13. Bar Spoon의 사용 방법 중 맞는 것은?

가. Garnish를 Setting할 때 사용하는 스푼이다.

나. 칵테일을 만들 때 용량을 재는 도량 기구이다.

다. 휘젓기(Stir)를 할 때 가볍게 돌리면서 젓도록 하기 위하여 중간 부분이 나선형으로 되어 있다.

라. Glass에 얼음을 담을 때 사용하는 기구이다.

정답 다

스터 기법을 사용하거나 플로팅 기법을 사용할 때 주로 쓰는 기구이다.

14. 다음 중 바에서 꼭 필요하지 않은 기구는?

가. 글라스 냉각기

나. 전기 믹서기

다. 얼음 분쇄기

라. 아이스크림 제조기

정답 라

바에서 아이스크림 제조기가 꼭 필요하진 않다.

15. 칵테일 파티를 준비하는 요소로서 적합하지 못한 사항은?

가. 초대 인원 파악　　나. 개최 일시와 장소

다. 파티의 매너(manner)　　라. 메뉴의 결정

정답 다

칵테일 파티의 준비 요소 : 초대 인원, 일시와 장소, 메뉴

16. 주류를 글라스에 담아서 고객에게 서브할 때 글라스 밑받침으로 사용하는 것은?

가. 스터러(Stirrer)

나. 디켄터(Decanter)

다. 컷팅보드(Cutting board)

라. 코스터(coaster)

정답 라

코스터는 글라스 받침이다.

17. 글라스 웨어(Glass Ware)의 취급 요령 중 설명이 틀린 것은?

가. Glass Ware는 고객에게 서비스하기 전 반드시 닦아서 서브한다.

나. Glass Ware는 닦을 때 반드시 뜨거운 물에 담궈 닦는다.

다. Glass Ware는 자주 닦으면 좋지 않다.

라. Glass Ware에 냄새가 날 때는 레몬 슬라이스를 물에 넣어서 닦으면 냄새를 제거 할 수 있다.

정답 다

글라스는 자주 닦아도 상관 없다.

18. 주장 기물의 가장 위생적인 세척 순서는?

가. 비눗물 → 더운물 → 찬물

나. 더운물 → 비눗물 → 찬물

다. 비눗물 → 찬물 → 더운물

라. 찬물 → 비눗물 → 더운물

정답 가

기물 세척 순서 : 비눗물 → 더운물 → 찬물

19. 다음 칵테일 중 각종 주류를 플로팅(Floating)하는 것은?

가. 로브로이(Rob Roy)

나. 엔젤스키스(Angel's Kiss)

다. 마가리타(Margarita)

라. 스크류드라이버(Screw Driver)

정답 나

엔젤스키스는 대표적인 플로팅 칵테일 중 하나이다.

20. Which one is the cocktail containning beer and tomato?

가. Red boy　　나. Bloody mary

다. Red eye　　라. Tom collins

정답 다

맥주와 토마토 주스를 사용하는 칵테일은 Red eye이다.

21. 칵테일의 기능에 따른 분류 중 롱드링크(Long drink)가 아닌 것은?

가. 피나콜라다(Pina Colada)

나. 마티니(Martini)

다. 톰칼린스(Tom Collins)

라. 치치(Chi-Chi)

정답 나

마티니는 칵테일 글라스에 담아 제공하는 숏드링크이다.

22. Creme De Cacao로 만들 수 있는 칵테일이 아닌 것은?

가. Cacao Fizz　　나. Mai-Tai

다. Alexander　　라. Grasshopper

정답 나

마이타이에는 Creme De Cacao가 들어가지 않는다.

23. 위스키가 기주로 쓰이지 않는 칵테일은?

가. 뉴욕(New York)　　나. 로브 로이(Rob Roy)

다. 블랙러시안(Black Russian)　　라. 맨하탄(Manhattan)

정답 다

블랙러시안의 베이스는 보드카이다.

24. 크림이나 계란의 비린 냄새를 제거하는 용도로 사용하는 칵테일 부재료는 무엇인가?

가. 클로브(Clove)

나. 타바스코 소스(Tabasco Sauce)

다. 넛맥(Nut meg)

라. 페퍼(Pepper)

정답 다

넛맥은 크림이나 계란의 비린내를 제거하기 위한 부재료이다.

25. 칵테일 부재료로 사용되고 매운 맛이 강한 향료로서 주로 토마토 주스가 들어가는 칵테일에 사용되는 것은?

가. 넛맥(Nut meg)

나. 타바스코 소스(Tabasco sauce)

다. 민트(Mint)

라. 클로브(Clove)

정답 나

블러디 메리 칵테일에 타바스코 소스가 쓰인다.

26. 계란, 밀크, 시럽 등의 부재료가 사용되는 칵테일을 만드는 방법은?

가. Mix　　나. Stir

다. Shake　　라. Float

정답 다

혼합하기 힘든 재료들을 혼합할 때 Shaking기법을 사용한다.

27. 혼합하기 어려운 재료를 섞거나 프로즌 드링크를 만들 때 쓰는 기구 중 가장 적합한 것은?

가. 쉐이커　　나. 브랜더

다. 믹싱글라스　　라. 믹서

정답 나

프로즌 드링크는 블렌더를 사용해 혼합하는게 가장 적합하다.

28. 일반적으로 양주병에 80proof라고 표기되어 있는 것은 알콜도수 몇 도에 해당하는가?

가. 주정도 80%(80도)라는 의미이다.

나. 주정도 40%(40도)라는 의미이다.

다. 주정도 20%(20도)라는 의미이다

라. 주정도 10%(10도)라는 의미이다.

정답 나

proof는 우리나라 주정 도수의 두배이다.

29. 일반적으로 핑크레이디 칵테일에 사용되지 않는 재료는?

가. 진

나. 그레나딘시럽

다. 베네딕틴

라. 계란흰자

정답 다

핑크레이디에는 베네딕틴이 쓰이지 않는다.

30. 맨하탄(Manhattan)칵테일을 담아 제공하는 글라스로 가장 적합한 것은?

가. 샴페인 글라스(Champagne Glass)

나. 칵테일 글라스(Cocktail Glass)

다. 하이볼 글라스(High-ball Glass)

라. 온더락 글라스(On the Rock Glass)

정답 나

맨하탄은 마티니와 함께 대표적인 숏드링크로 칵테일 글라스에 제공된다.

31. 일반적으로 스테인리스 재질로 삼각형 컵이 등을 맞대고 있으며, 바에서 칵테일 조주 시 술이나 주스, 부재료 등의 용량을 재는 기구는?

가. 바스푼(Bar spoon)

나. 머들러(Muddler)

다. 스트레이너(Strainer)

라. 지거(Jigger)

정답 라

칵테일 조주 시 쓰이는 계량컵을 지거라고 한다.

32. 진(Gin)베이스로 들어가는 칵테일이 아닌 것은?

가. Gin Fizz　　나. Screw Driver

다. Dry Martini　　라. Gibson

정답 나

Screw driver는 보드카 베이스이다.

33. 다음 중 Onion 장식을 하는 칵테일은?

가. 마가리타(Margarita)　　나. 마티니(Martini)

다. 로브로이(Rob Roy)　　라. 깁슨(Gibson)

정답 라

깁슨의 가니쉬는 Onion이다.

34. 칵테일 장식에 대한 설명 중 잘못된 것은?

가. 어떻게 장식해야 하는 것은 일정한 규정에 따라야 하므로 조주원의 개성을 표현하지 않는다.

나. 잘 알려진 칵테일에는 표준 레시피에 어떤 장식을 하라는 지시가 나와 있다.

다. 재료의 배합비율이 같아도 장식에 따라 명칭이 달라지는 것도 있다.

라. 신선한 재료를 청결한 칼로 예쁘게 썰어 칵테일의 분위기를 살린다.

정답 가

가니쉬는 바텐더의 역량으로 창의적으로 만들 수 있다.

35. 칵테일 조주 시 레몬이나 오렌지 등을 즙으로 짤 때 사용하는 기구는?

가. 스퀴저(Squeezer)

나. 머들러(Muddler)

다. 쉐이커(Shaker)

라. 스트레이너(Strainer)

정답 가

스퀴저는 과일의 즙을 짤 때 사용한다.

36. 칵테일의 기본 기법이 아닌 것은?

가. 직접 넣기(Building)　　나. 휘젓기(Stirring)
다. 띄우기(Floating)　　라. 플래어(Flair)

정답 라
4대 기법 : 직접 넣기, 휘젓기, 흔들기, 띄우기

37. 조주 시 필요한 쉐이커(Shaker)의 3대 구성 요소의 명칭이 아닌 것은?

가. 믹싱(Mixing)　　나. 보디(Body)
다. 스트레이너(Strainer)　　라. 캡(Cap)

정답 가
쉐이커의 3대 구성 요소 : 보디, 스트레이너, 캡

38. 설탕 프로스팅(Sugar frosting)할 때 준비해야 하는 것은?

가. 레몬(Lemon)　　나. 오렌지(Orange)
다. 얼음(Ice)　　라. 꿀(Honey)

정답 가
프로스팅은 레몬 즙을 글라스 림에 묻힌 후 설탕을 묻힌다.

39. 다음 중 디켄더(Decanter)와 가장 관계 있는 것은?

가. Red Wine　　나. White Wine
다. Champagne　　라. Sherry Wine

정답 가
레드 와인은 디켄더를 사용해 침전물을 걸러낸다.

40. 칵테일을 만들 때 「Would you like it dry?」에서 dry의 뜻은?

가. not wet　　나. sweet
다. not sweet　　라. wet

정답 다
음료에서 dry는 달지 않음을 의미한다.

41. Which one is made with rum, strawberry liqueur, lime juice, grenadin syrup?

가. strawberry daiquiri
나. strawberry comfort
다. strawberry colada
라. strawberry kiss

정답 가
strawberry daiquiri에 들어가는 주, 부재료이다.

42. Which one is the cocktail containing "Midori"?

가. Cacao fizz
나. June bug
다. Rusty nail
라. Blue note

정답 나

미도리는 Suntory사에서 만든 멜론 리큐어로 준벅의 베이스로 쓸 수 있다.

43. Which cocktail name means "Freedom"?

가. God mother
나. Cuba libre
다. God father
라. French kiss

정답 나

Cuba libre는 쿠바의 독립을 기념하며 마신 칵테일로 알려져 있다.

44. Martini에 가장 기본적인 장식 재료는?

가. 체리(Cherry)
나. 올리브(Olive)
다. 오렌지(Orange)
라. 자두(Plum)

정답 나

마티니의 가니쉬는 올리브이다.

45. Rob Roy를 조주할 때는 일반적으로 어떤 술을 사용하는가?

가. Rye Whisky
나. Bourbon Whisky
다. Canadian Whisky
라. Scotch Whisky

정답 라

Rob roy의 베이스는 Scotch whisky이다.

46. 1쿼터(quart)는 몇 온스(Ounce)를 말하는가?

가. 1온스
나. 16온스
다. 32온스
라. 38.4온스

정답 다

1쿼터는 32oz이다.

47. 스팅거(Stinger)를 제공하는 유리잔(Glass)의 종류는?

가. 하이볼(High ball) 글라스
나. 칵테일(Cocktail) 글라스
다. 올드 패션드(Old-Fashioned) 글라스
라. 사워(Sour) 글라스

정답 나

스팅거는 칵테일 글라스에 제공하는 숏드링크이다.

48. 바에서 사용하는 기구로 술병에 꽂아 소량으로 일정하게 나오게 하는 기구는 무엇인가?

가. Pourer 나. Muddler
다. Corkscrew 라. Squeezer

정답 가
Pourer는 술병에 꽂아 술을 일정하게 나오게 하여 계량에 도움을 준다.

49. 다음 칵테일(Cocktail) 중 글라스(Glass) 가장자리에 소금으로 프로스트(Frost)하여 내용물을 담는 것은?

가. Million Dollar 나. Cuba Libre
다. Grasshopper 라. Margarita

정답 라
마가리타는 Salt rimming을 한다.

50. 칵테일 조주 시 재료의 비중을 이용해서 섞이지 않도록 하는 방법은?

가. Blend 기법 나. Build 기법
다. Stir 기법 라. Float 기법

정답 라
비중을 이용해 층층이 쌓는 기법을 Float 기법이라 한다.

51. 다음 중 증류주로 만든 칵테일이 아닌 것은?

가. Manhattan 나. Rusty Nail
다. Irish Coffee 라. Grasshopper

정답 라
Grasshopper는 리큐어 베이스 칵테일이다.

52. 다음 칵테일 중 Snow Style기법의 칵테일이 아닌 것은?

가. Margarita 나. Irish Coffee
다. Kiss of Fire 라. Mai-Tai

정답 라
Margarita : salt rimming, Irish coffee : brown sugar rimming, Kiss of fire : sugar rimming

53. 와인(Wine)을 오픈(Open)할 때 사용하는 기물로 적당한 것은?

가. Cork Screw 나. White Napkin
다. Ice Tong 라. Wine Basket

정답 가
Cork screw는 와인 오프너이다.

54. 바(Bar)기물이 아닌 것은?

가. Stirer

나. Shaker

다. Bar Table Cloth

라. Jigger

정답 다

Bar Table Cloth는 바 기물에 해당하지 않는다.

55. 브랜디 글라스(Brandy Glass)에 대한 설명 중 틀린 것은?

가. 튤립형의 글라스이다.

나. 향이 잔 속에서 휘감기는 특징이 있다.

다. 글라스를 예열하여 따뜻한 상태로 사용한다.

라. 브랜디는 글라스에 가득 채워 따른다.

정답 라

글라스에 1~2oz만 따라 제공한다.

56. 칵테일 글라스(Cocktail Glass)의 3대 명칭이 아닌 것은?

가. 베이스(Base)　　나. 스템(Stem)

다. 보울(Bowl)　　라. 캡(Cap)

정답 라

캡은 쉐이커의 3대 명칭 중 하나이다.

57. 브랜디 에그녹(Brandy Eggnog)의 재료로 적합하지 않은 것은?

가. 브랜디　　나. 계란

다. 설탕　　라. 과일즙

정답 라

브랜디 에그녹에는 브랜디, 계란, 설탕, 우유가 들어간다.

58. 다음 중 wine base 칵테일이 아닌 것은?

가. kir　　나. blue hawaiian

다. spritzer　　라. mimosa

정답 나

blue hawaiian은 럼 베이스 칵테일이다.

59. 다음 중 작품 완성 후 nutmeg을 뿌려 제공하는 것은?

가. egg nogg　　나. tom collins

다. sloe gin fizz　　라. paradise

정답 가

nutmeg은 계란이나 우유의 비린내를 제거할 때 쓰는 부재료이다.

60. 다음 중 old fashioned의 일반적인 장식용 재료는?

가. 올리브　　나. 크림, 설탕
다. 레몬 껍질　　라. 오렌지, 체리

정답 라

Old fashioned는 오렌지와 체리로 장식한다.

61. 1gallon을 ounce로 환산하면 얼마인가?

가. 128oz　　나. 64oz
다. 32oz　　라. 16oz

정답 가

1 gallon은 128oz이다.

62. B & B를 조주할 때 어떤 glass에 benedictine을 붓는가?

가. shaker　　나. mixing glass
다. liqueur glass　　라. decanter

정답 다

B & B칵테일은 Liqueur glass에 제공된다.

63. 다음 칵테일 중 mixing glass를 사용하지 않는 것은?

가. martini　　나. gin fizz
다. gibson　　라. rob roy

정답 나

믹싱 글라스는 스터 기법에 쓰이는 기구이고 Gin fizz는 쉐이킹 기법을 사용한다.

64. 시럽이나 비터(bitters) 등 칵테일에 소량 사용하는 재료의 양을 나타내는 단위로 한 번 뿌려주는 양을 말하는 것은?

가. toddy　　나. double
다. dry　　라. dash

정답 라

1 dash : 5~6 drop

65. one finger의 분량은 약 얼마인가?

가. 30mL　　나. 40mL
다. 50mL　　라. 60mL

정답 가

1oz = 1 pony = 1 finger = 1 shot

66. 다음 중 1pony의 액체 분량과 다른 것은?

가. 1oz 나. 30mL

다. 1pint 라. 1shot

정답 다

1 pint : 16oz

67. 다음 중 칵테일을 만드는 기법이 아닌 것은?

가. blend 나. shake

다. float 라. sour

정답 라

sour는 칵테일의 종류 중 하나이다.

68. 다음의 재료로 side car를 만들 때 이 칵테일의 알코올 도수를 계산하면?

- 1oz Brandy(알코올 도수 40%)
- 1/2oz Cointreau(알코올 도수 40%)
- 1/2oz Lemon juice
- 얼음 녹이는 양 10mL

가. 18% 나. 34.28%

다. 15.13% 라. 25.71%

정답 라

알코올 도수 구하는 공식 : (A도수×A사용량) + (B도수×B사용량)÷총 사용량

69. 마신 알코올량(mL)을 나타내는 공식은?

가. 알코올량(mL) × 0.8

나. 술의 농도(%) × 마시는 양(mL) ÷ 100

다. 술의 농도(%) × 마시는 양(mL)

라. 술의 농도(%) ÷ 마시는 양(mL)

정답 나

마신 알코올 양을 구하는 공식이다.

70. 칵테일을 만드는 기법 중 "stirring"에서 사용하는 도구와 거리가 먼 것은?

가. Mixing glass

나. bar spoon

다. shaker

라. strainer

정답 다

스터 기법에는 Mixing glass, Strainer, Bar spoon이 사용된다.

71. floating method에 필요한 기물은?

가. bar spoon　　나. coaster
다. ice pail　　라. shaker

정답 가
플로팅 기법에는 바스푼이 사용된다.

72. strainer의 설명 중 틀린 것은?

가. 철사망으로 되어 있다.
나. 얼음이 글라스에 떨어지지 않게 하는 기구이다.
다. 믹싱글라스와 함께 사용된다.
라. 재료를 섞거나 소량을 잴 때 사용된다.

정답 라
재료를 섞거나 소량을 잴 때 사용하는 기구는 바스푼이다.

73. 다음 중 연결이 잘못된 것은?

가. ice pick : 얼음을 잘게 부술 때 사용
나. squeezer : 과즙을 짤 때 사용
다. pourer : 주류를 따를 때 흘리지 않도록 하는 기구
라. ice tong : 얼음 제조기

정답 라
Ice tong은 얼음을 집는 집게이다.

74. 다음 중 vodka base cocktail은?

가. paradise cocktail
나. million dollars
다. bronx cocktail
라. kiss of fire

정답 라
Kiss of fire의 베이스는 보드카이다.

75. Choose the best answer for the blank.

An alcoholic drink take before a meal as an appetizer is ( ).

가. hangover　　나. aperitif
다. chaser　　라. tequila

정답 나
식전주는 aperitif라 한다.

76. 다음은 무엇에 관한 설명인가?

> When making a cocktail, this is the main ingredient into which other things are added.

가. base

나. glass

다. straw

라. decoration

정답 가

칵테일의 주재료를 베이스라 한다.

77. 다음 중 지칭하는 대상이 다른 것은?

가. Brandy Glass　　나. Snifter

다. Cognac glass　　라. Whisky Sour

정답 라

Whisky sour는 칵테일의 분류 중 하나이다.

78. 정찬코스에서 hors-d'oeuvre 또는 soup 대신에 마시는 우아하고 자양분이 많은 칵테일은?

가. After Dinner Cocktail

나. Before Dinner Cocktail

다. Club Cocktail

라. Night Cap Cocktail

정답 다

식전 칵테일을 의미한다.

79. Over The Rainbow의 일반적인 Garnish는?

가. Strawberry, Peach Slice

나. Cherry, Orange Slice

다. Pineapple spear, Cherry

라. Lime Wedge

정답 가

딸기와 복숭아 슬라이스를 주로 사용한다.

80. 주장에서 사용되는 얼음 집게의 명칭은?

가. Ice Pick　　나. Ice Pail

다. Ice Scooper　　라. Ice Tongs

정답 라

Ice tongs는 얼음용 집게를 말한다.

81. 칵테일의 기구와 용도를 잘못 설명한 것은?
가. Mixing Cup : 혼합하기 쉬운 재료를 섞을 때
나. Standard Shaker : 혼합하기 힘든 재료를 섞을 때
다. Squeezer : 술의 양을 계량할 때
라. Glass Holder : 뜨거운 종류의 칵테일을 제공할 때

정답 다
술을 계량하는 계량 컵은 지거(Jigger)이다.

82. Highball Glass의 일반적인 용도가 아닌 것은?
가. 롱드링크
나. 비알코올 칵테일
다. 더블 스트레이트
라. 과일 주스

정답 다
더블 스트레이트는 2oz를 의미하고, 하이볼 글라스의 일반적인 용량은 8~12oz로 롱드링크를 제공한다.

83. 다음 계량단위 중 옳은 것은?
가. 1Teaspoon = 1/8oz
나. 1Dash = 1/20oz
다. 1Jigger = 3oz
라. 1Split = 10oz

정답 가
1dash = 1/32oz,
1jigger = 1.1/2oz,
1split = 6oz

84. 'Chilled White Wine'과 'Club Soda'로 만드는 칵테일은?
가. Wine Cooler　나. Mimosa
다. Hot Springs Cocktail　라. Spritzer

정답 라
Spritzer 칵테일은 화이트 와인과 소다수로 만든다.

85. Gin & Tonic에 알맞은 glass와 장식은?
가. Collins Glass - Pineapple Slice
나. Cocktail Glass - Olive
다. Cordial Glass - Orange Slice
라. Highball - Lemon Slice

정답 라
일반적으로 Gin & Tonic은 하이볼 글라스에 레몬 슬라이스와 함께 제공된다.

86. 아래에서 설명하는 설탕은?

> 빙당(冰糖)이라고도 부르는데 과실주 등에 사용되는 얼음 모양으로 고결시킨 설탕이다.

가. frost sugar

나. granulated sugar

다. cube sugar

라. rock sugar

정답 라

rock sugar에 대한 설명이다.

87. 다음 중 Angel's Kiss를 만들 때 사용하는 것은?

가. Shaker　나. Mixing Glass

다. Blender　라. Bar Spoon

정답 라

엔젤스 키스는 Float 기법으로 바 스푼을 이용한다.

88. 다음 중 Tumbler Glass는 어느 것인가?

가. Champagne Glass　나. Cocktail Glass

다. High ball　라. Brandy Snifter

정답 다

Tumbler Glass는 원통형 글라스를 의미한다.

89. 음료를 서빙할 때에 일반적으로 사용하는 비품이 아닌 것은?

가. Napkin　나. Coaster

다. Serving Tray　라. Bar Spoon

정답 라

바 스푼은 음료를 서빙할 때 사용하지 않는다.

90. 고객이 위스키 스트레이트를 주문하고, 얼음과 함께 콜라나 소다수 등을 원하는 경우 이를 제공하는 글라스는?

가. Wine Decanter

나. Cocktail Decanter

다. Collins Glass

라. Cocktail Glass

정답 나

Cocktail Decanter는 간단한 음료를 제공할 때 사용한다.

91. Muddler에 대한 설명으로 틀린 것은?

가. 설탕이나 장식과일 등을 으깨거나 혼합하기에 편리하게 사용할 수 있는 긴 막대형의 장식품이다.

나. 칵테일 장식에 체리나 올리브 등을 찔러 사용한다.

다. 롱 드링크를 마실 때는 휘젓는 용도로 사용한다.

라. Stirring rod라고도 한다.

정답 나

Cocktail pick에 대한 설명이다.

92. Which is the syrup made by pomegranate?

가. Maple Syrup

나. Strawberry

다. Grenadine Syrup

라. Almond Syrup

정답 다

석류로 만든 대표적인 시럽은 Grenadine syrup이다.

93. White Russian의 재료는?

가. Vodka　　나. Dry Gin

다. Old Tom Gin　　라. Cacao

정답 가

White Russian의 주재료는 Vodka이다.

94. 다음 중 가장 강하게 흔들어서 조주해야 하는 칵테일은?

가. Martini　　나. Old fashion

다. Sidecar　　라. Eggnog

정답 라

Eggnog은 계란이 들어가기 때문에 쉐이킹 기법을 사용한다.

95. Pousse cafe를 만드는 재료 중 가장 나중에 따르는 것은?

가. Brandy　　나. Grenadine

다. Creme de menthe(white)　　라. Creme de Cassis

정답 가

증류주는 가장 가볍기 때문에 가장 나중에 따른다.

96. 다음 중 꿀을 사용하는 칵테일은?

가. Zoom　　나. Honeymoon

다. Golden cadillac　　라. Harmony

정답 가

Zoom 칵테일은 브랜디, 꿀, 우유가 들어가는 칵테일이다.

97. grain whisky에 대한 설명으로 옳은 것은?

가. silent spirit라고도 불리운다.

나. 발아시킨 보리를 원료로 해서 만든다.

다. 향이 강하다.

라. Andrew Usher에 의해 개발되었다.

정답 가

연속식 증류기를 사용하는 Grain whisky는 그 특징이 강하지 않아 Silent spirit라고도 불린다.

98. "Twist of lemon peel"의 의미로 옳은 것은?

가. 레몬껍질을 비틀어 짜 그 향을 칵테일에 스며들게 한다.

나. 레몬을 반으로 접듯이 하여 과즙을 짠다.

다. 레몬껍질을 가늘고 길게 잘라 칵테일에 넣는다.

라. 커피를 믹서기에 갈아 즙 성문을 2~3방울 칵테일에 떨어뜨린다.

정답 가

레몬 껍질을 비틀어 껍질에 있는 에센스를 뿌려주는 것이다.

99. simple syrup을 만드는 데 필요한 것은?

가. lemon	나. butter
다. cinnamon	라. sugar

정답 라

simple syrup은 물과 설탕을 1:1 비율로 섞은 것을 말한다.

100. Irish Coffee의 재료가 아닌 것은?

가. Irish Whisky	나. Rum
다. hot coffee	라. sugar

정답 나

Irish Coffee의 재료는 Irish Whisky, sugar, hot coffee, whipped cream이다.

101. 다음 중 용량이 가장 작은 글라스는?

가. old fashioned glass	나. highball glass
다. cocktail glass	라. shot glass

정답 라

shot glass는 1oz의 글라스를 말한다.

102. 다음 중 Gin base에 속하는 칵테일은?

가. Stinger	나. Old-fashioned
다. Martini	라. Sidecar

정답 다

Martini의 베이스는 진이다.

103. 아래에서 설명하는 주장 기물은?

> 리큐어나 시럽 등 농후한 재료를 사용하여 만드는 칵테일의 경우는 휘저어 섞는 것만으로는 잘 혼합이 되지 않기 때문에 강한 움직임을 주기 위하여 이 기물이 필요하다.

가. bar spoon　　나. cocktail glass
다. cock screw　　라. shaker

정답 라
서로 잘 섞이지 않는 재료를 혼합할 때 사용하는 기물은 Shaker이다.

104. 다음 중 Blender로 혼합해서 만드는 칵테일은?

가. Harvey wallbanger　　나. Cuba Libre
다. Zombie　　라. Orange Blossom

정답 다
Zombie 칵테일은 Blender로 갈아서 제공된다.

105. 브랜디 글라스의 입구가 좁은 주된 이유는?

가. 브랜디의 향미를 한곳에 모이게 하기 위하여
나. 술의 출렁임을 방지하기 위하여
다. 글라스의 데커레이션을 위하여
라. 양손에 쥐기가 편리하도록 하기 위하여

정답 가
브랜디 글라스는 향을 입구 쪽으로 모이게 하기 위해 밑 부분은 넓고 입구 부분은 좁다.

106. 칵테일을 만드는 방법으로 적합하지 않은 것은?

가. on the rock은 잔에 술을 먼저 붓고 난 뒤 얼음을 넣는다.
나. olive는 찬물에 헹구어 짠맛을 엷게 해서 사용한다.
다. mist를 만들 때는 분쇄얼음을 사용한다.
라. 찬술은 보통 찬 글라스를, 뜨거운 술은 뜨거운 글라스를 사용한다.

정답 가
On the rock 글라스에는 얼음을 먼저 넣고 술을 붓는다.

107. 아래의 (　) 안에 알맞은 것은?

> In English, the term “Sirop De Gomme” is (　).

가. Plain syrup　　나. Gum syrup
다. Grenadine syrup　　라. almond syrup

정답 나
Sirop De Gomme는 프랑스어로 Gum syrup을 말한다.

108. Black Russian에 사용되는 글라스는?

가. Cocktail glass
나. Old fashioned glass
다. Sherry wine glass
라. Hi-ball glass

정답 나

Black Russian은 Old fashioned glass에 제공된다.

109. 다음 중 나머지 셋과 칵테일 만드는 기법이 다른 것은?

가. Martini
나. Grasshopper
다. Stinger
라. Zoom Cocktail

정답 가

마티니는 스터 기법을 사용한다.

110. Rum 베이스 칵테일이 아닌 것은?

가. Daiquiri　나. Cuba Libre
다. Mai Tai　라. Stinger

정답 라

Stinger는 브랜디 베이스이다.

111. 다음 중 롱 드링크(long drink)에 해당하는 것은?

가. Side car　나. Stinger
다. Royal fizz　라. Manhattan

정답 다

Fizz칵테일은 롱드링크이다.

112. 주로 생맥주를 제공할 때 사용하며 손잡이가 달린 글라스는?

가. Mug glass　나. Highball glass
다. Collins glass　라. Manhattan

정답 가

손잡이가 달린 글라스는 Mug glass이다.

113. Old Fashioned에 필요한 재료가 아닌 것은?

가. Whisky　나. Sugar
다. Angostura Bitter　라. Light Rum

정답 라

Old fashioned의 재료는 위스키, 각설탕, 앙고스투라 비터, 소다수이다.

114. 여러 종류의 술을 비중이 무거운 것부터 차례로 섞이지 않도록 floating 하여 만드는 것은?

가. Long Island Iced Tea

나. Pousse Cafe

다. Malibu Punch

라. Tequila sunrise

정답 나

Pousse cafe는 대표적인 Floating 칵테일이다.

115. 뜨거운 물 또는 차가운 물에 설탕과 술을 넣어서 만든 칵테일은?

가. Toddy　　나. Punch

다. Sour　　라. Sling

정답 가

Toddy 칵테일에 대한 설명이다.

116. 백포도주를 서비스 할 때 함께 제공하여야 할 기물은?

가. Bar spoon　　나. Wine cooler

다. Muddler　　라. Tongs

정답 나

백포도주는 차갑게 제공해야 하기 때문에 Wine cooler와 함께 제공한다.

117. 다음 중 나무딸기 시럽은?

가. Grenadine Syrup　　나. Maple Syrup

다. Raspberry Syrup　　라. Plain Syrup

정답 다

나무 딸기는 영어로 Raspberry이다.

118. 다음 중 주로 Tropical cocktail 조주할 때 사용하며 "두들겨 으깬다."라는 의미를 가지고 있는 얼음은?

가. Shaved Ice　　나. Crushed Ice

다. Cubed Ice　　라. Cracked Ice

정답 나

Crushed ice에 대한 설명이다.

119. Which one is basic liqueur among the cocktail name which containing "Alexander"?

가. Gin　　나. Vodka

다. Whisky　　라. Rum

정답 가

Alexander 칵테일의 베이스는 Gin이다.

120. 탄산음료나 샴페인을 사용하고 남은 일부를 보관 할 때 사용되는 기구는?

가. 코스터　　나. 스토퍼

다. 폴러　　라. 코르크

정답 나

탄산이 빠져나가는 것을 막기 위해 사용하는 기구는 스토퍼이다.

121. 칵테일 장식과 그 용도가 적합하지 않은 것은?

가. 체리 - 감미타입 칵테일

나. 올리브 - 쌉쌀한 맛의 칵테일

다. 오렌지 - 오렌지 주스를 사용한 롱 드링크

라. 셀러리 - 달콤한 칵테일

정답 라

칵테일과 가니쉬는 궁합이 맞아야 한다.

122. 계량단위의 1 1/2oz는 몇 mL인가?

가. 15mL　　나. 25mL

다. 35mL　　라. 45mL

정답 라

1oz는 30mL이다.

123. 다음 중 After Dinner Cocktail은?

가. Campari Soda　　나. Dry Martini

다. Negroni　　라. Pousse Cafe

정답 라

식후에 마시는 칵테일은 달콤한 것이 좋다.

124. 일드 테스트(Yield test)란?

가. 산출량 실험　　나. 종사원들의 양보 성향 조사

다. 알코올 도수 실험　　라. 재고 조사

정답 가

일드 테스트란 한 병의 술이 몇 잔 분량인지를 테스트 하는 것이다.

125. 칵테일에 관련된 각 용어의 설명이 틀린 것은?

가. Cocktail Pick - 장식에 사용하는 핀이다.

나. Peel - 과일 껍질이다.

다. Decanter - 신맛이라는 뜻을 가지고 있다.

라. Fix - 약간 달고, 맛이 강한 칵테일의 종류이다.

정답 다

신맛이라는 뜻을 가지고 있는 용어는 sour이다.

126. 아래에서 설명하는 Glass는?

> 위스키 사워, 브랜디 사워 등 사워 칵테일에 주로 사용되며 3~5oz를 담기에 적당한 크기이다. Stem이 길고 위가 좁고 밑이 깊어 거의 평형형으로 생겼다.

가. Goblet　　나. Wine glass
다. Sour glass　　라. Cocktail glass

정답 다

위스키 사워가 제공되는 글라스는 Sour glass이다.

127. Shaker의 사용 방법으로 가장 적합한 것은?

가. 사용하기 전에 씻어서 사용한다.
나. 술을 먼저 넣고 그 다음에 얼음을 채운다.
다. 얼음을 채운 후에 술을 따른다.
라. 부재료를 넣고 술을 넣은 후에 얼음을 채운다.

정답 다

술을 따르기 전에 얼음을 3~4개 넣어 사용한다.

128. Which one is the cocktail containing "wine"?

가. Sangria　　나. Sidecar
다. Sloe Gin　　라. Black Russian

정답 가

Sangria는 와인에 각종 과일을 넣어 만든 칵테일이다.

129. Which is the correct one as a base of Side car in the following?

가. bourbon whisky　　나. brandy
다. gin　　라. vodka

정답 나

Side car의 베이스는 브랜디이다.

130. Gin Fizz의 특징이 아닌 것은?

가. 하이볼 글라스를 사용한다.
나. 기법으로 Shaking과 Building을 병행한다.
다. 레몬의 신맛과 설탕의 단맛이 난다.
라. 칵테일 어니언으로 장식한다.

정답 라

어니언은 깁슨 칵테일의 가니쉬이다.

131. 장식으로 과일의 껍질만 사용하는 칵테일은?

가. Moscow Mule　　나. New York
다. Bronx　　라. Gin Buck

정답 나
뉴욕의 가니쉬는 Twist of lemon peel이다.

132. 칵테일의 제조방법이 잘못된 것은?

가. Gibson에 사용되는 Onion은 완성된 칵테일에 잠기게 한다.
나. Pink Lady에 사용되는 Nutmeg 가루는 다른 재료와 함께 Shaking 한다.
다. Bloody Mary에 사용되는 Pepper는 다른 재료와 함께 Shaking 한다.
라. Angel's Kiss에 사용되는 Red Cherry는 완성된 칵테일 잔 위에 올려놓는다.

정답 나
가니쉬는 함께 Shaking하지 않는다.

133. Mint Frappe에 사용하는 얼음은?

가. Shaved ice　　나. Cubed ice
다. Cracked ice　　라. Lumped ice

정답 가
Frappe에 사용하는 얼음은 Shaved ice를 사용한다.

134. 칵테일을 만드는데 필요한 기구는?

가. tumbler　　나. squeezer
다. coaster　　라. service plate

정답 나
Squeezer는 칵테일을 만들 때 과즙을 짜는데 사용한다.

135. Which is a hot drink in the following?

가. White Lady　　나. Irish Coffee
다. Frozen Daiquiri　　라. Tequila sunrise

정답 나
Irish coffee는 대표적인 Hot drink이다.

136. metric sizes for wine의 양으로 틀린 것은?

가. 1 Jeroboam = 0.5L　　나. 1 Tenth = 375mL
다. 1 Quart = 1L　　라. 1 Magnum = 1.5L

정답 가
1 Jeroboam은 3L이다.

137. 다음 칵테일 중 계란이 들어 가는 칵테일은?

가. Millionaire　　나. Black Russian

다. Brandy Alexander　　라. Daiquiri

정답 가

Millionaire에는 계란 흰자가 사용된다.

138. 데킬라에 오렌지 주스를 배합한 후 붉은 색 시럽을 뿌려서 가라앉은 모양이 마치 일출의 장관을 연출케 하는 희망과 환의의 칵테일로 유명한 것은?

가. Stinger　　나. Tequila sunrise

다. Screw driver　　라. Pink Lady

정답 나

Tequila sunrise에 대한 설명이다.

139. 다음은 어떤 도구에 대한 설명인가?

> Looks like a wooden pestle, the fiat end of which is used to crush and combine ingredients in a serving glass or mixing glass.

가. shaker　　나. muddler

다. barspoon　　라. strainer

정답 나

머들러는 믹싱 글라스나 서빙 글라스 안에서 재료를 으깨거나 섞을 때 사용한다.

140. Angostura Bitter가 1 dash정도로 혼합되는 것은?

가. Daquiri　　나. Grasshopper

다. Pink Lady　　라. Manhattan

정답 라

Manhattan은 Bourbon whisky, Sweet vermouth, Angostura bitter가 들어간다.

141. 칵테일 제조 계량 단위 표시 중 틀린 것은?

가. 1 oz = 29.5 mL

나. 1 pony = 29.5 mL

다. 1 dash = 0.9 mL

라. 1 tablespoon = 25 mL

정답 라

1Tbs=1/2oz(15mL)이다.

142. 다음 중 알코올성 커피는?

가. 카페로얄(Cafe Royale)

나. 비엔나 커피(Vienna Coffee)

다. 데미따세 커피(Demi Tasse Coffee)

라. 카페 오레(Cafe au Lait)

정답 가

카페 로얄은 Irish coffee와 함께 대표적인 알코올성 커피이다.

143. pilsner잔에 대한 설명으로 옳은 것은?

가. 브랜디를 마실 때 사용한다.

나. 맥주를 따르면 기포가 올라와 거품이 유지된다.

다. 와인 향을 즐기는데 가장 적합하다.

라. 역삼각형으로 발레리나를 연상하게 하는 모양이다.

정답 나

Pilsner glass는 주로 맥주를 따르는데 사용된다.

144. 칵테일 도구에 대한 설명 중 틀린 것은?

가. strainer : 재료를 혼합, 반죽하는 도구

나. squeezer : 과즙을 짜는 도구

다. pourer : 술 손실 예방 도구

라. cork screw : 코르크마개를 빼는 도구

정답 가

Strainer는 얼음을 걸러내는데 사용된다.

145. 다음 시럽 중 나머지 셋과 특징이 다른 것은?

가. grenadine syrup

나. can sugar syrup

다. simple syrup

라. plain syrup

정답 가

나, 다, 라는 같은 설탕 시럽이다.

146. 다음 중 짝이 올바르게 짝지어진 것은?

가. chilling : 증류주에 단맛과 신맛을 더해 물로 희석시키는 것

나. sling : 급냉각 시키는 것

다. chaser : 높은 도수의 술을 마실 때 취하는 속도를 조절하기 위한 음료

라. dash : 한 방울 정도

정답 다

Chaser는 독한 술을 마실 때 함께 제공되는 음료이다.

147. Cubed Ice란 무엇인가?

가. 부순 얼음　　나. 가루 얼음
다. 각 얼음　　라. 깬 얼음

정답 다

Cubed ice는 정육면체의 각 얼음을 말한다.

148. 1온스(oz)는 몇 mL인가?

가. 10.5 mL　　나. 20.5 mL
다. 29.5 mL　　라. 40.5 mL

정답 다

정확하게 1oz는 29.57mL이다.

149. 다음 중 Straight Glass 에 해당하지 않는 것은?

가. Single Glass　　나. Whisky Glass
다. Cocktail Glass　　라. Shot Glass

정답 다

칵테일 글라스는 6oz 이상으로 Straight용으로는 사용하지 않는다.

150. 오렌지 주스를 사용한 칵테일에 잘 어울리는 장식 재료는?

가. 체리 (cherry)　　나. 올리브 (olive)
다. 오렌지 (orange)　　라. 레몬 (lemon)

정답 다

오렌지 주스를 사용하는 칵테일에는 오렌지 가니쉬가 어울린다.

151. glass rimmers의 용도는?

가. 소금, 설탕을 글라스 가장자리에 묻히는 기구이다.
나. 술을 글라스에 따를 때 사용하는 기구이다.
다. 와인을 차게 할 때 사용하는 기구이다.
라. 뜨거운 글라스를 넣을 수 있는 손잡이가 달린 기구이다.

정답 가

Rimming을 손쉽게 하기 위해 설탕, 소금, 라임 주스 등을 미리 따라 보관해 놓는 기구이다.

152. 핑크 레이디, 밀리언 달러, 마티니, 네그로니의 기법을 순서대로 나열한 것은?

가. Shaking, Stirring, Float & Layer, Building
나. Shaking, Shaking, Float & Layer, Building
다. Shaking, Shaking, Stirring, Building
라. Shaking, Float & Layer, Stirring, Building

정답 다

153. cafe mug glass에 제공되지 않는 것은?

가. Bailey's Coffee
나. French Coffee
다. Irish Coffee
라. Royal Coffee

정답 다

Irish coffee는 Irish coffee glass에 제공된다.

154. 다음 중 나머지 셋과 지칭하는 대상이 다른 하나는?

가. Stir rod
나. Cork Screw
다. Wine opener
라. Waiter's Corkscrew

정답 가

Stir rod는 Muddler를 말한다.

155. 칵테일 조주 시 술의 양을 계량할 때 사용하는 기구는?

가. Squeezer
나. Measure cup
다. Cork screw
라. Ice pick

정답 나

Measure cup 혹은 jigger라 한다.

156. Which is not nonalcoholic drink?

가. Coffee - Cola Cooler
나. Fruit Smoothie
다. Lemonade
라. Mimosa

정답 라

Mimosa는 샴페인과 오렌지 주스가 들어가는 칵테일이다.

157. 칵테일을 맛에 따라 분류할 때 이에 해당하지 않는 것은?

가. 스위트 칵테일
나. 사워 칵테일
다. 슬링 칵테일
라. 드라이 칵테일

정답 다

맛에 의한 분류 : Sweet, Sour, Dry

158. 칵테일의 종류에 따른 설명으로 틀린 것은?

가. Fizz : 진, 리큐어 등을 베이스로 하여 설탕, 진 또는 레몬주스, 소다수 등을 사용한다.
나. Collins : 술에 레몬이나 라임즙, 설탕을 넣고 소다수로 채운다.
다. Toddy : 뜨거운 물 또는 차가운 물에 설탕과 술을 넣어 만든 칵테일이다.
라. Julep : 레몬껍질이나 오렌지껍질을 넣은 칵테일이다.

정답 라

Julep은 민트 리큐어에 설탕, 청량음료를 혼합한 칵테일이다.

159. Liqueur Glass의 다른 명칭은?

가. Shot Glass

나. Cordial Glass

다. Sour Glass

라. Goblet

정답 나

Liqueur는 영어로 Cordial이라 한다.

160. 각 얼음(cubed ice)의 취급상의 주의사항으로 잘못된 것은?

가. 아이스 텅(tongs)이나 아이스 스쿠프(scoop)를 사용한다.

나. 스쿠프가 없을 경우 글라스로 스쿠프를 대용한다.

다. Ice bin 위에는 어떤 것이든 차게 하기 위하여 놓아서는 안 된다.

라. 각얼음은 재사용을 절대 금한다.

정답 나

글라스는 깨지기 쉽기 때문에 얼음을 옮기는데 적당하지 않다.

161. 칵테일 계량단위를 측정하는 기구가 아닌 것은?

가. Stopper

나. Teaspoon

다. Measure cup

라. Tablespoon

정답 가

Stopper는 탄산이 빠져나가는 것을 방지하는 기구이다.

162. 가니쉬(Garnishes)에 대한 설명이 옳은 것은?

가. 칵테일의 혼합비율을 나타내는 것이다.

나. 칵테일에 장식되는 각종 과일과 채소를 말한다.

다. 칵테일을 블랜딩하여 만드는 과정을 말한다.

라. 칵테일에 대한 향과 맛을 나타내는 것이다.

정답 나

가니쉬는 칵테일과 잘 어울리는 과일, 채소 장식을 말한다.

163. 여러 가지 양주류와 부재료, 과즙 등을 적당량 혼합하여 칵테일을 조주하는 방법으로 가장 바람직한 것은?

가. 강한 단맛이 생기도록 한다.

나. 식욕과 감각을 자극하는 샤프함을 지니도록 한다.

다. 향기가 강하게 한다.

라. 색(color), 맛(taste), 향(flavor)이 조화롭게 한다.

정답 라

칵테일은 색, 맛, 향이 조화를 이루어야 한다.

164. 1 Gallon이 128oz이면 1 Pint 몇 oz인가?

가. 32oz
나. 16oz
다. 26.6oz
라. 12.8oz

정답 나

Pint는 1/8 Gallon이다.

165. 크리스마스 칵테일로 알려져 있으며, 브랜디와 럼, 설탕, 달걀을 넣어 shaking하고 밀크로 채워서 nutmeg나 계피를 뿌려 제공되는 칵테일은?

가. Million Dollar
나. Brady Eggnog
다. Drambuie
라. Glass Hooper

정답 나

Brandy Eggnog의 설명이다.

166. 칵테일을 고객에게 직접 서비스할 때 사용되는 글래스(glass)로 적합하지 않은 것은?

가. Sour Glass
나. Mixing Glass
다. Saucer Champagne Glass
라. Cocktail Glass

정답 나

Mixing glass는 칵테일을 조주할 때 쓰이는 기구이다.

167. 싱가포르 슬링(Singapore Sling) 칵테일의 장식으로 알맞은 것은?

가. 시즌 과일 (season fruits)
나. 올리브 (olive)
다. 필 어니언 (peel onion)
라. 계피 (cinnamon)

정답 가

싱가폴 슬링은 시즌 과일로 장식하고, 일반적으로는 오렌지와 체리로 장식한다.

168. 유리제품 glass를 관리하는 방법으로 잘못된 것은?

가. 스템이 없는 glass는 트레이를 사용하여 운반한다.
나. 한꺼번에 많은 양의 glass를 운반할 때는 glass rack을 사용한다.
다. 타올을 펴서 glass 밑 부분을 감싸 쥐고 glass의 윗부분을 타올로 닦는다.
라. glass를 손으로 운반할 때는 손가락으로 글라스를 끼워 받쳐 위로 향하도록 든다.

정답 라

글라스의 밑부분을 잡아야하고 파손의 위험이 있기 때문에 함께 들어서는 안된다.

169. 텀블러(Tumbler)컵의 주요 용도는?

가. 적포도주를 제공하는 컵　　나. 하이볼을 제공하는 컵

다. 샴페인을 제공하는 컵　　라. 위스키를 제공하는 컵

정답 나

텀블러 글라스는 롱드링크를 제공하는데 쓰인다.

170. hot drinks cocktail이 아닌 것은?

가. God Father　　나. Irish Coffee

다. Jamaican Coffee　　라. Tom and Jerry

정답 가

God father는 얼음과 함께 제공되는 칵테일이다.

171. 소주병에 350mL, 25%라고 기재되어 있을 때 에틸알코올 양은?

가. 87.5mL　　나. 80mL

다. 70.5mL　　라. 60mL

정답 가

350 × 25 ÷ 100

172. 믹싱 글라스(mixing glass)의 설명 중 옳은 것은?

가. 칵테일 조주 시 음료 혼합물을 섞을 수 있는 기물이다.

나. Shaker의 또 다른 명칭이다.

다. 칵테일 음료 서비스에 사용되는 유리잔의 총칭이다.

라. 칵테일에 혼합되어지는 과일이나 약초를 mashing하기 위한 기물이다.

정답 가

칵테일 기법 중 스터 기법을 할 때 사용하는 기물이다.

173. Cocktail Shaker에 넣어 조주하는 것이 부적합한 재료는?

가. 럼(Rum)　　나. 소다수(Soda Water)

다. 우유(Milk)　　라. 달걀 흰자

정답 나

소다수는 탄산이 함유되어 있기 때문에 쉐이킹을 하지 않는다.

174. 다음 칵테일 중 샐러리(celery)가 장식으로 사용되는 칵테일은?

가. Bloody Mary　　나. Grass Hopper

다. Hawaiian Cocktail　　라. Chi Chi

정답 가

Bloody Mary의 가니쉬는 레몬이나 샐러리이다.

175. Blender를 사용하는 것은?

가. high Ball　　나. Frozen Drink
다. Martini　　라. Manhattan

정답 나

Blender를 이용하는 칵테일은 Frozen Drink나 Tropical cocktail 등이 있다.

176. glass 취급 방법으로 가장 적합한 것은?

가. 상단을 쥐고 서브한다.
나. 중간을 쥐고 서브한다.
다. 하단을 쥐고 서브한다.
라. 리밍부분을 쥐고 서브한다.

정답 다

상단 부분은 사람의 입이 닿는 부분이기 때문에 서브할 때는 하단 부분을 잡고 서브한다.

177. 글라스 세척 시 알맞은 세제와 세척순서로 짝지어진 것은?

가. 산성세제 - 더운물 - 찬물
나. 중성세제 - 찬물 - 더운물
다. 산성세제 - 찬물 - 더운물
라. 중성세제 - 더운물 - 찬물

정답 라

글라스를 세척할 때는 중성세제 - 더운물 - 찬물 순으로 세척한다.

178. 다음 중 레몬(lemon)이나 오렌지 슬라이스(Orange slice)와 체리(red cherry)를 장식하여 제공되는 칵테일은?

가. Tom Collins
나. Martini
다. Rusty Nail
라. Black Russian

정답 가

Tom collins는 일반적으로 레몬 슬라이스와 체리로 장식된다.

179. 다음 레시피(RECIPE)의 칵테일 명으로 올바른 것은?

DRY GIN 1 1/2 OZ, LIME JUICE 1 OZ
(POWDER)SUGAR 1 tsp

가. Gimlet Cocktail　　나. Stinger Cocktail
다. Dry Gin　　라. Manhattan

정답 가

Gimlet cocktail의 레시피이다.

180. 장식으로 라임 혹은 레몬 슬라이스 칵테일로 어울리지 않는 것은?

가. 모스코 뮬(Moscow Mule)

나. 진토닉(Gin & Tonic)

다. 맨하탄(Manhattan)

라. 쿠바 리브레(Cuba Libre)

정답 다

Manhattan의 가니쉬는 체리이다.

181. 가장 차가운 칵테일을 만들 때 사용하는 얼음은?

가. Shaved ice

나. crushed ice

다. cubed ice

라. lump of ice

정답 가

Shaved ice는 입자가 곱기 때문에 닿는 면적이 많아 가장 차갑게 제공할 수 있다.

182. Hot Toddy와 같은 뜨거운 종류의 칵테일이 고객에 제공될 때 뜨거운 글라스를 넣을 수 있는 손잡이가 달린 칵테일 기구는?

가. 스퀴저(Squeezer)

나. 글라스 리머(Glass Rimmers)

다. 아이스 패일(Ice Pail)

라. 글라스 홀더(Glass Holder)

정답 라

글라스 홀더는 뜨거운 칵테일을 제공할 때 글라스를 넣을 수 있는 손잡이가 달린 기구이다.

183. 칵테일을 만드는 대표적인 방법이 아닌 것은?

가. Punching　　나. Blending

다. Stirring　　라. Shaking

정답 가

Punch는 칵테일의 종류 중 하나이다.

184. 매그넘 1병(Magnum bottle)의 용량은?

가. 1.5L　　나. 750mL

다. 1L　　라. 1.75L

정답 가

1 Magnum은 1.5L이다.

185. Stem glass인 것은?

가. Collins Glass

나. Old Fashioned Glass

다. Straight up Glass

라. Sherry Glass

정답 라

Sherry glass는 Stemed glass이다.

186. 맥주잔으로 적당치 않은 것은?

가. Pilsner Glass
나. StemLess Pilsner Glass
다. Mug Glass
라. Snifter Glass

정답 라

Snifter glass는 브랜디용 글라스로 맥주잔으로 사용하기에 적합하지 않다.

187. 다음 중 Aperitif의 특징이 아닌 것은?

가. 식욕촉진용으로 사용되는 음료이다.

나. 라틴어aperire(open)에서 유래되었다.

다. 약초계를 사용하기 때문에 씁쓸한 향을 지니고 있다.

라. 당분이 많이 함유된 단맛이 있는 술이다.

정답 라

당분이 많이 함유된 술은 Dessert로 쓰인다.

188. 일반적으로 Old fashioned glass를 가장 많이 사용해서 마시는 것은?

가. Whisky
나. Beer
다. Champagne
라. Red Eye

정답 가

일반적으로 Whisky는 Old fashioned glass에 얼음을 넣어 마신다.

189. 술의 독한 맛에 대한 표현과 거리가 먼 것은?

가. Strong
나. Dry
다. Hard
라. Straight

정답 라

Straight는 얼음을 넣지 않고 그대로 마시는 방식을 말한다.

190. 연회용 메뉴 계획 시 에피타이저 코스 주류로 알맞은 것은?

가. cordials
나. port wine
다. dry sherry
라. cream sherry

정답 다

cordials, port wine, cream sherry는 Dessert로 마신다.
* 식전주 = dry

191. 주류에 따른 일반적인 주정도수의 연결이 틀린 것은?

가. Beer : 4~11% alcohol by volume

나. Vermouth : 44~45% alcohol by volume

다. Fortified Wines : 18~21% alcohol by volume

라. Brandy : 40% alcohol by volume

정답 나

Vermouth는 14~20%의 리큐어이다.

192. 조주 서비스에서 chaser의 의미는?

가. 독한 술이나 칵테일을 내놓을 때 다른 글라스에 물 등을 담아 놓는 것

나. 음료를 체온보다 높여 약 62~67℃로 해서 서빙하는 것

다. 따로 조주하지 않고 생으로 마시는 것

라. 서로 다른 두 가지 종류의 술을 반씩 따라 담는 것

정답 가

Chaser는 입가심 음료를 의미한다.

193. 주 용어에서 패니어(pannier)란?

가. 데코레이션용 과일껍질을 말한다.

나. 엔젤스 키스 등에서 사용하는 비중이 가벼운 성분을 "띄우는 것"을 뜻한다.

다. 레몬, 오렌지 등을 얇게 써는 것을 뜻한다.

라. 와인용 바구니를 말한다.

정답 라

와인을 서브할 때 사용하는 바구니로 와인의 침전물이 떠오르지 않도록 하기 위한 도구이다.

194. 쉐리와인(Sherry Wine)과 같은 강화와인(Fortified Wine) 한 잔(1 Glass)의 용량으로 가장 적합한 것은?

가. 1 ounce

나. 3 ounce

다. 5 ounce

라. 7 ounce

정답 나

Sherry Wine은 2~3oz로 제공된다.

195. 다음 중 얼음(ice)의 사용방법으로 부적당한 것은?

가. 칵테일과 얼음은 밀접한 관계가 성립된다.

나. 칵테일에 많이 사용되는 것은 각얼음(Cubed Ice)이다.

다. 재사용할 수 있고 얼음 속에 공기가 들어 있는 것이 좋다.

라. 투명하고 단단한 얼음이어야 한다.

정답 다

얼음은 녹기 때문에 재사용이 불가능하고 공기가 들어있는 얼음은 빨리 녹는다.

196. 미국산 위스키(Whisky)의 86Proof를 우리나라 도수로 변환하면 얼마인가?

가. 40도

나. 41도

다. 42도

라. 43도

정답 라

미국의 Proof는 우리나라 주정 도수의 2배이다.

| chapter 07 | 비알코올성 음료

1. 오늘날 우리가 사용하고 있는 병마개를 최초로 발명하여 대량 생산이 가능하게 한 사람은?

   가. William Painter　　나. Hiram Conrad

   다. Peter F Heering　　라. Elijah Craig

정답 가

1892년 William Painter가 21개의 톱니를 가진 병마개를 최초로 발명했다.

2. "Espresso" 와 관계 깊은 단어는?

   가. Whisky　　나. tea

   다. coffee　　라. rum

정답 다

Espresso는 공기를 압축하여 뽑아낸 커피로 이탈리안 정통 커피이다.

3. 커피에 대한 설명으로 틀린 것은?

   가. 아라비카종의 원산지는 에티오피아이다.

   나. 초기에는 약용으로 사용하기도 했다.

   다. 발효와 숙성 과정을 통하여 만들어 진다.

   라. 카페인이 중추신경을 자극하여 피로감을 없애준다.

정답 다

발효와 숙성 과정을 통해 만들어지는 것은 차이다.

4. 차와 코코아에 대한 설명으로 틀린 것은?

   가. 차는 보통 홍차, 녹차, 청차로 분류된다.

   나. 차의 등급은 잎의 크기나 위치 등에 크게 좌우 된다.

   다. 코코아는 카카오 기름을 제거하여 만든다.

   라. 코코아는 사이폰(syphon)을 사용하여 만든다.

정답 라

사이폰 추출법은 커피를 만드는 방법이다.

5. 커피의 맛과 향을 결정하는 중요 가공 요소가 아닌 것은?

   가. Roasting　　나. Blending

   다. Grinding　　라. Maturating

정답 라

커피는 숙성시키지 않는다.

6. 발효방법에 따른 차의 분류가 잘못 연결된 것은?

가. 비발효차 - 녹차　　나. 반발효차 - 우롱차
다. 발효차 - 말차　　라. 후발효차 - 흑차

정답 다
말차는 비발효차이다.

7. 다음 중 기호 음료(Tasting Beverage)가 아닌 것은?

가. 오렌지 주스(Orange Juice)　　나. 커피(Coffee)
다. 코코아(Cocoa)　　라. 티(Tea)

정답 가
오렌지 주스는 영양 음료에 속한다.

8. 커피의 3대 원종이 아닌 것은?

가. 아라비카종　　나. 로부스타종
다. 리베리카종　　라. 수마트라종

정답 라
커피의 3대 원종 : 아라비카, 로부스타, 리베리카

9. 커피를 재배하기에 적합한 기후와 토양을 가지고 있어 커피 벨트(커피존)라고 불리는 지역은?

가. 적도 ~ 남위 25도 사이의 지역
나. 북위 25도 ~ 남위 25도 사이의 지역
다. 북위 25도 ~ 적도 사이의 지역
라. 남위 25도 ~ 남위 50도 사이의 지역

정답 나
커피 벨트는 북위 25 ~ 남위 25도이다.

10. 커피 생산량이 가장 많은 나라는?

가. 이디오피아　　나. 브라질
다. 멕시코　　라. 콜롬비아

정답 나
세계 커피 생산량 1위는 브라질이다.

11. 다음 중 카페라떼(Cafe latte)커피의 재료로 알맞은 것은?

가. 에스프레소 20~30mL, 스팀밀크 120mL, 계피가루 약간
나. 에스프레소 20~30mL, 스팀밀크 120mL
다. 에스프레소 20~30mL, 스팀밀크 120mL, 캐러멜시럽 30mL
라. 에스프레소 20~30mL, 스팀밀크 120mL, 화이트 초코 시럽30mL

정답 나

12. 다음 ( ) 안에 공통적으로 적합한 단어는?

> ( ), which looks like fine sea spray, is the Holy Grail of espresso, the beautifully tangible sign that everything has gone right. ( ) is a golden foam made up of oil and colloids, which floats atop the surface of a perfectly brewed cup of espresso.

가. Crema　　나. Cupping
다. Cappuccino　　라. Caffe Latte

정답 가
크레마는 에스프레소 위의 갈색 크림을 말한다.

13. 생강을 주원료로 만든 것은?

가. 진저엘　　나. 토닉워터
다. 소다수　　라. 파워에이드

정답 가
생강을 원료로 만든 탄산 음료는 진저엘이다.

14. 영국에서 발명한 무색 투명한 음료로서 레몬, 라임, 오렌지, 키니네 등으로 엑기스를 만들어 당분을 배합한 것이다. 열대 지방에서 일하는 노동자들의 식욕부진과 원기를 회복하기 위해 제조되었으며, 제 2차 세계대전 후 진(gin)과 혼합하여 진토닉을 만들어 세계적인 음료로 환영 받고 있는 것은?

가. 미네랄워터(Mineral Water)　　나. 사이다(Cider)
다. 토닉워터(Tonic Water)　　라. 칼린스 믹스(Collins Mix)

정답 다
토닉워터는 레몬, 라임, 오렌지, 키니네 등을 원료로 만들고 식욕 증진과 원기 회복의 효과가 있다.

15. 다음 품목 중 청량 음료(Soft Drink)에 속하는 것은?

가. 탄산수(Sparkling Water)　　나. 생맥주(Draft Beer)
다. 톰칼린스(Tom Collins)　　라. 진 피즈(Gin Fizz)

정답 가
탄산수는 청량 음료에 속한다.

16. 커피는 음료의 어느 부문에 속하는 음료인가?

가. 알콜성 음료　　나. 기호 음료
다. 영양 음료　　라. 청량 음료

정답 나
커피는 기호 음료에 속한다.

17. 음료류의 식품유형에 대한 설명으로 틀린 것은?

가. 탄산음료 : 먹는 물에 식품 또는 식품첨가물(착향료 제외) 등을 가한 것에 탄산가스를 주입한 것을 말한다.

나. 착향 탄산음료 : 탄산음료에 식품첨가물(착향료)을 주입한 것을 말한다.

다. 과실음료 : 농축과실즙(또는 과실분), 과실주스 등을 원료로 하여 가공한 것(과실즙 10%이상)을 말한다.

라. 유산균음료 : 유가공품 또는 식물성 원료를 효모로 발효시켜 가공(살균을 포함)한 것을 말한다.

정답 라

효모로 발효시키지 않고 유산균으로 발효시킨다.

18. 수분과 이산화탄소로만 구성되어 식욕을 돋우는 효과가 있는 음료는?

가. mineral water

나. soda water

다. plain water

라. cider

정답 나

소다워터는 mineral water에 탄산이 함유된 음료이다.

19. 탄산음료(carbonated drink)가 아닌 것은?

가. Collins Mixer
나. Soda Water
다. Ginger Ale
라. Grenadine Syrup

정답 라

Grenadine Syrup은 Syrup류이다.

20. 다음 중 비탄산성 음료는?

가. Mineral water
나. Soda water
다. Tonic water
라. Cider

정답 가

Mineral water는 비탄산성 음료이다.

21. Ginger ale에 대한 설명 중 틀린 것은?

가. 생강의 향을 함유한 소다수이다.

나. 알코올 성분이 포함된 영양 음료이다.

다. 식욕증진이나 소화제로 효과가 있다.

라. Gin이나 Brandy와 조주하여 마시기도 한다.

정답 나

Ginger ale는 알코올이 함유되지 않은 청량 음료이다.

22. 사과로 만들어진 양조주는?

가. Camus Napoleon　　나. Cider

다. Kirschwasser　　라. Anisette

정답 나

Cider는 사과로 만든 양조주이다.

23. 스카치 위스키는 다음 중 어떤 음료를 혼합하는 것이 가장 좋은가?

가. cider　　나. tonic water

다. soda water　　라. collins mixed

정답 다

위스키에는 소다수가 잘 어울린다.

24. 탄산음료에서 탄산가스의 역할이 아닌 것은?

가. 당분 분해

나. 청량감 부여

다. 미생물의 발효 저지

라. 향기의 변화 보호

정답 가

당분 분해는 효모의 역할이다.

25. 소다수에 대한 설명 중 틀린 것은?

가. 인공적으로 이산화탄소를 첨가한다.

나. 식욕을 돋우는 효과가 있다.

다. 레몬에이드를 만들 때 넣으면 청량감 효과가 있다.

라. 과즙과 설탕, 소다를 넣어 제조한다.

정답 라

소다수는 미네랄 워터에 탄산을 함유해 제조한다.

26. 다음 탄산음료 중 없을 경우 레몬 1/2oz, 슈가시럽 1 tsp, 소다수를 사용하여 만들 수 있는 음료는?

가. 시드르

나. 사이다.

다. 카린스 믹서

라. 스프라이트

정답 다

카린스 믹서의 제조법이다.

part_ 02

주장관리개론

1. 주장관리 2. 술과 건강

chapter_01 주장관리

1. 주장의 개요

(1) 바(Bar)의 유래

일반적으로 주장이라고 하면 음료를 판매하는 각종 영업장을 말하는데 총칭하여 바(Bar)라고 한다. 바(Bar)의 어원은 불어의 Bariere에서 온 말로, 고객과 바텐더(bartender) 사이에 놓은 가로널판을 바(Bar)라고 하던 개념이 지금에 와서는 술을 파는 영업장을 총칭하는 의미로 사용되고 있다.

(2) 바(Bar)의 유형

넓은 의미에서 바를 크게 나누면 클래식 바(Classic Bar)와 웨스턴 바(Western Bar)로 나눌 수 있다. 이러한 기준은 정의 될 수는 없지만 바의 서비스 형태에 따라 분류 할 수가 있다. 먼저 클래식 바(Classic Bar)의 기원은 유럽에서 시작되었을 것으로 본다. 유럽에서 바의 의미는 선술집이라기보다 일반 레스토랑을 일컫는 말이라고 하는데, 형식과 격조를 중요시 여기는 정찬코스에 음료가 제공되었기 때문에 바텐더의 복장 또한 그 형식에 맞는 차림이 요구되었고, 또한 고객에 대한 정중함과 세련된 매너를 필요로 하게 된 것이라고 볼 수가 있다. 오늘날 호텔 바에서 볼 수 있는 바텐더의 서비스 형태이다.

반면에 웨스턴 바(Western Bar)의 기원은 미국의 서부 개척시대로 볼 수가 있는데, 말을 타고 다니던 개척자들이 선술집에 들러 나무막대기(Bar)에 말을 매어 놓고 쉬었다 가거나 서로 정보를 교환하는 장소로 이용하던 곳이 오늘날의 웨스턴 바의 시작으로 볼 수가 있다. 클래식 바에 비해 다소 자유로운 분위기는 자유를 찾아 헤매던 개척자들의 정신에서 우러 나온 것은 아닐까 생각해 본다. 즉 형식과 격조보다는 고객의 즐거움을 중점으로 다양한 엔터테인먼트적인 서비스의 형태를 띠고 있는 것이 웨스턴 바라고 할 수가 있다.

오늘날 바의 형태는 보다 세분화 되어 칵테일바, 위스키바, 와인바, 재즈바, 스포츠바, 퓨전바 등 다양해지고 있다.

2. 주장의 조직과 직무

(1) 바(Bar)의 조직도

① 바 매니저(Bar Manager)/지배인

㉠ 주요 업무

전 식음료 업장의 총 책임자로서 주장에 관한 정책 수립 및 계획, 개발, 판매의 책임을 갖고 영업장 관리, 종사원의 근무편성 및 인사관리 등 전반적인 운영을 관리, 감독한다.

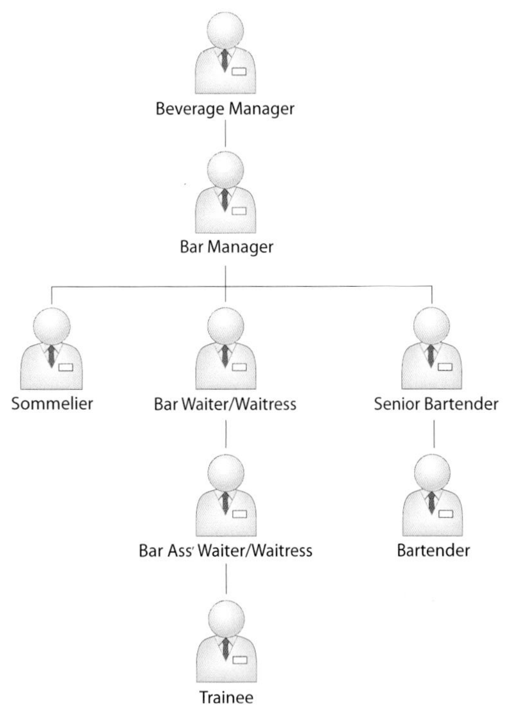

㉡ 직무

① 영업장 관리 : 영업에 관한 매출관리, 원가관리, 인벤토리를 통한 재고관리, 특별행사 기획, 종사원의 개인위생과 복장, 용모를 검사한다.

② 고객관리 : 예약관리, 고객대장관리, 고객의 요구나 불평에 즉시 관여하여 신속하게 조치한다.

③ 인력관리 : 종사원의 개인위생과 복장, 용모를 검사하고, 근무를 지시, 감독, 협조 한다.

② 캡틴(Captain)/헤드 바텐더(Head Bartender)

㉠ 주요 업무
지배인을 보좌하며, 지배인 부재 시 업무를 대행한다.

㉡ 직무
① 고객을 영접하고 식음료의 주문과 서비스를 담당한다.
② 조주원들이 표준 레시피에 의거하는지 확인한다.
③ 음료의 적정재고(Par Stock)를 파악하고 보급 및 관리를 한다.
④ 영업 종료 후 일일 재고조사(Inventory)를 실시하여 보고 한다.

③ 바텐더(Bartender)

㉠ 주요 업무
업장에서 고객에게 음료를 제조 판매하는 업무를 한다.

㉡ 직무
① 근무시간 엄수, 규정된 복장, 외모를 갖추고 근무 중 흡연이나 음주 또는 취식은 금지되어 있다.
② 영업에 필요한 모든 사항을 바(Bar)오픈 전에 준비, 완료한다.
③ 표준 레시피에 의해 음료를 조주한다.
④ 술병과 글라스류, 집기류의 정리, 정돈 및 관리를 책임진다.
⑤ 근무시간 종료 후 재고조사(Inventory)를 실시하며, 바(Bar)를 깨끗이 청소하고 익일의 영업을 위하여 모든 기구들을 정리, 정돈한다.

④ 웨이터(Waiter)/웨이트리스(Waitress)

㉠ 주요 업무
업장의 고객을 영접하고 음료를 주문 및 주문된 식음료를 직접 고객에게 제공한다.

㉡ 직무
① 근무시간 엄수, 규정된 복장, 외모를 갖추고 근무 중 흡연이나 음주 또는 취식은 금지되어 있다.

② 고객을 영접하고 좌석으로 안내한다.

③ 고객에게 음료를 주문받으며 서브한다. 추가주문과 테이블 및 라운지에 관한 정리, 정돈을 실시한다. 계산서를 제공하고 요금을 받는다.

⑤ 소믈리에(Sommelier)

㉠ 주요 업무

와인에 대한 전문 지식을 가지고 관리하며 고객에게 와인을 추천, 판매, 봉사한다.

㉡ 직무

① 와인의 진열과 재고를 관리한다.

② 고객의 주문받은 와인을 서비스한다.

③ 영업에 관한 와인 리스트를 관리, 편성한다.

3. 주장 운영 관리

(1) 구매

구매란 모든 식음료 및 기자재, 가구, 비품류 등을 구입하는 것으로 최대한의 가치효율을 창출하기 위하여 필요한 좋은 품질의 재료를 적시에 적당량을 구입하는 것을 말한다. 거래업체(납품업체)에 직접 발주를 하는 경우가 있고 구매 부서를 통해서 발주를 하는 경우가 있다. 일반적으로 구매부서에서 발주, 검수, 입고, 재고까지 전체적인 부분을 책임지게 된다. 보통은 적정재고×1.5 정도의 수를 폼목에 따라 보유하는게 구매에서의 기본이다.

(2) 검수

검수 구매 청구서에 의거해서 양질의 원재료를 올바르게 정확히 받으려는 목적이다. 검수의 주기능은 납품한 상품의 수량, 질, 가격이 주문서 혹은 일일구매 목록의 내용과 일치하는가, 정확한가를 검수하는 것이다.

(3) 저장과 출고

저장관리란 일반적으로 수요자에게 공급할 때까지 일정 기간 동안 합리적인 방법으로 상태 그대로 변질되지 않도록 보존·관리하는 것을 말한다. 저장은 구매된 식재료의 양호한 상태 유지 손실 예방을 위한 것으로 건조창고저장, 냉장저장, 냉동저장 등이 있다. 출고란 소비량과 재고량의 파악을 위한 인출절차(선입선출)로서 구매수준에 영향을 미친다.

저장과 출고관리의 원칙은 아래의 사항에 따른다.

① 품목별 분류 저장

② 선입선출에 의한 출고, F.I.F.O(First In First Out)법칙

③ 저장물품의 안전성 확보

④ 저장 기준 및 기간 준수

4. 바의 시설과 기물 관리

(1) 바의 시설

바의 시설은 크게 프론트 바(Front Bar), 백 바(Back Bar), 언더 바(Under Bar)로 분류된다.

① 프론트 바(Front Bar)

Counter Bar라고도 부르며, 고객을 접객하는 곳으로 음료를 서브하고 서빙 받는 바를 말한다. 프론트 바의 일부분을 픽업 스테이션(Pickup Station)으로 사용한다.

② 백 바(Back Bar)

바(Bar) 서비스를 위하여 바텐더의 뒤쪽에 위치하고 있는 진열장을 말하며, 술병과 글라스류가 진열되어 있다. Back Bar는 사전적 의미로 술과 잔을 전시하는 기능의 뜻이다.

③ 언더 바(Under Bar)

조주작업대를 뜻하며, 싱크 시설 및 바 냉장고가 설치되어 있다. 또한 바의 간이 창고의 역할을 하는데 이 때 식재료 보관량은 1일을 초과하지 않는다.

(2) 기물 관리

바에서 사용되는 기물, 기구, 글라스 작업대 등을 세척하여 즉시 사용할 수 있도록 보관·관리하고, 청소하여 청결을 유지한다.

5. 바의 경영관리

(1) 원가 관리

음료판매 가격의 원가 요소로는 재료비, 노무비, 판매비, 일반관리비 등으로 구성되는데 특히 재료비는 직접원가로서 관리에 따라 수익에 결정적인 영향을 미친다.

(2) 판매 관리

주류의 판매가격은 재료의 원가를 판매가격의 몇 %로 할 것인지 목표원가를 설정해야하는데 목표원가를 설정할 때는 인건비, 일반관리비, 판매경비, 마진 등을 고려해서 배분해야 한다. 가격산정법에는 병당판매가격 산정법이 있고 잔당판매가격 산정법도 있다.

〈판매가격 산출 공식〉

판매가격 = 원가÷목표원가

(3) 적정 재고 관리

적정량의 재고를 항상 보유함으로써 연속적인 판매를 촉진시키고 주류의 유통량이나 가격의 변동에서 오는 불확실성을 대비하는데 있다. 재고가 적게 되면 판매에 차질이 생길 수도 있고 재고가 많게 되면 유지 관리비용의 부담과 품질의 저하를 초래할 수도 있다. 판매예측을 통한 적정재고유지가 중요하다.

(4) 저장 관리

구분	저장온도	서비스온도
증류주류	13~16℃	18℃
레드와인	13~16℃	18℃
화이트와인/샴페인	10℃	6~8℃
병맥주	6~10℃	여름철 : 6~8℃ 겨울철 : 10~12℃
생맥주	2~3℃	4℃
청량음료	13℃	여름철 : 6~8℃ 겨울철 : 10~12℃

주류는 보통 통풍이 잘되고 습도가 낮으며 직사광선을 피할 수 있는 어두운 장소에 저장하는 것이 적합하다. 저장온도와 서비스 적정온도가 다르므로 주의해야 한다. 특히 와인은 보관여부에 따라 색, 향, 맛이 변할 수 있으므로 주의해야 한다.

6. 식품위생 및 관련법규

(1) 허가 전 준비사항

① 신규위생교육 이수(영업자지위승계신고 포함)

- 교육기관 : 일반음식점 한국 음식업중앙회

② 건물용도 확인

확인내용 : 건축물관리대장상 허가를 받을 수 있는 용도 여부 확인

③ 도시계획 확인(도시계획 저촉여부 확인, 지역확인)

④ 액화석유가스사용시설 완성검사필증

- 대상 : 일반음식점 중 지하층, 일반음식점 중 지상에 위치한 업소로 영업장 면적이 100㎡이상 업소는 액화석유가스 안전검사를 받아야 됨.(안전검사필증 발급 기관 가스안전공사)

⑤ 소방시설 완비

- 대상 : 일반음식점 (지하층에 위치하고 바닥면적의 합계가 66㎡이상인 경우)
- 완비증명 발급기관 : 소방서

⑥ 건강진단

- 대상 : 일반음식점 업주 및 종사자
- 실시기관 : 보건소, 병원, 의원

(2) 주장의 허가

① 음식업중앙회의 교육필증과 소방허가필증을 가지고 관할 구청을 방문하여 허가증을 교부받는다.

② 관할구청에서 허가증을 받고 임대차계약서와 함께 관할 세무서를 방문하여 일반음식점 허가를 받는다.

③ 거래은행을 정하여 허가증, 사업자 등을 준비하여 주류카드, 거래은행통장 개설 단말기회사를 설립하여 카드가맹점 등록한다.

관련법규 위반사항

① 식품위생수준 및 자질의 향상을 위한 교육을 받지 아니한 경우
- 6개월 이내 업무정지

② 식중독, 위생 관련한 중대한 사고 발생에 직무상의 책임이 있는 경우
- 업무정지(자신의 가게에서 식중독발생-업무정지)

③ 음식과 관련된 자격증을 타인에게 대여한 경우
- 업무정지

④ 업무정지 기간에 업무를 한 경우
- 식품접객업 종류의 업무를 못함/음식관련 자격증 취소

7. 고객 서비스

(1) 테이블 매너

테이블 매너가 완성된 것은 19세기 영국의 빅토리아 여왕 때라고 한다. 이 시대는 역사상 형식을 매우 중시하고 도덕성을 까다롭게 논하던 때였다. 그러나 테이블 매너의 기본정신은 형식에 있는 것이 아니라 요리를 맛있게 먹기 위한 것에 있다.

· 기본적인 형식

① 방문하기 전에 미리 예약을 해둔다. 이름, 동반자수, 참석 목적 등을 밝히고 시간을 지켜 방문하며 부득이하게 예약을 취소해야 할 경우 사전에 미리 연락해야 한다.

② 의자는 소리 나지 않게 끌어당겨 왼쪽으로 몸을 넣으며 앉는다. 웨이터 또는 동반한 남성이 의자를 끌어당겨 주기도 한다.
③ 냅킨은 한번 접어 무릎 위에 놓는다. 사용할 때는 냅킨의 끝을 오른손으로 들고 입 주위를 가볍게 닦아준다.
④ 와인 잔은 글라스의 목 부분을 살짝 잡는다. 웨이터가 와인을 따라 줄 때는 글라스를 들어 올려서 받지 않는다. 마시고 싶지 않을 때는 글라스 위에 가볍게 손을 펴서 의사표시를 한다.
⑤ 포크와 나이프로 고기를 자를 때 팔이 들리지 않도록 한다.
⑥ 식사 중일 때는 나이프와 포크를 팔자로 접시에 걸쳐 놓는다. 포크는 왼손에, 나이프는 오른손에 쥐고 계속 자르면서 먹는 것이 바로 정통 유럽식이다.
⑦ 식사가 끝났으면 접시의 오른쪽 아래로 포크와 나이프를 나란히 놓는다.

(2) 바 종사원의 자세

① 항상 표준 레시피에 의한 조주를 해야 한다.
② 단정한 옷차림과 명랑하고 즐거운 표정을 지어야 한다.
③ 음료를 만들 때 얼굴이나 머리, 넥타이 등을 만지지 말아야 한다.
④ 근무 중 바 안에서의 음주와 흡연은 삼가 해야 한다.
⑤ 고객이 바나 라운지에 있을 때는 앉아 있지 말고 언제든지 접객할 준비를 하여야 한다.
⑥ 먼저 온 고객의 주문에 응하고 있을 때 다른 고객에게 양해를 구해야 한다.
⑦ 남녀 동반 시 여성 고객에게 먼저 주문을 받고 먼저 서비스 해야 한다.
⑧ 남녀 일행은 지나친 주의를 기울이지 않는다.
⑨ 고객과의 언쟁은 삼가야 하며, 지배인이 처리하도록 보고한다.
⑩ 고객끼리의 대화엔 간섭하지 말아야 하며 고객과의 대화 내용은 언급하지 않는다.
⑪ 단골 고객이 방문하여도 상대편이 모르는 체 할 때는 가벼운 인사만 한다.
⑫ 동일한 고객이 재차 방문 시에는 고객의 성명과 즐겨 마시는 음료를 기억해야 한다.
⑬ 바를 찾은 모든 고객에게 항상 동일한 서비스를 제공해야 한다.
⑭ 매일 신문과 매거진을 통한 교양지식을 키워 나간다.
⑮ 바텐더는 항상 정직해야 한다.

(3) 주문 및 서비스 방법

① 음료 글라스를 서빙 할 때는 항상 트레이(tray)를 사용하여야 한다.
② 글라스의 손잡이가 있는 것은 손잡이(stem)를 잡고 서빙하고, 손잡이가 없는 글라스는 글라스

의 아래(bottom)부분을 잡고 서빙한다. 즉 고객이 입을 대는 림(rim)부분을 잡아서는 안 된다.

③ 코스터(coaster)를 먼저 깔고 그 위에 글라스를 놓는다.

④ 글라스를 놓을 때는 새끼손가락과 약지를 테이블에 대고 엄지, 검지, 중지로 쥐고 있는 글라스를 살짝 내리면 소리가 나지 않는다.

① 와인 서비스 절차

㉠ 와인 리스트에 의하여 주문을 받는다.

㉡ 화이트 와인 또는 샴페인을 주문할 경우 와인 스탠드와 얼음 쿨러를 준비 한다.

㉢ 레드 와인일 경우 보관된 장소에서 흔들리지 않도록 조심해서 꺼낸다.

㉣ 주문된 와인은 냅킨에 싸서 받쳐 들고 주문한 고객에게 상표를 확인한다.

㉤ 화이트 와인의 경우 고객 테이블 옆에 와인 스탠드와 쿨러 속에 와인을 꽂고, 레드 와인의 경우는 와인 바스켓에 꽂아 테이블 위에 놓는다.

㉥ 고객 앞에서 코르크 스크류를 이용하여 마개를 오픈시킨다.

㉦ 코르크 마개를 빼낸 병입구를 암 타월로 닦아낸다.

㉧ 코르크 마개를 스크류에서 빼내어 와인을 주문한 고객에게 1온스 정도 따른 다음 와인테스팅을 권한다.

㉨ 여성과 게스트에게 잔의 6부 정도를 따르고, 호스트에게는 마지막으로 잔의 6부 정도 채워준다.

㉩ 와인을 따르고 나서 들어 올릴 때는 트위스트를 하여 주변에 방울이 떨어지지 않도록 주의를 기울인다.

㉪ 화이트 와인을 서비스 할 때는 병의 목 부분에 냅킨을 감싸서 서비스 중에 물기가 흐르는 것을 방지한다.

㉫ 와인은 글라스의 6부 정도 따른다.

② 여러 와인을 따를 때

㉠ 화이트 와인을 레드 와인보다 먼저 서비스한다.

㉡ 드라이 와인을 스위트 와인보다 먼저 서비스한다.

㉢ 맛이 가벼운 와인을 맛이 중후한 와인보다 먼저 서비스한다.

㉣ 숙성기간이 짧은 와인을 오랜 숙성 와인보다 먼저 서비스한다.

③ 샴페인 서비스

㉠ 병목을 감싸고 있는 호일 캡을 벗긴다.

ⓛ 한 손으로 코르크 마개를 누르고 다른 손으로 코르크 마개를 감싸고 있는 철사를 푼다.

ⓒ 코르크 마개가 튀어 나가지 않도록 조심스럽게 돌려서 뺀다. 이때 갑자기 코르크 마개가 빠지면서 펑 소리와 함께 거품이 발산되지 않도록 유의한다.

ⓔ 병 입구를 암 타월로 닦고 와인과 동일한 서비스를 한다.

④ 맥주 서비스

· 생맥주 서비스

㉠ 머그잔에 부어서 제공한다. 단 피처(1,000CC이상)로 주문했을 때는 빈 머그잔을 제공한다.

㉡ 생맥주를 따를 때는 술의 양은 7~8부, 거품은 2~3부 정도로 한다. 만약 거품이 잘 생기지 않으면 탄산가스가 충분한지, 맥주가 너무 차거나 오래 되었는지를 체크한다.

㉢ 생맥주 술통의 압력은 12~14파운드로 일정하게 유지해야 한다. 12파운드보다 낮으면 천연가스가 노출되어 플랫(flat)현상 즉, 김이 빠진 맥주가 된다.

㉣ 생맥주의 저장온도는 2~3℃, 서비스 온도는 3~4℃가 적당하다.

· 병맥주 서비스

㉠ 병맥주를 고객에게 서비스 할 때는 병이 글라스에 닿지 않아야 한다.

㉡ 맥주는 7~8부, 거품은 2~3부가 되도록 따르되 거품이 넘치지 않도록 한다.

㉢ 다 따르고 난 뒤에는 병을 살짝 트위스트하고 멈추어 방울이 주변에 떨어지지 않도록 한다.

㉣ 병을 테이블에 놓을 때는 상표가 고객에게 보이도록 놓는다.

㉤ 병맥주의 저장온도는 3~4℃, 서비스 온도는 5℃가 적당하다.

⑤ 칵테일 조주

㉠ 레시피의 재료를 검토하고 준비한다.

㉡ 규정된 조주방법에 따라 사용할 잔, 도구, 가니쉬 등을 준비한다.

㉢ 해당하는 잔 또는 기물에 얼음을 넣는다.

㉣ 표준 조주법의 규정된 양을 순서에 따라 넣는다.

㉤ 규정된 조주의 방법과 기법에 의하여 만든다.

㉥ 만든 칵테일을 잔에 따르고 제공한다.(빌드기법은 예외)

㉦ 적절한 장식(garnish)을 한다.

㉧ 정리, 정돈을 한다.

⑥ 칵테일 조주 시 주의사항

㉠ 제공될 잔에 얼룩이 있는지 금이 가거나 깨어진 것이 있는지 체크한다.

㉡ 기물은 항상 깨끗한 상태를 유지한다.

㉢ 가니쉬용의 과일은 신선한지 체크한다.

㉣ 얼음의 양과 상태가 적정한지 체크한다.

㉤ 셰이커는 캡, 스트레이너, 바디가 서로 잘 맞는지 점검한다.

㉥ 칵테일 잔에 따를 경우 그 양은 잔의 8부를 넘지 않아야 한다.

㉦ 칵테일을 잔에 따를 때는 넘어지지 않도록 왼손으로 잔의 받침을 고정시킨다.

㉧ 과일을 가니쉬 할 때는 작은 잔에는 작게, 큰 잔에는 크게 장식한다.

chapter_02 술과 건강

1. 술이 인체에 미치는 영향

술에 대한 연구 결과를 보면 적절한 음주는 술을 전혀 마시지 않는 사람에 비해 오히려 사망률이 0.8배 낮아 적절한 음주는 건강에 해가 되지 않는다고 한다.

하지만 세계보건기구(WHO) 결과에 따르면 우리나라 사람들의 알코올 섭취량은 성인 한 명당 14,8L로 계속 증가하고 있다. 알코올 섭취가 건강에 미치는 영향에 대한 올바른 인식과 개선이 필요하다.

(1) 술이 인체에 미치는 긍정적인 영향

① 심장병 예방

적당량의 술을 마시게 되면 알코올이 심근경색 등의 질환을 예방해 주며, 혈액의 응고를 방지하고 혈류를 부드럽게 만들어 동맥경화를 예방한다고 한다.

② **협심증 완화**

협심증은 관상동맥 경화로 통증을 유발하게 되는데, 협심증 증상이 생길 때 작은 잔으로 한두 잔의 소주나 위스키 또는 브랜디 등을 마시면 일반적으로 2~3분 내로 완화된다고 한다.

③ **풍부한 영양분**

술에는 탄수화합물, 단백질, 아미노산, 각종 비타민, 칼슘, 인, 철 등 우리 몸에 필요한 풍부한 영양소를 지니고 있다.(맥주 1L=425cal=계란 4개, 500g의 우유)

④ **소화작용**

식사 전의 적당한 음주는 소화계통 내의 각종 소화액 분비를 촉진하여 위장의 소화와 섭취능력을 향상시킨다.

(2) 술이 인체에 미치는 부정적인 영향

① **심장병**

알코올을 오랫동안 나시면 낵박이 빨라지고 숨이 가쁘며 혈액순환에 장애가 발생하는데 이를 알코올성 심근증이라고 한다.

② **간 기능 저하**

간은 모든 영양물질을 합성 또는 분해하여 저장해 두고, 모든 독소를 해독하는 작용을 한다. 그러나 다량의 술을 마시면 간이 정상적인 기능을 수행할 여유가 없어서 알코올 이외의 성분들은 지방으로 변하여 지방간을 초래한다.

③ **뇌 손상**

짧은 시간에 많은 양을 음주할 경우 대뇌피질이 마비상태가 되어 언어를 상실하고 인사불성이 되며, 이것이 계속 진행 된다면 생명 중추가 마비되고 심장 박동과 호흡이 중지되어 사망하게 된다.

④ **각종 질병 유발**

알코올 급성 중독에 걸린 사람은 감기, 폐렴 등에 걸릴 위험이 높고 위암, 간암, 유선암, 악성 멜라닌 종양, 신경쇠약, 지력쇠퇴, 건망증, 만성위장병 등에 걸리기 쉽다. 통계에 따르면 정기적으로 폭음을 하는 자의 수명은 일반인 보다 평균 20년이나 짧아진다고 한다.

2. 잘못된 술 상식

① 술은 불면증에 도움이 된다.

적당한 음주는 불면증에 도움이 된다고 생각하는 경우가 있다. 그러나 알코올의 진정 효과가 최적 수면상태인 램(REM) 수면을 방해하기 때문에 음주 후에는 몇 시간이 안 돼 자주 깨거나 얕은 잠(NON-REM)을 자게 된다. 술은 불면증을 치료하는 것이 아니라 오히려 불면증을 유발하게 만드는 것이다.

② 알코올 도수가 높은 술은 숙취가 없다.

술을 마신 뒤 흔히 겪는 두통, 메스꺼움, 구토 등의 뒤끝은 아세트알데히드에 의한 것인데 이 숙취 현상은 술의 도수보다는 알코올 흡수량과 관련이 깊다.

③ 탄산수를 섞어 마시면 빨리 취한다.

빨리 취하기 위해 탄산수를 소주 등에 섞어 마시는 사람이 많다. 하지만 소주를 탄산수로 희석하면 알코올 도수가 낮아져 마시기는 편하지만 희석된 탄산수는 위 속의 염산과 작용하여 위의 점막을 자극해 위산 분비를 촉진시켜 위산 과다를 촉진시킨다.

④ 해장술에 관한 오해와 진실

술을 마시면 알코올이 1차 분해되며 생긴 아세트알데히드라는 독소를 해독하느라 숙취에 시달리게 된다. 이 고통을 잊기 위해서 보통 해장술을 마시는데, 이는 뇌의 중추신경을 마비시켜 숙취의 고통을 잊게 해줄지는 모르지만 일시적인 효과일 뿐 건강에는 더 안 좋은 결과를 초래한다.

⑤ 맥주를 마시면 살이 찐다.

맥주나 막걸리 같은 곡주를 마시면 높은 칼로리 때문에 살이 찐다고 생각한다. 그러나 정작 살이 찌는 요인은 맥주에 곁들이는 안주(치킨, 족발 등 고칼로리 식품)때문이다.

3. 올바른 음주 습관

① 적당한 음주량

자신의 주량을 정확히 알고 마시는 습관은 건강과 생활의 활력을 불어 넣어준다. 건강에 도움이 되는 적당한 양은 사람, 성별, 나이에 따라 다르기 때문에 한마디로 말하기 어려우나 긴장과 불안감 해소, 식욕증진, 스트레스 해소에 의한 기분전환의 효과를 느낄 정도면 적당한 양이라 할 수 있다.

통계조사에 의하면 일주일 기준으로 성인 남성은 14잔 이하, 성인 여성과 65세 이상 남성은 절반인 7잔 이하, 노인 여성은 3잔 이하를 마시는 경우를 말한다.

② 적당한 음주빈도

술을 마신 뒤엔 적어도 2, 3일 동안은 술을 마시지 않아야 한다. 매일 소량의 술을 마시는 것보다 한 번에 많은 술을 마신 뒤 며칠간 금주하는 음주법이 오히려 건강에 덜 해롭다.

③ 공복 시 음주는 피한다.

빈속에 술을 마시면 위벽을 상하게 할 뿐 아니라 알코올의 흡수 속도가 빨라 혈중 알코올 농도가 급격히 상승하여 간에 큰 부담을 준다. 때문에 비타민과 고단백질을 많이 포함한 음식을 섭취한 뒤 술을 마시는 게 좋다.

④ 음주와 흡연은 피한다.

담배는 니코틴 외에 인체에 유해한 각종 물질과 발암물질을 많이 포함하고 있어, 음주 시 알코올에 용해되어 저항력과 암발생 억제력을 감소시켜 인체에 쉽게 흡수된다. 술을 마시면서 담배를 많이 피우는 사람은 구강암, 식도암, 후두암 등에 걸릴 위험이 높다.

⑤ 음주 후 목욕은 피한다.

술을 마신 뒤 목욕을 하면 체내에 저장된 포도당이 급격히 소모되어 체온이 떨어진다. 게다가 알코올이 간의 포도당 저장기능을 저해시켜 쉽게 혼절할 수 있다.

4. 숙취에 좋은 음식

① 콩나물

콩나물은 단백질, 비타민 C, 아스파라긴산, 칼슘, 철분, 식물성 섬유 등이 풍부하여 피로를 빨리 풀어주며, 근육통을 완화하고 스트레스를 풀어주어 위장의 열을 내리고, 간장의 기능을 원활하게 하여 숙취에 탁월한 효과가 있다.

② 북어국

북어는 다른 생선보다 지방 함량이 적어 맛이 개운하고 혹사한 간을 보호해 주는 아미노산이 많아 숙취 해소에 좋은 음식이다.

③ 오이

간에서 알코올을 분해할 때는 비타민 C가 소비된다. 그렇기 때문에 알코올 섭취 후 비타민 C를 섭취하면 알코올 배출 속도가 높아져서 숙취 해소에 효과적이라는 연구결과가 있다. 오이는 다량의 비타민을 함유하고 있어서 숙취 해소에 도움이 된다.

④ 토마토

토마토의 과당은 간 기능을 활성화시키고 알코올 분해를 촉진시켜 숙취를 없애준다.

혈중 알코올농도 구하는 공식

{주류의 알코올농도(%) × 마신양(ml) × 0.8} ÷ {0.6 × 체중(kg) × 1,000}

Part 02. 주장관리개론

출제예상문제

| chapter 01 | 주장관리

1. 중요한 연회 시 그 행사에 관한 모든 내용이나 협조사항을 호텔 각 부서에 알리는 행사지시서는?

가. Event order　　나. Check-up list

다. Reservation sheet　　라. Banquet Memorandum

정답 가

행사에 관한 사항을 알리는 문서는 Event order이다.

2. 식음료 서비스의 특성이 아닌 것은?

가. 제공과 사용의 분리성　　나. 형체의 무형성

다. 품질의 다양성　　라. 상품의 소멸성

정답 가

서비스의 특징 : 비분리성, 무형성, 다양성, 소멸성

3. 연회행사 중 사회자의 주도하에 전문가가 미리 제시한 한 가지 주제에 대하여 서로 상반된 견해를 청중 앞에서 토의하는 형태는?

가. Forum　　나. Panel Discussion

다. Symposium　　라. Congress

정답 가

로마시대의 도시 광장을 일컫던 말에서 유래된 Forum은 시민들이 모여서 자유롭게 연설·토론하는 장소였다.

4. 식료와 음료를 원가관리 측면에서 비교할 때 음료의 특성에 해당하지 않는 것은?

가. 저장 기간이 비교적 길다.　　나. 가격 변화가 심하다.

다. 재고조사가 용이하다.　　라. 공급자가 한정되어 있다.

정답 나

자연 환경의 영향을 많이 받는 식자재와 달리 음료는 공급이 일정하기 때문에 가격 변화가 심하지 않다.

5. 프랜차이즈업과 독립경영을 비교할 때 프랜차이즈업의 특징에 해당하는 것은?

가. 수익성이 높다.

나. 사업에 대한 위험도가 높다.

다. 자금운영의 어려움이 있다.

라. 대량구매로 원가절감에 도움이 된다.

정답 라

프랜차이즈는 여러 지점을 공동경영하기 때문에 독립경영에 비해 원료를 대량 구매해 원가 절감의 이익을 얻을 수 있다.

6. 식품 위해요소중점관리기준이라 불리는 위생관리 시스템은?

가. HAPPC　　나. HACCP

다. HACPP　　라. HNCPP

정답 나

Hazard Analysis and Critical Control Point

7. 알코올 농도에 관한 설명으로 옳은 것은?

가. 용량 퍼센트는 25℃에서 용량 100중에 함유하는 순수 에틸알코올의 비율을 말한다.

나. 미국의 알코올 농도 표시법은 중량 퍼센트이다.

다. 25도짜리 소주는 소주 1L 중에 알코올이 25mL함유되어 있다는 의미이다.

라. proof는 주정도를 2배로 한 수치와 같다.

정답 라

proof는 미국의 주정도수 표시법으로 우리나라 주정도수를 2배 한 수치와 같다.

8. 식품 등의 표시기준에 의한 알코올 1g 당 열량은?

가. 1 kcal　　나. 4 kcal

다. 5 kcal　　라. 7 kcal

정답 라

알코올 1g의 열량은 7.1 kcal이다.

9. 맥주 저장 관리상의 주의 사항 중 틀린 것은?

가. 원활한 재고 순환

나. 시원한 온도 유지(18℃ 내외)

다. 통풍이 잘 되는 건조한 장소

라. 햇빛이 잘 들어오는 밝은 장소

정답 라

주류는 직사광선이 드는 곳에 보관하면 빨리 상한다.

| chapter 02 | 술과 건강

1. 간증을 보호하는 음주법으로 가장 바람직한 것은?

가. 도수가 낮은 술에서 높은 술 순으로 마신다.

나. 도수가 높을 술에서 낮은 술 순으로 마신다.

다. 도수와 관계없이 개인의 기호대로 마신다.

라. 여러 종류의 술을 섞어 마신다.

정답 가

도수가 낮은 술에서 높은 술 순으로 마시는 것이 바람직하다.

2. 다음 중 알코올의 함량이 가장 많은 것은?

가. 알코올 40도의 위스키 1잔(1oz)

나. 알코올 10도의 와인 1잔(4oz)

다. 알코올 5도의 맥주 2잔(16oz)

라. 알코올 20도의 소주 1잔(2oz)

정답 다

알코올 함량 공식 : 술의 농도(%)×마시는 양(mL) /100

3. 마신 알코올량(mL)을 나타내는 공식은?

가. 알코올량(mL) × 0.8

나. 술의 농도(%) × 마시는 양(mL) /100

다. 술의 농도(%) - 마시는 양(mL)

라. 술의 농도(%) / 마시는 양(mL)

정답 나

part_03

고객서비스 영어

1. 주장서비스 영어

| 입구에서 |

Ⓐ How many, sir?	몇 분이신가요?
Ⓑ Three, please.	세 명입니다.
Ⓐ This way, please. Is this table right?	이리로 오시지요. 마음에 드십니까?
Ⓑ Yes, that'll be fine. Thank you.	예, 좋군요. 감사합니다.

| 예약할 때 |

Ⓐ I'd like to book a table for three at seven.	7시에 3인용 좌석을 예약하고 싶은데요.
Ⓑ For three. And may I have your name?	세 분요. 성함을 말씀해 주시겠어요?
Ⓐ Gildong. And put me as close as possible to the stage, please.	길동입니다. 가능하면 무대 근처로 자리를 부탁합니다.

| 주문할 때 |

Ⓐ May I take your order, sir?	주문하시지요, 손님
Ⓑ I'd like to see the menu, please.	메뉴를 보고 싶은데요.
Ⓐ What will you have?	무엇으로 드시겠습니까?
Ⓑ I don't know anything about Australian food. What do you recommend?	호주 음식에 대해서는 잘 모르겠군요. 무엇이 좋겠습니까?
Ⓐ Which do you prefer, meat or fish?	고기와 생선 중에서 어느 쪽을 더 좋아하세요?
Ⓑ I'd rather have meat.	고기를 더 좋아합니다.
Ⓐ Then, why don't you try the ABC?	그러면 ABC를 드시는 게 어떨까요?
Ⓑ What kind of dish is it?	어떤 요리죠?
Ⓐ It's grilled meat with some vegetables.	구운 고기에 야채를 곁들인 겁니다.
Ⓑ O.K.	좋습니다.

| 요리의 기호를 물을 때 |

- What would you like to have? 무엇을 드시겠습니까?
- What would you like to try?
- What do you fancy?
- What are you having?
- What shall I order for you? 무엇을 주문해 드릴까요?
- Do you prefer meat or seafood? 고기가 좋을까요, 아니면 생선이 좋을까요?
- Do you like meat? 고기를 좋아하십니까?
- See anything you like. 무엇이 좋은지 보세요.

| 음료를 권할 때 |

- What would you like something to drink? 마실 것 좀 드릴까요?
- Could I get you something to drink?
- Can I get you a drink? 뭐 좀 마실래요?
- What would you like to drink? 무엇을 마시고 싶으세요?
- How about a refill? 한 잔 더 어때요?
- Would you like another beer? 맥주 한잔 더 하시겠어요?

| 안주를 권할 때 |

- What about something to nibble on? 무언가 잡수실 것을 드릴까요?
- How about something to eat?

| 계산할 때 |

Ⓐ Did you enjoy your meal? 맛있게 식사 하셨습니까?

Ⓑ Sure. The bill is mine. Can I use credit card? 예, 계산은 제가 하겠습니다, 카드도 되나요?

Ⓐ Yes, sir. 예

B I'll pay it by installment. Make it without interest for 6 months, please.	무이자 6개월로 해주세요.
A I'm sorry but we accept it only for 3 months.	저희는 무이자 3개월밖에 안되는데요.
B Oh, really? Do it by rule, please.	아 그래요,? 그러면 무이자 3개월로 해주세요.
A Yes, sir.	알겠습니다.
B How much do I pay for you?	모두 얼마죠?
A It's two hundred fifty thousand won.	25만원입니다.
B Would you give me a receipt?	영수증 주세요.
A Here you are. Have a nice day.	여기 있습니다. 좋은 하루 되세요.

2. 호텔외식관련영어

| 예약 Reservation |

· Have you made a reservation?	예약을 하셨습니까?
· What dates are you looking for?	언제 예약하고 싶으세요?
· Do you have a room available?	빈 방이 있습니까?
· We're fully booked up.	모두 예약이 되었습니다.
· How long will you be staying?	얼마 동안 이곳에 묵으실 겁니까?
· How many adults will be in the room?	몇 명이 머무실 거죠?
· What's the daily rate?	하루 요금은 얼마입니까?
· Does the price include meals?	식사 비용이 포함된 가격인가요?
· What's the check-out time?	체크 아웃 시간이 몇 시죠?
· The rates I can offer you is $72.15 including 11% tax.	객실 요금은 11%의 세금을 포함한 $72.15입니다.
· May I have your name and credit card number?	성함과 신용카드 번호를 부탁드립니다.

| 체크 인 Check In |

- May I have your name? 성함을 여쭈어도 될까요?
- Did you make a reservation? 예약을 하고 오셨나요?
- What name is the reservation under? 어떤 이름으로 예약하셨나요?
- I'm afraid you can't check in until after 12:00 pm. 죄송합니다만 12시 전에는 체크 인 하실 수 없으세요.
- There's an extra charge for early check-in/late check-out. 이른 체크 인/늦은 체크아웃의 경우에는 여분의 요금을 지불하셔야 합니다.
- Complimentary breakfast is served in the lobby between 8 and 10 am. 무료 아침 식사가 8~10시 사이에 로비에서 제공됩니다.
- Elevator is on your right. 엘리베이터가 오른쪽에 있습니다.
- Here's your room key. 여기 방 열쇠가 있습니다.
- Your room is on third floor. 고객님의 방은 3층에 있습니다.
- Feel free to call the front desk(anytime) if you need any extra towels or pillows. 여분의 수건이나 베개가 필요하시면 프론트 데스크로 연락주세요.

| 체크 아웃 Check Out |

- Are you ready to check out? 체크아웃 하시겠습니까?
- There's $15 for pay-per-view movie. 주문 영화비가 15달러 있습니다.
- Can I have your room key? 방 열쇠 부탁드립니다.
- How was your stay? 지내는 동안 어떠셨나요?
- How would you like to pay for this? 어떻게 지불하시겠습니까?

3. 호텔용어

A

adjoining rooms(=connecting room) 두 개의 객실 사이에 하나의 문을 공유하고 있는 방

amenities 편의 시설/용품(호텔 객실 내에 비치되어 있는 칫솔, 샴푸, 비누 등의 물품들도 이에 포함된다)

attractions 관광지

B

baggage(=luggage) 수하물

backup room 예비 객실(비상사태에 대비해서 미리 준비해두는 객실)

Bed and Breakfast 숙식 제공 호텔

bellboy 짐을 옮겨주거나 간단한 방 안내를 담당하는 호텔 직원

book(=reserve, make a reservation) 예약하다.

(fully-)booked 예약이 꽉 찬 상태의

brochures 관광지 등의 정보가 담긴

C

check-in 호텔 체크 인. 프론트 데스크에서 예약 확인 및 방 열쇠를 받는 과정

check-out 호텔을 떠남. 프론트에 열쇠를 반납하고 전화비용, 식사비 등을 납부함

clock in 출근(할 때 타임카드를 찍음)

clock out 퇴근(할 때 타임카드를 찍음)

complimentary 무료

D

damage charge 호텔에 상해를 입혔을 경우 부과하는 비용(파손된 물품 등)

deposit 보증금(예약을 확실히 하기 위해서 혹은 호텔 물품들의 대여 시 호텔 측에서 요구하는 금액으로 보통 돌려받을 수 있다)

DND(Do Not Disturb) "방해하지 마시오" 라는 객실 사인으로 이 사인이 걸려 있는 경우 room service를 제공하지 않는다.

double bed 두 사람이 누울 수 있을 크기의 침대

E

early check-in 기존 정해진 시간보다 일찍 체크인 하는 것을 말함(보통 추가 요금 있음)

early check-out / departure 기존 정해진 시간보다 일찍 체크 아웃하는 것을 말함.(고객의 개인 용무, 혹은 호텔의 서비스에 불만족 했을 경우 손님들이 일찍 체크 아웃 함)

extra bed 여분의 침대(보통 추가 요금이 있음)

F

floor 층

front desk(=reception) 접수대로써 손님들이 체크 인/체크 아웃을 하거나 정보를 알 수 있는 장소

G

general manager 호텔 총 지배인

graveyard 야간근무자 혹은 그 스케줄

H

hotel manager 호텔의 전반적인 업무를 관리하는 사람

housekeeping(=maid, HSK) 호텔 객실을 청소하는 직원

hollywood setup 두 개의 싱글/트윈베드를 붙여 하나의 킹/퀸 사이즈 베드로 만듦(손님의 특별 요청이 있을 경우)

I

indoor pool 실내 수영장

K

king-size bed 특대 침대

L

late charge 규정된 체크 아웃 시간을 초과했을 경우 부과하는 요금

late check-out 기존의 체크 아웃 시간 이후에 체크아웃 하는 것을 말함(보통 추가 요금 있음)

leaking 물이 샘

linen 침대 시트, 담요, 베개 커버

laundry(=washing room) 세탁실

lobby 호텔 앞의 오픈된 장소

luggage cart 수하물을 옮기기 위한 카트

M

maximum capacity 최대 수용 인원

O

out of service(OOS) 설비 등의 문제로 사용 정지된 객실

P

parking pass 호텔 주차장에 주차할 때 보여주는 주차권으로 호텔 숙박 손님에게 제공 된다.

pay-per-view movie 특별 주문 영화(추가 요금을 지불하면 관람 가능한 영화)

pay phone 공중전화

Q

queen size bed double bed보다 크지만 king size bed보다는 작은 침대

R

(room)rates 숙박비용

room service 식사 주문 등의 서비스

S

security deposit 보안을 위한 보증금(기물이 파손되거나 late check out의 경우 그 금액만큼 이 보증금에서 제한다)

single bed 1인용 침대

V

vacancy 예약 가능한(비어 있는) 방

valet 손님의 차를 대신 주차해주는 직원 혹은 그 서비스

view 객실에서 보이는 경치

W

wake up call(morning call) 알람시계 기능을 하는 전화(프론트 데스크에 요청할 수 있다)

walk-in guest 예약 없이 온 손님

walk a guest 예약한 손님

Part 03. 고객서비스 영어

출제예상문제

1. "Dry gin merely signifies that the gin lacks ( )."

가. sweetness　　나. sourness
다. bitterness　　라. hotness

정답 가
드라이 진은 sweetness(단맛)을 함유하고 있지는 않다.

2. 호텔에서 check-in 또는 check-out시 customer가 할 수 있는 말로 적합하지 않은 것은?

가. Would you fill out this registration form?
나. I have a reservation for tonight
다. I'd like to check out today
라. Can you hold my luggage until 4 pm?

정답 가
customer는 고객을 뜻한다. "Would you fill out this registration form?" (이 등록 양식을 작성시겠습니까?)의 질문은 해당되지 않는다.

3. A : What would you like for dessert, sir?
B : No, thank you. I don't need any. __________ .

가. Coffee would be fine.　　나. That's a good idea.
다. I'm on a diet.　　라. Cash or charge?

정답 다
A : 후식은 무엇으로 드릴까요?
B : 고맙습니다만 필요하지 않습니다. I'm on a diet.(저는 다이어트 중이에요.)

4. 아래의 대화에서 ( )에 가장 알맞은 것은?

> A : Come on, Marry. Hurry up and finish your coffee. We have to catch a taxi to the airport.
> B : I can't hurry. This coffee is (A) hot for me (B) drink.

정답 나
B : 나는 서두를 수 없다. 이 커피는 마시기에 조금 뜨겁다.

가. A : so, B : that　　나. A : too, B : to
다. A : due, B : to　　라. A : would, B : on

5. "Which do you like better, tea or coffee?" 의 대답으로 나올 수 있는 문장은?

가. Tea　　나. Tea and coffee
다. Yes, tea　　라. Yes, coffee

정답 가

"당신은 차 또는 커피 중 어떤 것을 선호합니까?" 의 답변으로 '가'항목이 알맞다.

6. 다음 ( ) 안에 들어갈 말은?

> I'll come to ( ) you up this evening

가. pick　　나. have
다. keep　　라. take

정답 가

"오늘 저녁에 당신을 데리러 올 거예요." 에 해당되는 단어는 'pick'이다.

7. Bring us another ( ) of beer, please.

가. around　　나. glass
다. circle　　라. serve

정답 나

우리에게 또 다른 글라스의 맥주를 가져다주세요.

8. "어서 앉으세요. 손님" 에 알맞은 영어는?

가. Sit down.
나. Please be seated.
다. Lie down, sir
라. Here is a seat, sir.

정답 나

정중한 표현으로 "Please be seated." 가 알맞다.

9. 다음 중 의미가 다른 하나는?

가. Cheers!　　나. Give up!
다. Bottoms up!　　라. Here's to us!

정답 나

가. 다. 라 모두 건배의 상황에 사용되는 문장이다.

10. ( ) 안에 가장 적합한 것은?

May I have ( ) coffee, please?

가. some 나. many
다. to 라. only

정답 가

some : (특정한 수·종류 중에서) 일부의

11. 다음 영문의 ( )에 들어갈 말은?

May I ( ) you a cocktail before dinner?

가. put 나. service
다. take 라. bring

정답 라

bring : 가져오다

12. 다음 문장의 ( ) 안과 같은 뜻은?

You (don't have to) go so early.

가. have not 나. do not
다. need not 라. can not

정답 다

'don't have to'는 '필요 없습니다'의 의미로 'need not'으로 대용할 수가 있다.

13. 밑줄 친 부분의 가장 알맞은 말은?

A : I am buying drinks tonight.
B : ________________

가. What happened?
나. What's wrong with you?
다. What's the matter with you?
라. What's the occasion?

정답 라

"What's the occasion?" (무슨 일 있어?) 상대를 걱정하는 문장이다.

14. ( ) 안에 가장 적합한 것은?

We don't have to wait ( ).

가. any longer 나. some longer
다. any long 라. no longer

정답 가

"우리는 더 이상 기다릴 필요가 없습니다."에 적합한 문장은 any longer이다.

15. "우리는 새 블랜더를 가지고 있다."를 가장 잘 표현한 것은?

가. We has been a new blender. 나. We has a new blender.
다. We had a new blender. 라. We have a new blender.

정답 라

"우리는 새 블랜더를 가지고 있다."에 적합한 문장은 We have a new blender이다.

16. 아래 문장의 의미는?

The line is busy, so I can't put you through.

가. 통화 중이므로 바꿔 드릴 수 없습니다.
나. 고장이므로 바꿔 드릴 수 없습니다.
다. 외출 중이므로 바꿔 드릴 수 없습니다.
라. 응답이 없으므로 바꿔 드릴 수 없습니다.

정답 가

"통화 중이므로 바꿔 드릴 수 없습니다."에 관한 문장이다.

17. What is an alternative form of "I beg your pardon"?

가. Excuse me 나. Wait for me
다. I'd like to know 라. Let me see

정답 가

질문에 대한 이해를 돕기 위한 재질문의 문장을 뜻한다. (Excuse me)

18. 다음 중 나머지 셋과 의미가 다른 문장은?

가. It doesn't matter.
나. It doesn't make any difference.
다. It is not important.
라. It is not difficult.

정답 라

"It is not difficult." 어렵지 않음을 표현하는 문장이다. 나머지는 중요도에 관한 문장이다.

19. "전화 연결 상태가 좋지 않습니다. 좀 더 크게 말씀해 주시겠습니까?" 의 가장 적합한 표현은?

가. The connect is bad. Will you speak louder?

나. The contact is bad. Will you tell louder?

다. The line is bad. Will you talk louder?

라. The touch is bad. Will you say louder?

정답 가

"The connect is bad. Will you speak louder?" (전화 연결 상태가 좋지 않습니다. 좀 더 크게 말씀해 주시겠습니까?)

20. "I'll be <u>right</u> back." 에서 밑줄 친 단어와 바꾸어 쓸 수 있는 것은?

가. immediately

나. just now

다. now

라. just away

정답 가

right : (금방) 대신 immediately : (바로)를 사용할 수 있다.

21. "이 곳은 우리가 머물렀던 호텔이다." 의 표현으로 옳은 것은?

가. This is a hotel that we staying.

나. This is the hotel where we stayed.

다. This is a hotel it we stayed.

라. This is the hotel where we stay.

정답 나

the는 사물 앞에, where는 장소의 어구 뒤에 사용된다.

22. ( ) 안에 알맞은 것은?

Who is the tallest, Mr. Kim, Lee, ( ) Park?

가. and　　나. or

다. with　　라. to

정답 나

누가 키가 큰지에 관한 문장으로 'or'이 적합하다.

23. "Bring us ( ) round of beer." 에서 ( ) 안에 알맞은 것은?

가. each　　나. another

다. every　　라. all

정답 나

another : 또 하나(의); 더, 또

24. "I'm sorry, but ch. Margaux is not ( ) the wine list." 에서 ( )에 알맞은 것은?

가. on

나. of

다. for

라. against

정답 가

on : (위)에(무엇의 표면에 닿거나 그 표면을 형성함을 나타냄)

25. "디저트를 원하지 않는다." 의 의미의 표현으로 옳은 것은?

가. I am eat very little.

나. I have no trouble with my dessert.

다. Please help yourself to it.

라. I don't care for any dessert.

정답 라

올바른 표현으로 "I don't care for any dessert." 를 사용한다.

26. "This milk has gone bad" 의 의미는?

가. 이 우유는 상했다.

나. 이 우유는 맛이 없다.

다. 이 우유는 신선하다.

라. 우유는 건강에 나쁘다.

정답 가

has gone bad : 상했다.

27. 초청해주셔서 감사합니다. "의 가장 올바른 표현은?

가. Thank you for inviting me.

나. Thank you for invitation me.

다. It was thanks that you call me.

라. Thank you that you invited me.

정답 가

가장 올바른 표현으로 "Thank you for inviting me." 가 해당된다.